THE ART GRAMMAR OF
VISUAL
COMMUNICATION

FROM
ELEMENT
DECONSTRUCTION
TO
INNOVATIVE
PRACTICE

视觉传达的艺术语法：从元素解构到创新实践

高立群 著

化学工业出版社
·北 京·

内容简介

本书聚焦视觉传达设计，构建从理论到实践的完整体系。在梳理学科定义、历史及数字化趋势的基础上，解析形态、色彩、材质等艺术元素的视觉语言与心理效应，并探讨其实践应用。全书内容涵盖艺术元素应用、跨界协作、符号化创新，分析色彩心理学与品牌策略的色彩应用，剖析文化符号转译叙事的图形创意，借字体与版式强化有秩序的排版设计，探索智能材料在包装中的应用，诠释元宇宙的动态设计。全书以“创新”为主线，关注传统设计语言的当代转化及其与科技融合的边界拓展，通过理论解析与案例实证，为学科发展提供理论参考，为实践者提供方法指导，推动数字化时代视觉设计范式的革新。本书既可作为设计院校的理论教材，也可为相关从业者提供实践指导。

图书在版编目（CIP）数据

视觉传达的艺术语法 ：从元素解构到创新实践 / 高立群著. -- 北京 ：化学工业出版社，2025. 8（2026. 1重印）. -- ISBN 978-7-122-49142-8

Ⅰ. J062

中国国家版本馆 CIP 数据核字第 2025JB6990 号

责任编辑：孙晓梅　　装帧设计：溢思视觉设计 / 姚艺

责任校对：张茜越

出版发行：化学工业出版社

（北京市东城区青年湖南街13号　邮政编码100011）

印　　装：北京天宇星印刷厂

710mm×1000mm　1/16　印张 $17^{1}/_{2}$　字数 277 千字

2026 年 1 月北京第 1 版第 2 次印刷

购书咨询：010-64518888　　售后服务：010-64518899

网　　址：http://www.cip.com.cn

凡购买本书，如有缺损质量问题，本社销售中心负责调换。

定　　价：98.00 元

前言

视觉传达设计作为一门融合艺术学、传播学及相关技术的综合性学科，其核心在于通过对视觉元素的系统性组合，传递信息、激发情感并塑造文化认同。在数字化与全球化浪潮的推动下，视觉设计已从传统的平面美学向多媒介、交互式、跨文化的范式转变，艺术元素的解构与创新实践成为这一领域的关键课题。

《视觉传达的艺术语法：从元素解构到创新实践》旨在构建一套从理论到实践的设计方法论体系。全书以“艺术元素”为线索，系统解析形态、色彩、材质等视觉语言的构成规律与心理效应，并深入探讨其在品牌设计、动态媒介、文化转译等领域的创新应用。书中不仅梳理了视觉传达设计的历史脉络与当代趋势，还结合大量跨学科案例（从包豪斯的理性网格到元宇宙的虚拟美学，从传统符号的现代转译到人工智能驱动的动态设计），揭示艺术元素如何平衡科学性与创造性，实现功能与美学的统一。

本书的写作基于两大核心视角。

1. 解构视角：将视觉元素视为可拆解的“语法单元”，分析点、线、面、色彩、质感等基础要素的视觉修辞逻辑，例如色彩心理学在品牌策略中的量化应用，或材质触感对用户行为的隐性影响。

2. 创新视角：聚焦科技与文化的动态融合，探讨动态设计、交互媒介、可持续材料等前沿领域如何重构视觉表达的边界，如增强现实（AR）技术对空间叙事的拓展，或传统文化符号在全球化语境中的弹性转译。

本书既可作为设计院校的理论教材，也可为相关从业者提供实践指导。书中案例涵盖国际品牌设计、社会公益传播、数字界面开发等多元场景，并附有方法论总结与批判性思考，帮助读者在快速变化的行业中保持敏锐的洞察力。

视觉传达的本质是“意义的视觉化”。希望本书能为读者提供一把钥匙，解锁艺术元素的深层逻辑，并在创新实践中找到传统与现代、本土与全球、理性与感性的动态平衡。

高立群

目录

Visual

Communication

第一章
视觉传达设计的基本理论

第一节
视觉传达设计的定义与特征

第二节
视觉传达设计的历史演变

第三节
视觉传达设计的当代发展趋势

第一节 视觉传达设计的定义与特征

在当今信息爆炸的时代，视觉传达设计无处不在，它深刻地影响着人们的生活、认知与交流方式。从大街小巷的广告海报到琳琅满目的商品包装，从简洁直观的指示标识到丰富多彩的网页界面，视觉传达设计以其独特的魅力和强大的功能，将各种信息准确、高效且富有创意地传递给受众。了解视觉传达设计的定义与特征，不仅有助于我们深入认识这一领域，更能让我们洞察其在社会发展、文化传播以及商业推广等方面所发挥的重要作用。

一、视觉传达设计的定义

视觉传达设计（visual communication design），从字面意义理解，是通过视觉媒介来实现信息传递的设计活动。它涵盖了广泛的领域，旨在运用文字、图形、色彩、影像等多种视觉元素，借助各类传播媒介，将特定的信息清晰、准确且富有吸引力地传达给目标受众，从而引发受众的认知、情感共鸣，并促使其产生相应的行为反应。

Donis A.Dondis（1974）在 *A Primer of Visual Literacy* 中将视觉传达设计定义为一种基于视觉符号系统的语言化实践，强调其本质是“通过视觉元素的结构化组合传递意义的语法体系”。书中提出，视觉语言与文字语言相似，拥有基础词汇（点、线、形状、色彩、纹理）和语法规则（对比、平衡、节奏、比例等），设计师需遵循人类视觉认知的普遍规律（如格式塔原则）进行编码，同时需培养受众的“视觉素养”（visual literacy）以实现有效解码。Dondis 主张，视觉传达设计的核心在于对“视觉修辞”的掌控（如通过明暗对比强化焦点、通过动态构图引导视线），其终极目标是建立一种跨文化、跨媒介的通用传达逻辑，这一理论为视觉传达教育奠定了从“感性创作”到“系统性语言分析”的方法论基础，尤其影响了信息设计与视觉符号学的研究路径。

视觉传达设计的核心在于通过系统性视觉符号实现信息编码与认知解码的双向交互。Lester（1995）在 *Visual Communication: Images with Messages* 中提出，视觉传达设计的本质是“意义生产与交换”的跨媒介实践，需遵循格式塔认知规律与符号学编码逻辑构建视觉语法体系。例如，公共卫生主题的海报通过色彩对比（象征警示意义的红色与象征安全意义的蓝色）与图标标准化（世卫组织防疫图示）增强信息识别度。Jorge Frascara（1997）在 *User-Centered Design: Visual Communication as Information Planning* 中进一步强调“功能优先”原则，主张通过用户行为建模（如地铁导视系统的眼动追踪测试）与场景化测试（医疗 App 操作界面的老年群体可用性验证）消除认知摩擦。当前数字化语境下，Steven Heller 与 Vienne（2021）在 *The Future of Design: Digital Revolution in Visual Communication* 中指出，生成式 AI 与扩展现实技术正在重构设计范式，如动态品牌系统通过算法实时适配多终端界面（从手机竖屏到车载横屏），但需警惕技术异化导致的文化扁平化危机。Ellen Lupton（2022）在 *Design is Storytelling: Iterative Visual Thinking* 中补充提出“迭代叙事”概念，认为设计师应运用原型工具（Figma 协作白板）与行为脚本（用户旅程情绪曲线图）实现动态化故事建构，如气候危机数据可视化项目通过渐进式信息披露引导公众认知深化。这些理论共同揭示，现代视觉传达已从平面美学技能演变为融合认知科学、媒介技术与伦理批判的系统工程。

从设计的本质来看，视觉传达设计是一种创造性的活动。设计师如同信息的“翻译者”，将复杂的、抽象的信息转化为直观的、易于理解的视觉形式。以一款新手机的宣传海报设计为例，设计师需要将手机的性能特点、创新技术、品牌理念等信息，通过精美的图片、简洁有力的文字以及独特的排版布局展现出来。这并非简单的信息罗列，而是需要设计师运用其专业知识和创造力，对各种视觉元素进行精心挑选、组织和编排，以达到最佳的视觉效果和信息传达效果。

视觉传达设计是一门综合性学科，它融合了艺术学、心理学、传播学、计算机科学等多学科知识。艺术学为设计师提供了美学基础和创意灵感，使设计作品具有独特的审美价值；心理学帮助设计师了解受众的感知、认知和情感特点，从而使设计更能打动人心；传播学则指导设计师如何选择合适的传播渠道和方式，确保信息能够准确无误地到达目标受众；计算机科学的发展为视觉传达设计提供了先进的工具和技术手段，极大地拓展了设计的表现形式和创作空间。

二、视觉传达设计的构成要素

（一）文字

文字是视觉传达设计中基本且重要的元素之一。它不仅能够准确传达信息的核心内容，还具有独特的视觉表现力。在设计中，文字的字体选择、字号大小、字间距、行间距以及颜色、排版方式等都会影响信息的传达效果。

不同的字体具有不同的性格特点。例如，宋体字笔画规整、结构严谨，给人一种端庄、典雅的感觉，常用于传统的书籍排版、正式的公文文件等；黑体字笔画粗壮、简洁有力，具有强烈的视觉冲击力，适合用于标题、海报等需要突出重点信息的设计中；而一些手写字体则充满了个性和情感，能够营造出温馨、亲切的氛围，常用于文化艺术、儿童产品等相关设计。

除了字体本身，文字的排版也至关重要。合理的排版可以引导受众的视线，使信息的层次更加清晰。例如，在一个宣传手册中，将标题设置为较大的字号，并采用醒目的颜色突出显示，能够吸引受众的注意力；而正文部分则采用较小的字号，保持适当的行距，以便于阅读。同时，运用对齐、分割、留白等排版技巧，还可以使文字与其他视觉元素之间形成良好的呼应关系，增强整个设计的协调性和美感。

（二）图形

图形是视觉传达设计中极具表现力的元素，能够以简洁、直观的方式传达复杂的信息，跨越语言和文化的障碍，引起受众的广泛共鸣。图形包括具象图形、抽象图形和意象图形等多种形式。

具象图形是对客观事物的真实描绘，具有高度的写实性和可识别性。在产品包装设计中，常常运用具象图形来展示产品的外观、特点等信息，让消费者一目了然。例如，果汁饮料的包装上通常印有新鲜水果的图片，使消费者能够直观地感受到产品的原材料和品质。

抽象图形则是通过对客观事物的简化、概括和提炼，运用点、线、面、色彩等基本元素创造出的具有象征意义的图形。它摆脱了具体形态的束缚，更注重表达内在的情感和理念。例如，许多科技公司的标志都采用抽象图形设计，通过简洁而富有创意的图形形式，传达出科技、创新、未来等概念。

意象图形是介于具象与抽象之间的一种图形形式，它通过联想、隐喻等手法，将抽象的概念转化为具有一定形象感的图形。例如，用一只飞翔的白鸽来象征和平，用火焰来代表热情等。意象图形能够激发受众的想象力，使他们在理解图形含义的同时，产生丰富的情感联想。

（三）色彩

色彩在视觉传达设计中具有强大的表现力和感染力，能够迅速吸引受众的注意力，引发他们的情感反应，并对信息的传达产生重要影响。色彩具有三个基本属性，即色相、明度和纯度。

色相是指色彩的种类，如红色、橙色、黄色、绿色、青色、蓝色、紫色等。不同的色相具有不同的情感象征意义。红色通常代表热情、活力、喜庆；蓝色象征着冷静、理智、信任；绿色则与自然、健康、生机等概念相关联。在设计中，根据传达的信息和目标受众的特点，选择合适的色相至关重要。

明度是指色彩的明亮程度，明度高的色彩给人以轻快、明亮的感觉，而明度低的色彩则显得深沉、稳重。在设计中，通过调整色彩的明度对比，可以突出重点信息，增强画面的层次感和立体感。例如，在一个以白色为主色调的网页中，使用黑色的文字作为标题，能够形成鲜明的明度对比，使标题更加醒目。

纯度是指色彩的鲜艳程度，纯度高的色彩鲜艳夺目，具有强烈的视觉冲击力；纯度低的色彩则显得柔和、淡雅。在设计中，合理运用纯度对比，可以营造出不同的氛围和情感基调。例如，在儿童用品的设计中，常常会使用高纯度的色彩，以营造活泼、欢快的氛围；而在一些高端品牌的设计中，更倾向于使用低纯度的色彩，以展现出优雅、高贵的气质。

此外，色彩的搭配也是视觉传达设计中的关键环节。常见的色彩搭配方法有同类色搭配、邻近色搭配、对比色搭配和互补色搭配等。同类色搭配是指选择同一色相但不同明度和纯度的色彩进行组合，这种搭配方式能够营造出和谐、统一的视觉效果；邻近色搭配是指选择在色相环上相邻的色彩进行组合，如红色与橙色、黄色与绿色等，这种搭配方式既具有一定的对比性，又能保持整体的协调；对比色搭配是指选择色相环上相对位置的色彩进行组合，如红色与绿色、黄色与紫色等，这种搭配方式能够产生强烈的视觉冲击，吸引受众的注意力；互补色搭配是对比色搭配的一种特殊形式，它所产生的对比效果最为强烈，常用于需要突出强调的设计中。

（四）空间

空间在视觉传达设计中是指各种视觉元素在二维或三维空间中的分布和排列关系。合理地运用空间，可以使设计作品更加清晰、有序，增强信息的传达效果。空间包括物理空间和心理空间两个方面。

物理空间是指设计作品实际占据的空间范围，如纸张的大小、屏幕的尺寸等。在设计过程中，需要根据物理空间的限制，合理安排各种视觉元素的位置和大小，以达到最佳的视觉效果。例如，在设计一张海报时，需要考虑海报张贴的位置和周围环境，确保海报在有限的空间内能够吸引路人的注意，并清晰地传达信息。

心理空间是指受众在观看设计作品时的空间感，它通过视觉元素的排列、组合以及相互之间的关系来营造。例如，通过运用大小对比、疏密变化、远近层次等手法，可以在二维平面上创造出具有立体感和深度感的视觉效果，使受众产生一种身临其境的感觉。此外，留白也是营造心理空间的重要手段。适当的留白可以使画面更加简洁、舒适，给受众留下想象的空间，同时也能够突出重点信息，增强设计的整体美感。

三、视觉传达设计的特征

（一）信息传递的准确性

信息传递的准确性是视觉传达设计的首要目标和核心特征。设计师需要将复杂的信息进行梳理和提炼，运用恰当的视觉元素和表现手法，将信息准确无误地传达给受众。不恰当的信息传递方式可能导致受众对信息产生误解，从而无法实现设计的预期效果。

在设计过程中，为了确保信息传递的准确性，设计师需要深入了解目标受众的特点、需求和认知水平。例如，为儿童设计的产品包装和宣传资料，应采用简洁明了的文字、生动有趣的图形和鲜艳活泼的色彩，以符合儿童的认知能力和审美喜好；而针对专业人士的学术报告或技术手册，则需要使用严谨、规范的语言和图表，准确地传达专业知识和技术信息。

同时，设计师还需要选择合适的传播媒介和表达方式。不同的传播媒介具有不同的特点和受众群体。例如，电视广告适合通过动态的画面和声音来吸引观众的注意力，而报纸广告则更注重文字和图片的排版，以适应读者的阅读习惯。此外，表达方式的选择也至关重要，如采用比喻、拟人、夸张等修辞手法，可以使信息更加生动形象，易于理解，但在运用这些手法时，要确保不会影响信息的准确性和真实性。

（二）视觉表现的艺术性

视觉传达设计作为一门艺术与设计相结合的学科，具有强烈的艺术性。它不仅要准确传达信息，还要通过独特的创意和精湛的表现手法，赋予设计作品以审美价值，使受众在接受信息的同时获得美的享受。

艺术性体现在视觉传达设计的各个方面，包括创意构思、视觉元素的运用、表现形式的选择以及整体的排版布局等。在创意构思阶段，设计师需要突破常规思维，运用独特的视角和创新的理念，挖掘信息背后的深层含义，创造出具有新颖性和吸引力的设计概念。例如，一些优秀的公益广告通过巧妙的创意，将深刻的社会问题以一种震撼人心的方式呈现出来，引发观众的共鸣和思考。

在视觉元素的运用上，设计师注重对文字、图形、色彩等元素的精心雕琢和艺术处理。通过对字体的设计、图形的创意绘制以及色彩的巧妙搭配，这些元素不仅能够准确传达信息，还具有独特的艺术魅力。例如，在一些文化艺术展览的海报设计中，设计师常常运用富有艺术感的字体和精美的插画，营造出浓厚的文化氛围，吸引观众的关注。

表现形式的选择也是体现艺术性的重要方面。视觉传达设计涵盖了多种表现形式，如平面设计、立体设计、动态设计等。设计师根据设计内容和目标受众的特点，选择合适的表现形式，并运用相应的艺术技巧进行创作。例如，在动画设计中，设计师通过对角色的造型设计、动作的流畅表现以及画面的色彩处理，创造出富有感染力的动画作品，展现出独特的艺术风格。

此外，整体的排版布局也需要遵循一定的美学原则，如对称与均衡、对比与调和、节奏与韵律等。合理运用这些原则，能使设计作品在视觉上具有和谐、统一的美感。例如，在书籍装帧设计中，设计师对页面的布局、文字与图片的比例关系以及页眉页脚的设计等进行精心安排，使书籍不仅能给读者带来良好的阅读体验，还具有较高的艺术欣赏价值。

（三）受众的针对性

视觉传达设计是一种面向特定受众群体的设计活动，其目的是满足受众的需求，引发他们的共鸣和行为反应。因此，受众的针对性是视觉传达设计的重要特征之一。Y. Wang 与 L. Chen, 在 *Cultural Semiotics in Cross-Brand Visual Communication*（2021）中，以文化符号学为框架，揭示了跨文化视觉传达设计的艺术元素本质为“符号层级博弈与意义转译的视觉化实践”。该研究通过案例分析（如可口可乐在中西方市场的符号差异、故宫文创的国际化转译）指出，艺术元素（色彩、图腾、版式）在不同文化语境中具有多重语义：色彩象征的冲突与调和，如红色在中国象征喜庆（春节营销），而在南美国家可能关联暴力（需通过辅助图形消解歧义）；传统符号的现代性解构，如日本“禅意枯山水”图案在西方品牌中被简化为极简线条，剥离宗教性以适配消费主义逻辑；版式结构的文化惯性，如东亚竖排文字的传统美学（如茶品包装）在全球化传播中需嫁接水平网格以降低认知门槛。研究强调，艺术元素的设计需构建“符号弹性”——通过视觉语法（如隐喻叠加、留白缓冲）平衡本土文化认同与全球传播效率，同时警示符号挪用可能引发的文化刻板印象（如“龙图腾”在东西方的神圣 / 邪恶误读）。其核心结论是：跨文化视觉传达的艺术性在于解构符号权力，重构对话性视觉叙事，而非单向输出审美权威。

因此，在进行设计之前，设计师需要对目标受众进行深入的调研和分析，了解他们所处的地区、年龄、性别、职业、文化背景、兴趣爱好、消费习惯等方面的信息。通过这些信息，设计师可以更好地把握受众的需求和心理特点，从而有针对性地进行设计创作。

例如，针对年轻人的时尚品牌广告，在设计上通常会采用时尚、潮流的元素，如流行的色彩、独特的图案、个性化的字体等，以吸引年轻消费者的关注；而针对老年人的保健品广告，则更注重产品的功效和安全性宣传，采用简洁明了的文字和温馨的画面，让老年人能够轻松理解和接受。

此外，不同的受众群体对信息的接收方式和媒介的偏好也有所不同。例如，年轻人更倾向于通过社交媒体、移动应用等新媒体平台获取信息，中老年人可能更习惯通过电视、报纸等传统媒体获取信息。因此，设计师在选择传播媒介时，还需要充分考虑受众的特点和偏好，以确保设计作品能够准确地传达给目标受众。

（四）媒介的多样性

刘静（2024）认为，随着科技的不断进步和社会的发展，视觉传达设计所依托的媒介呈现出多样化的趋势。从传统的印刷媒介（如书籍、报纸、杂志、海报等），到电子媒介（如电视、电脑、手机等），再到新兴的数字互动媒介 [如虚拟现实（VR）、增强现实（AR）、多媒体装置等]，视觉传达设计的传播媒介日益丰富。

不同的媒介具有不同的特点和优势，为视觉传达设计提供了更广阔的创作空间和表现形式。印刷媒介具有较高的质感和稳定性，适合用于传达较为正式、深入的信息，如书籍的排版设计、产品样本的制作等；电子媒介具有传播速度快、覆盖面广、互动性强等特点，能够通过动态的画面、声音和交互功能，更加生动形象地传达信息，如网络广告、视频动画等；而新兴的数字互动媒介打破了传统媒介的限制，为受众带来了全新的视觉体验和互动感受，如在虚拟现实展览中，观众可以身临其境地感受展品的魅力，与展品进行互动交流。

设计师需要根据设计内容和目标受众的特点，选择合适的媒介进行信息传播。同时，还需要充分发挥不同媒介的优势，将多种媒介有机结合起来，实现全方位、多层次的信息传播效果。例如，在一个品牌的推广活动中，设计师可以通过制作精美的海报在户外进行宣传，吸引路人的注意；同时，利用社交媒体平台发布有趣的短视频和互动活动，扩大品牌的影响力；此外，还可以举办线上线下相结合的体验活动，让消费者更加深入地了解品牌的产品和文化。

（五）时代的创新性

视觉传达设计是时代发展的产物，它与社会、经济、科技、文化等方面的发展密切相关。随着时代的不断变迁，视觉传达设计也在不断创新和发展，以适应社会的需求和人们审美观念的变化。

时代的创新性体现在视觉传达设计的理念、技术和表现形式等多个方面。在设计理念上，随着人们对环保、可持续发展等问题的关注度不断提高，绿色设计、人性化设计等理念逐渐成为视觉传达设计的主流。设计师在设计过程中更加注重对环境的保护和对人的关怀，通过创新的设计理念推动社会可持续发展。

在技术方面，科技的飞速发展为视觉传达设计带来了前所未有的机遇和挑战。新的设计软件和工具不断涌现，如 3D 建模软件、动态图形设计软件、虚拟现实开发工具等，这些技术的应用极大地拓展了设计师的创作空间，使他们能够创造出更加丰富多样、富有创意的设计作品。例如，在电影特效制作中，通过运用先进的 3D 建模和动画技术，可以创造出令人震撼的视觉效果。

在表现形式上，视觉传达设计不断融合新的艺术形式和文化元素，呈现出多元化的发展趋势。例如，近年来，将传统艺术与现代设计相结合的作品越来越受到人们的关注。设计师通过对传统艺术形式（如剪纸、刺绣、书法等）的创新运用，将其融入现代视觉传达设计中，创造出具有独特文化魅力的作品。

此外，随着全球化进程的加速，不同国家和地区的文化交流日益频繁，视觉传达设计也呈现出国际化的发展趋势。设计师在设计过程中更加注重跨文化的交流与融合，吸收不同文化的精华，创造出具有国际视野的作品。

四、小结

视觉传达设计作为一门以视觉媒介为主要手段进行信息传递的设计学科，其定义涵盖了从信息的梳理、转化到通过多种视觉元素进行创意表达，并借助各种传播媒介将信息准确传达给目标受众的全过程。其构成要素包括文字、图形、色彩和空间，这些要素相互作用、相互影响，共同构成了视觉传达设计的丰富内涵。

视觉传达设计具有信息传递的准确性、视觉表现的艺术性、受众的针对性、媒介的多样性和时代的创新性等显著特征。这些特征不仅体现了视觉传达设计在信息传播中的重要作用，也反映了其与社会发展、文化传承以及科技进步之间的紧密联系。

在当今社会，视觉传达设计无处不在，它不仅为我们提供了丰富的视觉体验，更在经济、文化、教育等各个领域发挥着重要的推动作用。无论是商业品牌的推广、文化艺术的传播，还是公共信息的发布，都离不开视觉传达设计的支持。因此，深入理解视觉传达设计的定义与特征，对于从事设计工作的专业人士以及广大对设计感兴趣的人群来说，都具有重要的意义。它将帮助我们更好地欣赏和评价设计作品，更有效地运用设计手段进行信息传播和创意表达，为推动社会的发展和进步贡献自己的力量。

同时，随着时代的不断发展和科技的持续进步，视觉传达设计也将面临更多的机遇和挑战。未来，设计师需要不断学习和创新，紧跟时代的步伐，充分利用新的技术和理念，创作出更加优秀、富有创意和社会价值的设计作品。只有这样，视觉传达设计才能在不断变化的社会环境中保持其旺盛的生命力，继续为人类的文明和发展作出更大贡献。

第二节 视觉传达设计的历史演变

视觉传达设计作为人类文明发展进程中的重要组成部分，其历史源远流长，贯穿人类社会的各个阶段。从远古时期的岩画到现代的数字化视觉作品，视觉传达设计随着时代的变迁不断演变和发展，反映了不同历史时期的社会文化、经济发展、科技进步以及人们的审美观念和生活方式。深入研究视觉传达设计的历史演变，不仅有助于我们了解这一领域的发展脉络和内在规律，更能为当代的设计实践提供丰富的灵感和宝贵的经验。

一、远古与古代时期的视觉传达设计萌芽

（一）远古时期的岩画与图腾

在人类文明的早期，文字尚未出现，人们主要通过图形来记录信息和表达思想。远古时期的岩画便是这一阶段视觉传达设计的重要表现形式。岩画通常绘制在洞穴的墙壁、岩石表面等地方，多以狩猎、动物、人类活动等为主题，采用简单而生动的线条勾勒出形象。这些岩画不仅是人类对当时生活场景的记录，更是一种信息传递的方式，通过图形向后人传达着远古人类的生存状态、信仰和文化。

同时，图腾崇拜在远古社会中也占据着重要地位。图腾是一个氏族的标志或象征，通常以动物、植物或自然现象的图形呈现。氏族成员通过绘制、雕刻图腾形象，将其作为精神寄托和身份认同的标志。图腾的传播和传承，使得同一氏族的成员能够在视觉上形成共同的认知和归属感，这也是早期视觉传达设计在社会凝聚力方面所发挥的重要作用。

（二）古代文明中的文字与图形

随着人类社会的发展，文字逐渐出现并成为记录和传播信息的重要工具。古埃及的象形文字、古巴比伦的楔形文字以及中国的甲骨文等，都是人类文明史上伟大的发明。这些文字最初都具有很强的图形

化特征，它们通过对事物的形象描绘来表达特定的含义。例如，古埃及象形文字中的“太阳”用一个圆圈中间加一点来表示，“鸟”用一个类似鸟的图形来代表。这些文字不仅用于记录历史、宗教教义、法律条文等重要信息，还通过壁画、雕刻等形式在建筑、墓葬等场所展示，起到了信息传播的作用。

在古代中国，除了文字的发展，印章文化也独具特色。印章上刻有文字或图案，通过盖印的方式将信息传递给他人。印章的使用范围广泛，包括官方文件、商业契约、书画作品等。印章的图形设计和雕刻工艺体现了当时的审美观念和艺术水平，同时也保证了信息的真实性和权威性。此外，中国古代的绘画艺术也在不断发展，从战国时期的帛画到秦汉时期的画像砖、画像石，绘画作品不仅具有艺术欣赏价值，还承载着丰富的社会文化信息，如历史故事、神话传说、社会生活场景等，通过视觉形象向人们传达着特定的文化内涵。

二、中世纪与文艺复兴时期的视觉传达设计发展

（一）中世纪的宗教艺术与手抄本

中世纪的欧洲社会处于基督教的统治之下，宗教艺术成为这一时期视觉传达设计的主要表现形式。教堂建筑、壁画、雕塑等宗教艺术作品大量涌现，它们以宏伟的规模、精美的工艺和丰富的象征意义，向信徒传达宗教教义和精神信仰。这些作品大量运用了《圣经》故事、圣徒形象等元素，通过视觉形象的展示，激发信徒的宗教情感和敬畏之心。

手抄本也是中世纪视觉传达设计的重要成果。由于印刷术尚未普及，书籍的制作主要依靠手工抄写。手抄本的制作过程极为精细，抄写员不仅要书写工整的文字，还要绘制精美的插图和装饰图案。这些插图和装饰图案通常与文字内容紧密结合，起到了辅助理解和美化书籍的作用。手抄本的装饰风格多样，包括拜占庭风格、哥特式风格等，每种风格都具有独特的艺术特点，反映了当时的文化和审美趋势。

（二）文艺复兴时期的人文主义与印刷术的影响

文艺复兴时期，欧洲社会掀起了一场思想解放运动，人文主义思想兴起，人们对知识和文化的追求达到了新的高度。这一时期，视觉传达设计也受到了人文主义思想的深刻影响，开始更加注重人的价值和个性表达。在绘画领域，艺术家们摆脱了中世纪宗教艺术的束缚，以更加写实和生动的手法描绘人物形象和社会生活场景。例如，达·芬奇、米开朗基罗、拉斐尔等艺术家的作品，不仅展现了高超的绘画技巧，更传达了人文主义的精神内涵。

同时，印刷术的发明和传播对视觉传达设计产生了革命性的影响。黄佳梦（2020）认为，15 世纪，德国发明家谷登堡发明了金属活字印刷术，使得书籍的大规模生产成为可能。印刷术的出现，不仅提高了信息传播的效率和准确性，还降低了书籍的制作成本，使得知识能够更广泛地传播。在印刷书籍的设计中，字体设计、版面布局、插图绘制等方面都得到了极大的发展。印刷商和设计师开始注重书籍的整体美感和阅读体验，精心设计的字体、合理的排版和精美的插图，使书籍成为一种兼具实用价值和艺术价值的文化产品。此外，印刷术的发展也促进了广告、海报等视觉传达形式的兴起，为商业信息的传播提供了新的途径。

三、工业革命时期的视觉传达设计变革

（一）工业革命对设计的影响

18 世纪中叶，工业革命在英国爆发，并迅速蔓延至欧洲和北美洲等地。工业革命带来了生产方式的巨大变革，机器生产取代了手工劳动，大规模的工业化生产成为主流。这一变革对视觉传达设计产生了深远的影响。一方面，工业化生产要求产品具有标准化、批量化的特点，这使得设计与生产逐渐分离，设计师开始成为一种独立的职业；另一方面，工业革命带来了新材料、新技术的广泛应用，如钢铁、玻璃、塑料等，这些新材料为设计提供了更多的可能，同时也对设计师的创造力和技术能力提出了更高的要求。

（二）平面设计的兴起与发展

在工业革命的推动下，平面设计作为视觉传达设计的重要分支逐渐兴起并得到了快速发展。随着商品经济的繁荣，市场竞争日益激烈，企业对产品包装、广告宣传等方面的需求不断增加。这促使设计师开始注重产品的视觉形象设计，以吸引消费者的注意力。这一时期，出现了许多具有代表性的平面设计作品，如英国的工艺美术运动和欧洲大陆的新艺术运动。

工艺美术运动起源于英国，以威廉·莫里斯为代表。该运动反对工业化生产带来的粗制滥造，主张回归传统手工艺，强调艺术与技术的结合。莫里斯设计的书籍、壁纸、纺织品等作品，具有简洁、自然、富有装饰性的特点，采用了大量的植物图案和传统手工艺技法，展现了对自然和传统的尊重。新艺术运动在欧洲大陆广泛传播，其设计风格更加注重曲线和自然形态的运用，强调装饰性和艺术性。新艺术运动的设计师在建筑、家具、珠宝、海报等领域都取得了卓越的成就，如比利时的亨利·凡·德·威尔德、法国的阿尔丰斯·穆夏等。他们的作品充满了创新精神和浪漫主义色彩，对现代视觉传达设计的发展产生了重要影响。

（三）标志与品牌形象设计的出现

随着工业化生产的发展和市场竞争的加剧，企业开始意识到品牌形象的重要性。标志作为品牌形象的核心视觉元素，逐渐成为企业进行市场竞争的重要手段。19 世纪末 20 世纪初，许多知名企业开始设计自己的标志，如可口可乐、百事可乐、奔驰、宝马等。这些标志设计简洁、独特，具有很强的识别性和记忆性，通过在产品包装、广告宣传等方面的广泛应用，有效地传达了企业的品牌理念和价值观，提升了品牌的知名度和美誉度。

同时，品牌形象设计的概念也逐渐形成。企业开始注重从整体上塑造品牌形象，包括标志设计、产品包装设计、广告宣传设计、店铺环境设计等各个方面，以营造统一、鲜明的品牌形象，增强消费者对品牌的认同感和忠诚度。这一时期，品牌形象设计的理论和方法也在不断发展和完善，为现代品牌管理奠定了基础。

四、20 世纪的视觉传达设计多元化发展

（一）现代主义设计运动

20 世纪初，现代主义设计运动在欧洲兴起，并迅速影响到全球。现代主义设计强调功能主义原则，主张形式追随功能，反对过度装饰。在视觉传达设计领域，现代主义设计运动倡导简洁、清晰、理性的设计风格，注重运用几何图形、无衬线字体等元素，追求设计的科学性和逻辑性。包豪斯学院是现代主义设计运动的重要代表，由德国建筑师沃尔特·格罗皮乌斯于 1919 年创立。包豪斯学院打破了传统艺术与设计教育的界限，强调艺术与技术的统一，培养了一大批优秀的设计师。包豪斯的设计理念和教学方法对现代视觉传达设计的发展产生了深远的影响，其设计作品具有简洁、实用、富有现代感的特点，如赫伯特·拜耶设计的包豪斯字体，采用了简洁的几何形状，具有极强的可读性和视觉冲击力。

（二）国际主义风格的盛行

第二次世界大战后，国际主义风格在全球范围内盛行。国际主义风格是现代主义设计运动在二战后的发展和延续，它继承了现代主义设计的功能主义原则和简洁的设计风格，但在发展过程中逐渐走向了形式主义。国际主义风格的设计作品强调标准化、规范化和通用性，大量运用无衬线字体、网格系统和简洁的几何图形，追求设计的一致性和统一性。在平面设计领域，国际主义风格的代表人物有瑞士的约瑟夫·米勒 - 布罗克曼（Josef Müller-Brockmann，1914 —1996），他是国际主义平面设计风格（swiss style）最具代表性的设计师之一。他的作品广泛应用于企业形象设计、书籍排版、广告设计等领域，对全球视觉传达设计的发展产生了重要影响。然而，国际主义风格在后期也受到了一些批评，认为其过于追求形式的统一，忽视了设计的个性和文化内涵。

（三）后现代主义设计思潮的兴起

20 世纪 60 年代，后现代主义设计思潮开始兴起。后现代主义设

计反对现代主义设计的单一性和标准化，主张设计的多元化和个性化。在视觉传达设计领域，后现代主义设计强调对历史文化元素的借鉴和运用，通过对传统元素的重新组合和演绎，创造出具有独特个性和文化内涵的设计作品。后现代主义设计作品常常运用夸张、变形、隐喻等手法，打破传统的设计规则和审美观念，展现出一种幽默、诙谐、富有创意的设计风格。例如，美国设计师罗伯特·文丘里设计的海报作品，常常运用复杂的图形和文字组合，打破了传统海报的简洁性原则，展现出后现代主义的设计特点。

（四）信息技术发展对视觉传达设计的影响

20世纪后期，随着信息技术的飞速发展，计算机技术、互联网技术、多媒体技术等逐渐应用于视觉传达设计领域，给视觉传达设计带来了革命性的变化。计算机辅助设计软件的出现，如Adobe Photoshop、Illustrator等，极大地提高了设计师的工作效率和创作能力，使得设计师能够更加方便地进行图形绘制、图像处理、排版设计等工作。同时，互联网技术的发展使得信息传播的速度和范围得到了极大的拓展，网页设计、界面设计、数字广告等新兴的视觉传达设计形式应运而生。这些新兴的设计形式充分利用了多媒体技术的优势，融合了文字、图形、图像、音频、视频等多种元素，为用户带来了更加丰富和生动的视觉体验。

五、当代视觉传达设计的发展趋势展望

（一）数字化与交互性的深化

进入21世纪，数字化技术和交互技术在视觉传达设计中的应用将更加深入和广泛。随着虚拟现实（VR）、增强现实（AR）、混合现实（MR）等技术的不断发展，视觉传达设计将从传统的二维平面和三维空间向更加沉浸式的体验空间拓展。设计师将更加注重用户与设计作品之间的互动和体验，通过设计具有高度交互性的界面和场景，让用户能够更加主动地参与到信息的获取和传播过程中。例如，在博

物馆展览设计中，利用AR技术可以为观众提供更加丰富的展品信息和互动体验，使观众能够更加深入地了解展品的历史和文化背景。

（二）可持续发展理念的融入

在全球环境问题日益严峻的背景下，可持续发展理念将成为当代视觉传达设计的重要指导原则。设计师将更加注重设计材料的选择、生产过程的环保性以及设计作品的生命周期管理。在设计材料方面，将更多地采用可再生、可降解的环保材料，减少对环境的污染。在设计过程中，将注重节能减排，优化生产流程，降低能源消耗。同时，设计师还将关注设计作品的可持续性使用，通过设计易于维护、更新和回收的产品，延长产品的使用寿命，减少资源浪费。

（三）文化多样性与融合

随着全球化进程的加速，不同国家和地区的文化交流日益频繁，文化多样性将成为当代视觉传达设计的重要特征。设计师将更加注重对不同文化元素的挖掘和融合，通过将本土文化与国际文化相结合，创造出具有独特文化魅力和国际视野的设计作品。同时，文化多样性也将促进跨文化设计的发展，设计师需要具备跨文化沟通和理解的能力，以满足不同文化背景用户的需求。例如，在国际品牌的设计中，需要充分考虑不同国家和地区的文化差异，进行本土化的设计调整，以确保品牌能够在全球范围内得到广泛的认可和接受。

（四）人工智能与设计创新

人工智能技术的发展将为视觉传达设计带来新的创新机遇。人工智能可以通过对大量设计数据的分析和学习，为设计师提供创意灵感和设计建议。同时，人工智能还可以实现自动化的设计生成，如通过算法生成海报、标志等设计作品。虽然人工智能目前还无法完全取代设计师的创造性思维，但它可以与设计师形成互补，帮助设计师提高工作效率，拓展设计思路，创造出更加新颖和独特的设计作品。未来，设计师需要不断学习和掌握人工智能技术，将其与自己的专业知识和创意能力相结合，推动视觉传达设计的创新发展。

六、小结

视觉传达设计的历史演变是一个漫长而复杂的过程，它与人类社会的发展紧密相连，受到社会文化、经济、科技等多种因素的影响。从远古时期的岩画和图腾到当代的数字化视觉设计，视觉传达设计在不断地演变和发展，其表现形式、设计理念和技术手段都发生了翻天覆地的变化。回顾视觉传达设计的历史，我们可以看到，每一个历史时期都有其独特的设计风格和特点，这些风格和特点不仅反映了当时的社会风貌和人们的审美观念，也为后来的设计发展奠定了基础。

当代社会，视觉传达设计面临着新的机遇和挑战。随着科技的飞速发展和社会的不断进步，视觉传达设计将朝着数字化、交互性、可持续性、文化多样性和智能化的方向发展。设计师需要紧跟时代的步伐，不断学习和创新，将传统与现代相结合，将本土文化与国际文化相融合，充分利用新的技术和理念，创造出更加优秀、富有创意和社会价值的设计作品。同时，我们也应该从视觉传达设计的历史演变中汲取经验和教训，尊重历史文化传统，注重设计的人文关怀和社会责任感，为推动人类文明的进步和发展贡献自己的力量。

第三节 视觉传达设计的当代发展趋势

在当今全球化、信息化的时代背景下，当代设计正呈现出前所未有的多元化态势。这种多元化趋势涵盖了设计理念、设计风格、设计方法以及应用领域等多个维度，深刻地影响着人们的生活方式、审美观念以及社会文化的发展。它既是对传统设计范式的突破与创新，也是对当下复杂多变的社会环境、快速发展的科技以及多元文化交融的回应。深入探究当代多元化设计趋势，不仅有助于设计师把握时代脉搏，创造出更具创新性和适应性的设计作品，也能让我们更好地理解设计在当代社会中的重要角色与价值。

一、当代多元化设计趋势的形成背景

（一）科技的飞速发展

1. 数字化技术的广泛应用

李叶红（2024）认为，数字化技术是推动当代设计多元化的重要力量。从计算机辅助设计（CAD）到虚拟现实（VR）、增强现实（AR）以及人工智能（AI）技术，数字化工具和平台为设计师提供了前所未有的创作可能性。CAD 软件使设计师能够更加精确、高效地进行二维和三维设计，极大地缩短了设计周期。VR 和 AR 技术打破了传统设计的空间限制，让用户能够身临其境地体验设计成果。例如，在室内设计领域，用户可以通过 VR 设备提前感受未来家居空间的布局和装饰效果，这促使设计师在设计过程中更加注重用户体验和空间交互性的创新。而 AI 技术的应用，如智能设计算法、图像识别与生成等，不仅能够辅助设计师进行创意构思，还能根据用户的偏好和需求生成个性化的设计方案，进一步增强了设计的多样性。

2. 新材料的不断涌现

新材料的研发与应用为设计创新提供了物质基础。随着材料科学的进步，各种新型材料如纳米材料、智能材料、可降解材料等不断涌现。纳米材料具有独特的物理和化学性质，能够赋予产品更好的性能，如高强度、高韧性、自清洁等，这为产品设计带来了更多的可能性。智能材料则能够根据环境变化自动调整自身性能。例如，形状记忆合金可以在温度变化时恢复到原来的形状，这种特性被应用于航空航天、医疗器械等领域的设计中。可降解材料的出现满足了可持续发展的需求，设计师开始将其应用于包装设计、产品外壳设计等领域，推动了绿色设计的发展。新材料的不断涌现，使得设计师能够突破传统材料的限制，创造出具有独特功能和外观的设计作品。

（二）文化的多元交融

1. 全球化背景下的文化交流

全球化使得不同国家和地区的文化以前所未有的速度和深度进行交流与融合。在设计领域，设计师能够轻松获取世界各地的文化资源，并将其融入自己的设计中。东方文化的神秘韵味、西方文化的理性严谨、非洲文化的原始质朴等，都成为设计师灵感的源泉。例如，在时尚设计中，许多国际品牌将中国传统的刺绣、旗袍元素与西方的时尚剪裁相结合，创造出既具有东方特色又符合现代时尚潮流的服装款式。在建筑设计中，一些设计师借鉴了东方传统建筑中对自然光线和空间利用的理念，将其融入现代建筑的设计中，营造出宁静、和谐的空间氛围。这种跨文化的设计融合，丰富了设计的内涵和表现形式，促进了设计风格的多元化发展。

2. 本土文化的复兴与创新

在全球化的浪潮中，本土文化的价值也日益受到重视。越来越多的设计师开始挖掘本土文化的精髓，将其与现代设计理念相结合，进行创新设计。例如，在中国，一些设计师从传统的剪纸、陶瓷、京剧等艺术形式中汲取灵感，运用现代设计手法将这些元素融入产品设计、平面设计、室内设计等领域。通过对本土文化的重新诠释和创新应用，不仅传承了本土文化，还创造出具有独特地域特色和文化魅力的设计作品，满足了人们对文化多样性和个性化的追求。

（三）社会需求的转变

1. 个性化需求的增长

随着社会的发展和人们生活水平的提高，消费者对设计的需求不再满足于标准化、同质化的产品和空间，而是更加追求个性化、独特性。他们希望通过使用设计产品来表达自己的个性、品位和生活态度。这种个性化需求的增长促使设计师打破传统设计模式，采用更加多样的设计手法和表现形式。例如，在产品设计中，定制化设计逐渐成为一种趋势，消费者可以根据自己的喜好选择产品的颜色、材质、功能等，设计师则根据消费者的个性化需求进行定制设计。在室内设计中，设计师会根据客户的生活习惯、兴趣爱好等，打造出独一无二的家居空间，体现客户的个性特征。

2. 对可持续发展的关注

环境问题和资源短缺已成为全球关注的焦点，可持续发展的理念深入人心。在设计领域，这一理念促使设计师们在设计过程中更加注重环境保护、资源利用和社会公平。可持续设计不仅要求设计作品在生产和使用过程中减少对环境的负面影响，还强调产品的耐用性、可回收性和可维护性。例如，在建筑设计中，绿色建筑的设计理念得到广泛应用，设计师通过采用节能技术、可再生材料、合理的建筑布局等方式，降低建筑的能源消耗和对环境的影响。在产品设计中，一些设计师采用可降解材料制作产品包装，以减少塑料垃圾的产生；设计可拆卸、可维修的产品结构，延长产品的使用寿命。可持续发展的需求推动了设计在材料选择、功能设计、生产工艺等方面的创新，形成了多元化的设计策略和方法。

二、当代多元化设计趋势的表现形式

（一）设计理念的多元化

1. 体验设计的兴起

体验设计强调以用户为中心，关注用户在使用产品或服务过程中的整体体验，包括视觉、听觉、触觉、情感等多个方面。设计师通过深入了解用户的需求、行为和情感，设计出能够与用户产生共鸣的产品和服务。例如，在酒店设计中，体验设计不仅关注客房的舒适度和功能性，还注重酒店大堂、餐厅、健身房等公共空间的氛围营造，以及员工与客人之间的互动服务。通过打造独特的空间体验，提供个性化的服务，让客人在酒店中感受到愉悦、放松和满足。在电子产品设计中，体验设计注重产品的交互性和易用性。例如，智能手机的界面设计简洁直观，操作流畅，能够为用户带来良好的使用体验。

2. 服务设计的发展

服务设计是将设计思维应用于服务领域，旨在优化服务系统，提升服务质量和用户满意度。它涉及多个学科的知识和方法，包括设计学、管理学、社会学、心理学等。服务设计师通过对服务流程的梳理、用户需求的分析和服务触点的设计，创造出更加高效、便捷、人性化的服务体验。例如，在城市交通服务设计中，设计师通过整合公交、地铁、共享单车等多种交通方式，优化换乘系统，设计便捷的出行 APP，为市民提供一站式出行服务解决方案。在医疗服务设计中，设计师通过优化医院的挂号、就诊、检查、取药等流程，改善医院的空间布局和环境氛围，提高医护人员的服务意识和沟通能力，提升患者的就医体验。

3. 社会创新设计的出现

社会创新设计以解决社会问题为导向，运用设计的方法和理念，推动社会的变革和发展。它关注社会公平、环境保护、社区发展、弱势群体权益等问题，通过设计创新的产品、服务和系统，为社会问题提供解决方案。例如，一些设计师针对老年人的出行安全问题，设计了带有智能定位和紧急呼叫功能的拐杖；一些设计师为解决城市垃圾问题，设计了智能化的垃圾分类系统和回收利用方案；一些设计师为提高社区的凝聚力和促进社区发展，设计了社区共享空间和互动活动。社会创新设计的出现，拓展了设计的社会功能和价值，使设计成为推动社会进步的重要力量。

（二）设计风格的多元化

1. 极简主义与极繁主义并存

极简主义风格以简洁、纯粹的设计语言为特点，追求去除一切不必要的装饰和元素，强调功能和形式的高度统一。在产品设计中，极简主义的产品通常具有简洁的线条、单一的色彩和简洁的操作界面，如苹果公司的产品设计，以简洁的外观和易用的操作系统深受消费者喜爱。在室内设计中，极简主义的空间以白色、灰色等中性色为主色调，家具和装饰品的选择也极为简洁，营造出简洁、宁静的空间氛围。

然而，与极简主义风格形成鲜明对比的极繁主义风格也在当代设计中崭露头角。极繁主义强调丰富的装饰、复杂的图案和多样的色彩组合，追求视觉上的冲击力和丰富感。在时尚设计中，极繁主义的服装常常运用大量的刺绣、珠饰、蕾丝等装饰元素，色彩鲜艳夺目，造型夸张独特。在室内设计中，极繁主义的空间充满了各种装饰品、艺术品和复杂的图案壁纸，营造出奢华、热闹的空间氛围。极简主义和极繁主义风格的并存，满足了不同消费者对简约与繁复、低调与张扬的审美需求。

2. 复古风格与未来主义风格的碰撞

复古风格在当代设计中呈现出复兴的趋势，设计师们从过去的历史时期中汲取灵感，将传统的设计元素、工艺和风格进行重新演绎和创新。例如，在家具设计中，复古风格的家具常常借鉴中世纪现代主义、Art Deco（装饰艺术）等风格的设计元素，采用实木材质、独特的造型和复古的色彩搭配，营造出具有历史韵味的家居氛围。在时尚设计中，复古风格的服装流行回潮，如 20 世纪 80 年代的垫肩西装、90 年代的碎花裙等元素在现代时尚舞台上再次焕发光彩。

与此同时，未来主义风格以其对科技、未来生活的想象和探索，成为当代设计中的另一大亮点。未来主义风格的设计常常运用流畅的曲线、金属质感的材料、炫目的灯光效果等，营造出充满科技感和未来感的视觉效果。在建筑设计中，一些未来主义风格的建筑造型独特，如扎哈・哈迪德设计的建筑作品，以其流畅的线条和不规则的形状，展现出未来建筑的可能性。在产品设计中，未来主义风格的电子产品通常具有简洁而富有科技感的外观，以及先进的功能和交互方式。复古风格与未来主义风格的碰撞，体现了当代设计对历史与未来的双重关注，以及对传统与创新的融合探索。

3. 地域风格与国际风格的融合

地域风格是指不同地区由于地理环境、历史文化、生活方式等因素的影响而形成的独特设计风格。在当代设计中，地域风格得到了充分的重视和传承，同时也与国际风格相互融合。例如，在建筑设计中，一些设计师将中国传统的四合院、徽派建筑等地域风格的元素与现代建筑的设计理念相结合，创造出既具有中国特色又符合现代功能需求的建筑作品。在产品设计中，一些地方特色的手工艺品，如宜兴紫砂壶、景德镇陶瓷等，通过与现代设计手法的结合，不仅保留了传统的工艺和文化内涵，还在造型、功能等方面进行了创新，使其更符合现代消费者的审美和使用需求。这种地域风格与国际风格的融合，既体现了对本土文化的尊重和传承，又顺应了全球化的发展趋势，使设计作品具有更广泛的市场竞争力。

（三）设计方法的多元化

1. 跨学科设计方法的应用

当代设计面临的问题越来越复杂，需要综合运用多个学科的知识和方法来解决，跨学科设计方法应运而生。它打破了传统学科之间的界限，将设计与工程学、社会学、心理学、计算机科学等学科有机结合。例如，在汽车设计中，设计师需要与工程师合作，考虑汽车的性能、安全性、能源效率等工程问题；与材料学家合作，选择合适的材料，以满足汽车的轻量化和环保要求；与心理学家合作，研究用户的驾驶习惯和心理需求，优化汽车的内饰设计和人机交互界面。跨学科设计方法的应用，能够整合不同学科的优势资源，为设计创新提供更广阔的思路和方法。

2. 用户参与式设计方法的普及

用户参与式设计方法强调在设计过程中让用户参与进来，充分听取用户的意见和建议，以确保设计作品能够更好地满足用户的需求。

这种设计方法通过用户调研、用户测试、用户反馈等环节，让用户成为设计的参与者和决策者。例如，在软件开发过程中，开发团队会邀请用户进行公开测试（即 Beta 测试，中文常直接音译为“贝塔测试”或“β 测试”），收集用户的使用反馈，根据用户的意见对软件进行优化和改进；在城市规划设计中，设计师会组织社区居民参与规划讨论，了解他们对公共空间、交通设施、社区服务等方面的需求和期望，将居民的意见融入规划设计中。用户参与式设计方法的普及，增强了用户对设计作品的认同感和满意度，同时也增强了设计的针对性和实用性。

3. 大数据驱动的设计方法的兴起

随着大数据技术的发展，大数据驱动的设计方法逐渐兴起。设计师可以通过收集和分析大量的用户数据、市场数据、设计案例数据等，了解用户的行为模式、审美偏好、市场趋势等信息，为设计决策提供依据。例如，在电商平台的界面设计中，设计师可以通过分析用户的浏览行为、购买记录等数据，了解用户的需求和使用习惯，优化界面的布局、导航和推荐系统，提高用户的购物体验。在产品设计中，设计师可以通过分析市场上同类产品的销售数据和用户评价，找出产品的优势和不足，为新产品的设计提供参考。大数据驱动的设计方法使设计更加科学、精准，能够更好地满足市场需求。

三、当代多元化设计趋势在不同领域的体现

（一）建筑设计领域

1. 建筑形态的多样化

当代建筑设计呈现出丰富多样的形态，突破了传统建筑的规则和模式。一方面，一些建筑采用了有机形态的设计，模仿自然界中的生物形态和生长规律，创造出流畅、自然的建筑外观。例如，弗兰克·盖里设计的毕尔巴鄂古根海姆博物馆，其建筑形态宛如一艘巨大的金属船，以不规则的曲线和扭曲的形状，展现出独特的艺术魅力。

另一方面，一些建筑则运用了几何形态的创新组合，通过对各种几何形状的拼接、穿插和变形，创造出富有创意和视觉冲击力的建筑造型。例如，扎哈·哈迪德设计的广州大剧院，由两个不规则的几何体构成，以其独特的双砾石造型，展现出强烈的现代感和未来感。

2. 建筑功能的复合化

随着城市的发展和人们生活需求的多样化，当代建筑的功能不再单一，而是呈现出复合化的趋势。建筑不再仅仅是居住、办公或商业的场所，而是集多种功能于一体。例如，一些城市综合体项目将购物中心、写字楼、酒店、公寓、文化娱乐设施等多种功能融合在一个建筑或建筑群中，形成一个多功能、高效率的城市空间。这种复合化的建筑功能设计，不仅提高了土地的利用效率，还为人们提供了更加便捷、丰富的生活体验。

3. 建筑材料与技术的创新应用

在建筑材料方面，当代建筑不断探索新材料的应用，如高性能混凝土、玻璃纤维增强材料、智能材料等。这些新材料具有更好的性能和独特的质感，为建筑设计带来了更多的可能性。例如，玻璃纤维增强材料具有轻质、高强度、耐腐蚀等特点，被广泛应用于建筑的外立面装饰和结构构件中，能够创造出独特的建筑外观效果。在建筑技术方面，数字化建造技术、3D 打印技术、太阳能技术等得到了广泛应用。数字化建造技术使建筑的施工过程更加精确、高效，能够实现复杂建筑形态的建造；3D 打印技术则可以打印出具有复杂造型的建筑构件，为建筑设计的创新提供了技术支持；太阳能技术的应用，使建筑能够实现能源的自给自足，减少对传统能源的依赖，符合可持续发展的要求。

（二）产品设计领域

1. 产品功能的智能化与个性化

智能化是当代产品设计的重要趋势之一。随着物联网、人工智能等技术的发展，越来越多的产品具备了智能化的功能。例如，智能家居产品，如智能音箱、智能门锁、智能家电等，通过连接互联网和内置智能芯片，能够实现远程控制、语音交互、智能感应等功能，为人们的生活带来了极大的便利。同时，产品设计也更加注重个性化，通过定制化设计、模块化设计等方式，满足不同用户的个性化需求。例如，一些手机厂商推出了定制化手机服务，用户可以根据自己的喜好选择手机的颜色、内存、摄像头配置等；一些家具品牌采用模块化设计，用户可以根据自己的空间需求和审美偏好，自由组合家具模块，打造独特的家居空间。

2. 产品外观的情感化与趣味化

在产品外观设计方面，当代设计师更加注重情感化和趣味化的表达，以吸引用户的关注和喜爱。情感化设计通过产品的造型、色彩、材质等元素，引发用户的情感共鸣，使产品不仅仅是一个功能性的物品，更是一种情感的寄托。例如，一些宠物用品的设计采用了可爱的动物造型和温暖的色彩，能够让宠物主人产生亲切感和喜爱之情。趣味化设计则通过独特的创意和幽默的表现手法，为产品增添趣味性和娱乐性。例如，一些文具设计采用了卡通形象、变形设计等方式，使文具变得更加有趣，激发用户的使用兴趣。

3. 产品可持续性设计的发展

可持续性设计在产品设计领域得到了广泛的关注和应用。设计师在产品设计过程中，应从材料选择、生产工艺、产品寿命等方面考虑可持续性因素。在材料选择上，优先选用可再生、可回收、可降解的材料，减少对环境的影响。例如，一些包装设计采用了纸质材料或可降解塑料，替代传统的一次性塑料包装；一些家具设计采用了竹子、再生木材等可再生材料。在生产工艺上，采用绿色制造工艺，如节能生产设备、减少废弃物排放的工艺流程等，降低产品生产过程中的能源消耗和环境污染。例如，一些电子产品制造商采用无铅焊接技术，减少了铅等有害物质对环境的污染。

在产品寿命延长方面，设计师通过优化产品结构设计，使其更易于维修和升级。以笔记本电脑为例，一些厂商设计的产品采用模块化结构，用户可以方便地自行更换损坏的部件，如硬盘、内存等，延长了产品的使用寿命，减少了电子垃圾的产生。同时，在产品设计中融入循环设计理念，使产品在寿命结束后能够更好地被回收再利用。例如，某些汽车制造商在设计汽车时，考虑到不同部件的材质和可拆解性，便于在汽车报废后对各类金属、塑料等材料进行高效回收和分类处理。

（三）平面设计领域

1. 动态与交互性设计的发展

随着数字技术和互联网的普及，平面设计不再局限于静态的二维画面，动态与交互性设计成为重要趋势。在网页设计中，动态元素如动画、视频、滚动效果等被广泛运用，以吸引用户的注意力并提升用户体验。例如，一些电商网站的首页通过精美的动画展示产品特点和促销活动，增强了页面的吸引力和信息传达效果。在移动应用界面设计中，交互性设计尤为重要。设计师通过设计直观的手势操作、弹出式菜单、动态反馈等交互元素，使用户能够更加便捷地与应用进行互动。同时，动态与交互性设计也延伸到了广告设计领域，互动式广告如 AR 广告、互动视频广告等，让用户能够参与到广告内容中，增强了广告的趣味性和传播效果。

2. 混合媒介与跨界设计的融合

平面设计与其他媒介和领域的融合愈发紧密，形成了混合媒介与跨界设计的趋势。设计师不再局限于传统的纸张、油墨等媒介，而是将数字技术、装置艺术、空间设计等多种元素融入平面设计中。例如，在一些展览设计中，平面设计师与空间设计师合作，通过大型的图形装置、投影技术以及互动展示等方式，将平面设计元素延伸到三维空间，创造出独特的展览体验。在书籍装帧设计中，混合媒介的运用也越来越常见，除了传统的文字和图片，还加入了音频、视频、二维码等元素，使书籍内容更加丰富多样。此外，平面设计与时尚、音乐、电影等领域的跨界合作不断涌现，为平面设计带来了新的创意和表现形式。

3. 个性化与定制化设计的需求

与产品设计领域类似，平面设计也面临着用户对个性化与定制化设计的强烈需求。在品牌设计中，企业希望通过独特的品牌形象设计来区别于竞争对手，吸引目标客户群体。平面设计师根据企业的文化、价值观和市场定位，为其量身定制个性化的品牌标识、宣传海报、包装设计等。在个人层面，消费者对于个性化的文具、礼品包装、贺卡等平面设计产品的需求日益增长。设计师利用数字技术和印刷技术，为消费者提供个性化的设计服务，如在文具上印制个人照片、名字或独特的图案等，满足消费者表达自我和彰显个性的需求。

（四）室内设计领域

1. 空间多功能性与灵活性设计

当代生活方式的多样化使得室内空间需要具备更多的功能和更强的灵活性。设计师在进行室内设计时，注重打造多功能空间，以适应不同的使用场景。例如，在一些小户型住宅的设计中，采用可折叠、可移动的家具，如墨菲床（壁床）、折叠餐桌等，使一个空间在不同时间可以作为卧室、客厅、餐厅等多种功能区域使用。开放式的空间布局成为流行趋势，它打破传统的房间分隔，使客厅、餐厅、厨房等空间相互连通，增强了空间的流动性和通透感，同时也方便人们根据不同活动需求进行灵活调整。此外，智能家具和智能家居系统的应用，也为室内空间的多功能性和灵活性提供了技术支持。用户可以通过手机或语音控制，轻松改变灯光、窗帘、电器等设备的状态，营造出不同的空间氛围和功能场景。

2. 自然元素与生态设计的融入

人们对健康和环保的关注度不断提高，促使室内设计更加注重自然元素与生态设计的融入。在空间设计中，大量引入自然光线和通风，减少对人工照明和空调系统的依赖，不仅节能环保，还能为居住者带来舒适的感受。例如，许多建筑采用大面积的落地窗或采光井，让自然光线充分进入室内。同时，绿色植物成为室内设计的重要元素，不仅可以美化环境，还能净化空气、调节室内湿度。一些室内设计项目打造了室内花园、垂直绿化墙等，营造出充满生机的自然氛围。在材料选择上，优先选用环保、可再生的材料，如竹材、硅藻泥、天然木材等，减少室内装修污染，为居住者创造健康的室内环境。

3. 文化与艺术元素的彰显

室内设计成为展现文化与艺术特色的重要平台，设计师通过融入各种文化与艺术元素，为空间赋予独特的魅力和个性。在中式风格的室内设计中，运用传统的中式家具、书画、瓷器、屏风等元素，营造出典雅、古朴的文化氛围。在欧式古典风格的设计中，华丽的水晶吊灯、精美的壁画、古典的雕塑等元素，展现出欧洲传统艺术的奢华与精致。此外，现代艺术作品如抽象画、装置艺术等也被广泛应用于室内设计中，为空间增添艺术气息。一些设计师还会结合当地的地域文化特色进行设计，例如，在具有水乡文化特色的地区，设计师可在室内设计中融入水元素、传统水乡建筑元素等，使居住者能够感受到浓厚的地域文化底蕴。

四、当代多元化设计趋势的影响与意义

（一）对设计行业的影响

1. 推动设计创新与发展

多元化设计趋势促使设计师不断突破传统思维的束缚，探索新的设计理念、风格和方法。不同设计领域之间的交叉融合，以及科技与文化在设计中的深度应用，为设计创新提供了丰富的灵感和资源。设计师需要不断学习和掌握新的知识和技能，以适应多元化的设计需求，这推动了整个设计行业的创新与发展。例如，跨学科设计方法的应用使得设计师能够从不同学科的角度思考问题，创造出更具创新性和实用性的设计作品。

2. 促进设计人才的多元化发展

当代多元化设计趋势对设计人才提出了更高的要求，他们不仅需要具备扎实的设计专业知识，还需要了解其他相关学科的知识，如工程学、社会学、心理学等。这促使设计教育不断改革和创新，以培养出具有多元化知识结构和创新能力的设计人才。同时，多元化设计趋势也吸引了更多不同背景的人才进入设计领域，如工程师、科学家、艺术家等，他们带来了不同的思维方式和专业技能，进一步丰富了设计行业的人才资源，促进了设计人才的多元化发展。

3. 改变设计市场的竞争格局

多元化设计趋势使得设计市场的竞争更加激烈，同时也为设计师和设计企业带来了更多的机遇。在竞争激烈的市场环境中，设计师和设计企业需要通过不断创新和提升设计品质，满足客户多样化的需求，才能在市场中立足。那些能够紧跟多元化设计趋势，提供个性化、高品质设计服务的设计师和设计企业，将在市场竞争中占据优势。例如，在产品设计领域，能够提供智能化、个性化产品设计的企业，更容易吸引消费者的关注和购买。

（二）对社会文化的意义

1. 丰富人们的生活体验

多元化的设计趋势为人们的生活带来了更加丰富多样的产品、空间和视觉体验。从个性化的产品设计到多功能的室内空间设计，从充满创意的建筑设计到具有交互性的平面设计，人们在日常生活中能够接触到更多新颖、有趣、实用的设计作品，满足了人们对美好生活的向往和追求。例如，智能家居产品的出现，让人们的生活更加便捷和舒适；具有艺术感的室内设计，为人们营造出独特的居住氛围，提升了生活品质。

2. 促进文化传承与交流

在当代多元化设计趋势中，文化元素的融入和跨文化设计的发展，促进了文化的传承与交流。设计师通过挖掘和运用本土文化元素，将传统文化与现代设计相结合，使传统文化在当代社会中得以传承和发展。同时，跨文化设计的融合让不同国家和地区的文化在设计作品中相互碰撞和交流，增进了人们对不同文化的了解和尊重。例如，在时尚设计中，将东方文化元素与西方时尚理念相结合，不仅传播了东方文化，也丰富了西方时尚的内涵。

3. 推动社会可持续发展

可持续设计作为当代多元化设计趋势的重要组成部分，对推动社会可持续发展具有重要意义。在设计过程中注重环境保护、资源利用和社会公平。可持续设计能够减少对环境的负面影响，提高资源利用效率，促进社会可持续发展。例如，绿色建筑设计的推广，能够降低建筑能耗，减少碳排放；可持续产品设计的发展，能够减少废弃物的产生，实现资源的循环利用。

五、当代多元化设计趋势的未来展望

（一）与新兴技术深度融合

随着人工智能、区块链、量子计算等新兴技术的不断发展，未来的设计将与这些技术深度融合。人工智能技术将在设计过程中发挥更大的作用，如通过智能算法自动生成设计方案、进行设计优化等。区块链技术可以用于设计作品的版权保护和交易，确保设计师的权益得到保障。量子计算技术则可能为设计带来更强大的计算能力，加速设计创新的进程。例如，在建筑设计中，人工智能技术可以根据地形、气候、用户需求等因素，快速生成多个建筑设计方案，并通过模拟分析选出最优方案；在产品设计中，区块链技术可以实现产品从设计到生产、销售的全过程追溯，保证产品的质量和真实性。

（二）更加注重用户体验与情感共鸣

未来的设计将更加以用户为中心，深入挖掘用户的需求和情感，创造出能够与用户产生强烈情感共鸣的设计作品。设计师将运用心理学、社会学等多学科知识，打造更加人性化、个性化的设计。同时，随着虚拟现实、增强现实等技术的发展，用户将能够更加身临其境地参与到设计过程中，与设计师进行更加直观和深入的互动。例如，在室内设计中，用户可以通过虚拟现实技术在设计方案实施前全方位地体验未来的家居空间，提出修改意见，使设计方案更加符合自己的需求和喜好。

（三）可持续设计的持续深化

面对日益严峻的环境问题和资源短缺挑战，可持续设计将在未来得到更加深入的发展。设计师将不断探索新的可持续设计方法和材料，从产品的全生命周期出发，考虑其对环境和社会的影响。例如，在材料研发方面，将出现更多性能优异的可再生、可降解材料；在生产工艺方面，将不断优化生产流程，减少能源消耗和废弃物排放。同时，可持续设计将不仅仅局限于产品和建筑设计领域，还将延伸到城市规划、交通设计、服务设计等各个领域，推动整个社会向可持续发展方向转型。

（四）跨文化设计的进一步拓展

全球化的趋势将继续推动跨文化设计的发展，未来的设计师将更加熟练地运用不同文化的元素进行设计创新。跨文化设计将不再仅仅是简单的文化元素叠加，而是更加注重文化内涵的深度融合和创新表达。同时，随着文化交流的不断深入，不同文化之间的界限将变得更加模糊，设计师将能够创造出更加具有全球视野和普适性的设计作品。例如，在国际品牌的设计中，将更加注重融合不同国家和地区的文化特色，以满足全球消费者的审美需求。

六、小结

当代多元化设计趋势是科技发展、文化交融和社会需求转变共同作用的结果，它在设计理念、风格、方法以及应用领域等方面都呈现出丰富多样的表现形式。从建筑设计的形态多样化和功能复合化，到产品设计的智能化与个性化；从平面设计的动态与交互性发展，到室内设计的自然元素融入和文化彰显，多元化设计趋势深刻地影响着人们的生活和社会文化的发展。它不仅推动了设计行业的创新与发展，改变了设计市场的竞争格局，还丰富了人们的生活体验，促进了文化传承与交流，推动了社会可持续发展。展望未来，随着新兴技术的不断涌现和社会环境的持续变化，当代多元化设计趋势将与新兴技术深度融合，更加注重用户体验与情感共鸣，持续深化可持续设计，进一步拓展跨文化设计。设计师需要紧跟时代步伐，不断学习和创新，以适应多元化设计趋势的发展，为社会创造出更多优秀的设计作品，推动人类社会向更加美好的方向发展。

Visual

Communication

第二章 艺术元素的分类与特性分析

第一节
形态元素的视觉传达作用

第二节
色彩元素的心理效应与表现力

第三节
材质与质感元素的表现形式

第一节 形态元素的视觉传达作用

在艺术设计的广阔领域，形态元素作为基础且关键的构成要素，发挥着无可替代的视觉传达作用。形态是物体存在的外在表现形式，它涵盖了形状、大小、比例、空间等多个维度，通过独特的组合与呈现方式，能够向受众传递丰富的信息、情感与审美体验。无论是在平面设计、产品设计、建筑设计还是其他艺术设计范畴，深入理解和巧妙运用形态元素，都是设计师实现有效沟通与创意表达的核心所在。研究形态元素的视觉传达作用，有助于我们洞察设计语言的奥秘，提升设计作品的表现力与感染力。

一、形态元素的基本构成

（一）点的形态及其特性

1. 点的概念与视觉特征

在艺术设计中，点是最基本的形态元素之一，它是一种相对较小的视觉单位，通常具有明确的位置，但没有实际的大小和方向。然而，点的大小是相对概念，在不同的设计语境和画面比例中，一个微小的图形、一个标点符号，甚至一个人在广阔空间中的形象，都可以被视为点。点具有很强的聚焦性，能够迅速吸引观众的注意力，成为视觉中心。例如，在一幅以蓝天为背景的摄影作品中，一只翱翔的小鸟就如同一个点，瞬间抓住观赏者的目光。

2. 点在设计中的作用

点在设计中具有多种重要作用。首先，点可以用于强调和突出重点信息。在平面广告设计中，将关键的文字或图形以点的形式呈现，能够使其在众多元素中脱颖而出。例如，在一款手机广告中，将手机的独特功能图标以醒目的小点形式置于画面中心，引导消费者的视线聚焦于此，从而突出产品的核心卖点。其次，点能够营造节奏感和韵律感。通过有规律地排列多个点，如在包装设计中，沿着产品轮廓或装饰线条等距分布的小点，能够产生一种有序的节奏感；而当点的排列疏密、大小发生变化时，又能形成富有变化的韵律感，增强设计的趣味性和吸引力。此外，点还可以用于连接和分割空间。在网页设计中，一系列的导航点可以引导用户的视线在不同页面板块之间移动，起到连接空间的作用；同时，在复杂的图形或布局中，点也可以作为分割元素，将不同的区域区分开来，使画面更加清晰、有条理。

（二）线的形态及其特性

1. 线的分类与视觉特征

线是由点的移动轨迹形成的形态元素，具有长度、方向和形状等属性。根据形态和表现特征，线可以分为直线、曲线和折线等不同类型。直线通常给人以简洁、直接、稳定、硬朗的感觉，如建筑中的立柱、桥梁的钢梁等，都展现出直线的稳定性和力量感。曲线则富有动感、流畅、柔和与优雅的气质，如蜿蜒的河流、女性优美的身体曲线等。不同类型的曲线又具有各自独特的表现力。例如，圆形曲线给人以完整、和谐、循环的感觉，抛物线则传达出速度、动态和张力。折线则带有转折、变化和紧张的氛围，常被用于表现冲突、不稳定或富有动感的场景，如闪电的形状、山脉的轮廓等。

2. 线在设计中的作用

线在艺术设计中具有丰富的表现力和广泛的应用。在造型设计方面，线是构建物体形状和轮廓的重要手段。产品设计师通过线条的组合来塑造产品的外观，如汽车的车身线条，流畅的曲线能够体现其时尚与动感，而硬朗的直线则强调其坚固和稳重。在平面设计中，线可以引导观众的视线。例如，在海报设计中，通过一条倾斜的直线将画面中的主要元素连接起来，观众的视线会自然地沿着这条线移动，从而按照设计师的意图依次关注各个重要信息。线还可以用于表达情感和营造氛围。如在一幅表现宁静乡村的绘画作品中，运用柔和的曲线描绘田园风光，营造出宁静、祥和的氛围；而在一幅表现激烈运动的作品中，使用快速、多变的折线来表现运动员的动态和力量，传递出紧张、兴奋的情感。此外，线还可以用于分割和组织空间，在室内设计中，通过不同材质或颜色的线条来划分功能区域，如客厅与餐厅之间用一条隐形的线进行区分，既保证了空间的连贯性，又明确了不同区域的功能。

（三）面的形态及其特性

1. 面的形成与视觉特征

面是由线的移动、扩展或点的密集排列所形成的二维形态，具有长度、宽度和形状。面的形状可以分为几何形、有机形和不规则形等。几何形面如圆形、方形、三角形等，具有简洁、规整、秩序感强的特点。圆形给人以圆润、饱满、和谐的感觉，常被用于表现团结、完整和循环的概念；方形则传达出稳定、坚固、规则的视觉感受，在建筑和产品设计中常用于体现可靠性和实用性；三角形具有方向性和稳定性，正三角形给人以稳定、坚实的感觉，倒三角形则给人以不稳定感和动感。有机形面是自然形态经过提炼和抽象而来的，具有自然、流畅、富有生命力的特点，如树叶的形状、水滴的轮廓等，能够给人带来亲近自然、舒适的感受。不规则形面则打破了常规的形状规律，具有独特、新颖、充满变化的视觉效果，能够引发观众的好奇心和探索欲。

2. 面在设计中的作用

面在艺术设计中具有重要的地位和作用。首先，面是构成物体表面和空间的主要元素，能够界定物体的范围和边界。在建筑设计中，建筑的外立面就是一个巨大的面，其形状、材质和色彩等方面的设计直接影响着建筑的整体风格和视觉效果。在室内设计中，墙面、地面和天花板等面的设计决定了空间的大小、比例和氛围。其次，面可以用于表现质感和纹理。通过不同的材质和处理手法，面可以呈现出光滑、粗糙、柔软、坚硬等不同的质感，如在家具设计中，木质表面能够给人以温暖、自然的质感，而金属材质表面则展现出冰冷、坚硬的质感。此外，面还可以用于营造层次感和立体感。在平面设计中，通过不同大小、形状和颜色的面的叠加和组合，可以创造出丰富的层次感，使画面更加生动、立体。例如，在一幅插画作品中，将前景、中景和背景分别用不同大小和透明度的面来表现，能够营造出强烈的空间感和立体感。面还可以用于传达情感和主题。不同形状和色彩的面能够引发观众不同的情感联想，如大面积的红色面可以传达出热情、活力的情感，而蓝色的面则给人以冷静、安宁的感觉。设计师可以根据设计主题的需要，选择合适的面的形态和色彩来传达特定的情感和信息。

二、形态元素的组合与视觉传达

（一）点、线、面的组合原则

1. 对比与协调

在将点、线、面进行组合时，对比与协调是重要的原则之一。对比可以使设计元素之间产生鲜明的差异，增强视觉冲击力，吸引观众的注意力。例如，在一个以简洁线条为主的设计中，加入一个较大的、色彩鲜艳的点作为视觉焦点，通过点与线在大小、形状和色彩上的对比，突出重点。同时，为了避免对比过于强烈而导致画面不协调，需要在其他方面寻求协调。可以在点的形状或色彩上与线条中的某些元素保持一定的相似性，使整个画面在对比中又具有统一感。比如，线条采用了蓝色系，那么点可以选择蓝色系中较鲜艳的色调，这样既形成了对比，又保持了色彩上的协调。

2. 对称与均衡

对称是一种传统的美学原则，能够给人以稳定、庄重、有秩序的感觉。在点、线、面的组合中，对称的布局可以使画面左右或上下两侧完全相同或相似。例如，在标志设计中，许多品牌采用点、线、面对称组合的设计方式，如奥迪的四个圆环标志，通过对称的布局展现出品牌的稳定性和可靠性。然而，完全对称的设计有时可能会显得过于呆板，因此均衡原则更为常用。均衡是指在画面中调整不同元素的大小、形状、位置等，使画面在视觉上达到一种平衡的状态。例如，在一个海报设计中，画面左侧是一个较大的面，右侧则通过排列多个较小的点和线条，使整个画面在视觉上保持平衡，这样既具有变化又不失稳定感。

3. 节奏与韵律

节奏与韵律是音乐中的概念，在艺术设计中，通过点、线、面的有规律排列和变化，可以创造出类似音乐的节奏感和韵律感。节奏是指元素的重复出现，如等距排列的点、等长的线条等，能够产生一种有规律的节奏感。而韵律则是在节奏的基础上，通过元素的渐变、起伏等变化，使节奏产生一种富有变化的美感。例如，在一个图案设计中，通过线条的粗细渐变、点的大小和疏密变化，营造出一种如同音乐旋律般的起伏感，使观众在欣赏设计作品时，能够感受到一种动态的美感和情感的共鸣。

（二）形态元素组合对视觉流程的引导

1. 引导视线的路径

点、线、面的组合可以巧妙地引导观众的视线在设计作品中按照特定的路径移动，从而实现信息的有效传达。例如，在网页设计中，设计师可以通过将重要的导航点用较大的点或醒目的颜色突出显示，然后用线条将这些点连接起来，形成一条引导线，使观众的视线自然地沿着这条线移动，依次浏览各个导航选项。在平面广告设计中，也常利用形态元素的组合来引导视线。比如，画面中先出现一个引人注目的大点（如产品的关键部位），然后通过一条倾斜的线将观众的视线引导到产品的其他重要信息上，最后再用一个面（如产品的整体展示）来强化观众对产品的整体印象。

2. 控制视线的停留与转移

通过合理安排点、线、面的大小、形状、颜色和位置等因素，设计师可以控制观众视线的停留时间和转移方向。例如，在一个展览展示设计中，为了让观众在某个重要展品前停留较长时间，可以在展品周围用较大的面来突出展示空间，同时在展品上设置一些吸引人的点（如独特的装饰或亮点），使观众的视线聚焦于此。而当需要引导观众转移到下一个展品时，可以通过一条简洁的线条从当前展品指向目标展品，引导观众的视线自然转移。在书籍装帧设计中，通过对页面上文字、图片等形态元素的排版组合，也可以控制读者的视线在页面上的停留和转移，使读者能够流畅地阅读内容，同时不会错过重要的信息。

（三）形态元素组合对空间感的营造

1. 二维空间中的虚拟空间营造

在平面设计中，通过点、线、面的组合可以营造出虚拟的三维空间感。例如，利用透视原理，通过线条的汇聚和点的大小变化来表现物体的远近关系。在一幅风景画中，远处的山峦用较小的点和较淡的线条来描绘，而近处的树木则用较大的点和较粗的线条来描绘，这样可以使画面产生远近层次分明的空间感。同时，通过面的重叠和遮挡关系也可以营造空间感。如在一个图形设计中，将一个面置于另一个面的前方，通过遮挡部分后面的面，给人一种前后空间层次的感觉。此外，利用渐变的色彩和光影效果，结合点、线、面的组合，也能增强二维空间的虚拟空间感。例如，在一个海报设计中，通过对背景面进行从亮到暗的色彩渐变，同时在前景放置具有立体效果的点和线元素，能够营造出一种深邃的空间感。

2. 三维空间中的真实空间塑造

在建筑设计、室内设计和产品设计等三维空间设计领域，点、线、面的组合直接塑造了真实的空间形态。建筑设计师通过点、线、面的组合来设计建筑的外观和内部空间结构。例如，建筑的立柱和横梁可以看作是线元素，它们支撑起建筑的框架结构；而建筑的墙面和屋顶则是面元素，它们界定了建筑的内部和外部空间。通过合理设计点、线、面的组合关系，如建筑外立面的开窗方式（点的分布）、建筑线条的走向和比例、不同功能空间的面的组合等，能够创造出丰富多样的建筑空间，如宽敞明亮的大厅、曲折幽静的走廊等。在室内设计中，设计师利用家具、装饰线条、墙面和地面等点、线、面元素的组合，塑造舒适、美观且具有功能性的室内空间。例如，通过摆放不同形状和大小的家具（面元素），以及利用天花板上的吊灯（点元素）和墙面的装饰线条（线元素），营造温馨的客厅、宁静的卧室等不同氛围的空间。在产品设计中，点、线、面的组合决定了产品的外观形态和使用空间。例如，手机的按键（点元素）、边框线条（线元素）和屏幕（面元素）的组合，既考虑了产品的功能性，又注重了外观的美感和人机工程学原理，为用户提供了舒适的使用体验。

三、形态元素在不同设计领域的视觉传达应用

（一）平面设计领域

1. 标志设计中的形态元素运用

标志是品牌形象的核心视觉符号，形态元素在标志设计中起着至关重要的作用。许多知名品牌的标志通过巧妙运用点、线、面元素，传达出独特的品牌理念和形象。例如，苹果公司的标志，以一个被咬了一口的苹果形状作为主体，这个形状可以看作是一个有机形的面，其简洁而独特的形态给人留下深刻的印象。同时，苹果标志的设计中也蕴含着点的元素，被咬掉的那一口形成了一个小的点，这个点不仅增强了标志的趣味性，还引发了人们的联想和好奇。再如，耐克的标志，由一条简洁的曲线构成，这条曲线代表着运动的速度和力量，具有强烈的动感和视觉冲击力。它既像一个快速奔跑的运动员留下的轨迹，又像一道闪电，传达出耐克品牌追求卓越、挑战极限的精神内涵。

2. 海报设计中的形态元素运用

海报设计是一种传达信息的重要手段，形态元素的运用能够吸引观众的注意力，有效地传达海报的主题和信息。在电影海报设计中，

常常运用形态元素来营造氛围和突出电影的关键元素。例如，对于一部科幻电影的海报，设计师可能会使用大量的几何形面和富有动感的线条来表现未来世界的科技感和神秘感。画面中可能会有巨大的圆形飞船（面元素），其表面的金属质感通过线条的刻画得以体现，同时，通过一些闪烁的点元素来模拟飞船上的灯光，营造出科幻的氛围。在文化活动海报设计中，形态元素的运用则更加注重与活动主题的契合。例如，在一场古典音乐会的海报设计中，可能会运用优雅的曲线和圆形面来表现音乐的优美旋律和和谐氛围。海报上的音符可以看作点元素，通过有规律的排列和大小变化，与曲线和圆形面相互配合，传达出音乐的节奏感和艺术感。

3. 书籍装帧设计中的形态元素运用

书籍装帧设计涵盖了书籍的封面、封底、书脊、内页排版等多个方面，形态元素的合理运用能够提升书籍的整体美感和阅读体验。在书籍封面设计中，形态元素用于突出书籍的主题和风格。例如，一本关于历史文化的书籍，封面可能会采用古朴的方形面作为背景，上面运用线条勾勒出一些具有历史代表性的图案，如古建筑的轮廓、传统的纹饰等。同时，在封面上用较大的点元素来突出书名，使书名更加醒目。在内页排版中，形态元素的运用则注重引导读者的视线和营造舒适的阅读氛围。例如，通过合理设置段落间距（线元素）、文字大小（点元素）和图片的排版（面元素），使读者能够轻松地阅读文字内容，同时图片的插入也能够丰富书籍的内容，增强阅读的趣味性。此外，在书籍装帧设计中，还可以通过形态元素的变化来体现书籍的章节变化和层次结构，如在每章的开头采用独特的图案或符号（点元素），以及通过不同的页面布局（面元素的组合）来区分不同的章节。

（二）产品设计领域

1. 产品外观设计中的形态元素运用

产品的外观设计直接影响消费者对产品的第一印象，形态元素在产品外观设计中起着塑造产品个性和风格的重要作用。在电子产品设计中，形态元素的运用注重体现科技感和时尚感。例如，苹果品牌的iPhone系列手机，其外观设计简洁大方，机身线条流畅，采用了大量的直线和平面元素，给人以简洁、精致、高端的感觉。手机的屏幕是一个较大的面元素，其边框的线条设计极细，使屏幕显得更加突出，同时也增强了手机的整体美感。在汽车设计中，形态元素的运用则更加注重体现汽车的性能和风格。例如，跑车的设计通常采用流畅的曲线和动感的线条来表现其速度和激情。车身的线条从前脸一直延伸到车尾，形成一种一气呵成的动感效果，而汽车的大灯和轮毂等部位则可以看作是点元素，它们的设计不仅具有功能性，而且能够提升汽车的整体外观效果。

2. 产品功能与形态元素的结合

产品设计不仅要注重外观的美感，还要将形态元素与产品的功能紧密结合。例如，在家具设计中，一把椅子的设计需要考虑人体工程学原理，其形态元素的运用必须满足人们舒适就座的需求。椅子的座面和靠背通常设计为符合人体曲线的有机形面，以提供良好的支撑和舒适度。椅腿则可以采用直线型的设计，不仅能稳定地支撑起座椅，还能传达出坚固可靠的感觉。对于一些具有收纳功能的家具，如收纳柜，设计师会通过巧妙的形态设计，将柜子的各个部分以面的形式组合起来，形成合理的收纳空间。柜门、抽屉等面元素的大小、比例和开合方式，既考虑了存储物品的实际需求，又兼顾了操作的便利性和整体的美观性。

在灯具设计中，形态元素与功能的结合也十分关键。例如，吊灯的设计不仅要考虑照明效果，还要通过形态元素营造出独特的氛围。一款具有现代简约风格的吊灯，可能采用圆形或方形的几何形面作为灯罩，通过搭配不同材质的灯罩（如玻璃、金属、织物等），呈现出不同的光线效果和质感。灯罩上的线条装饰或点元素的排列，既能增强灯具的美观性，又能影响光线的散射方向和强度。又如，台灯的设计可能会运用曲线和有机形面，塑造出柔和、温馨的造型，以适应人们在阅读、休息等场景下的使用需求，同时其开关、调节亮度等功能部件，可以设计成点或线的形态，既方便操作，又不破坏整体的设计风格。

（三）建筑设计领域

1. 建筑外观设计中的形态元素运用

建筑外观是城市景观的重要组成部分，形态元素在建筑外观设计中承担着表达建筑风格、文化内涵和功能属性的重任。在现代建筑设计中，简洁的几何形面和流畅的线条被广泛运用，以展现建筑的现代感和科技感。例如，扎哈·哈迪德设计的建筑作品常常运用不规则的曲线和几何形面，创造出极具动感和未来感的建筑外观。广州大剧院的外立面，由两个不规则的几何体相互交织而成，表面的线条流畅而富有变化，仿佛是自然流动的液体凝固而成，展现出一种突破传统的创新精神和强烈的视觉冲击力。

在传统建筑设计中，形态元素更多地体现了地域文化和历史传承。例如，中国传统的四合院建筑，以方形的院落为中心，四周由房屋围合而成，形成一个封闭且规整的空间形态。四合院的墙面、屋顶等面元素，以及门窗、屋檐等线条元素，都具有鲜明的中国传统建筑特色。木质的门窗框架线条简洁而精致，屋顶的飞檐斗拱则通过复杂的线条和立体的形态，展现出中国传统建筑的精湛工艺和独特韵味。这些形态元素不仅构成了建筑的外观，还传达出中国传统文化中注重家庭、和谐、秩序的价值观念。

2. 建筑内部空间设计中的形态元素运用

建筑内部空间的设计直接影响着人们的使用体验和感受，形态元素在其中发挥着塑造空间氛围、引导人流和组织功能区域的作用。在大型商业建筑中，宽敞的中庭空间通常采用高大的圆形或方形面作为主体，配合玻璃幕墙等透明材质，营造出开阔、明亮的空间感。中庭内的楼梯、扶手等线条元素，不仅起到连接不同楼层的作用，还可以通过独特的造型设计，如螺旋式楼梯的曲线线条，增强空间的动感和趣味性。同时，商业建筑中的各个店铺可以看作不同的面元素，通过合理的布局和排列，形成有序的商业空间。

在文化建筑中，如博物馆、图书馆等，形态元素的运用更加注重营造宁静、庄重的氛围。博物馆的展厅空间可能采用简洁的几何形平面，搭配柔和的灯光，突出展品的展示效果。展厅之间的通道可以设计成具有引导性的线条形态，引导观众按照一定的参观路线欣赏展品。图书馆的书架可以看作是整齐排列的面元素，其高度、间距等设计既要满足存储书籍的功能需求，又要考虑读者取阅书籍时的便利性和空间的舒适度。此外，建筑内部的装饰线条、雕塑等点、线、面元素的组合，还可以起到丰富空间层次、增强文化氛围的作用。

四、形态元素视觉传达作用的影响因素

（一）文化背景的影响

不同的文化背景对形态元素的理解和运用有着显著的影响。在东方文化中，圆形常常被视为吉祥、圆满的象征，因此在建筑、艺术作品等设计中，圆形元素被广泛应用。例如，中国传统的圆形玉佩、圆形的园林拱门等，都体现了对圆形所蕴含的美好寓意的追求。而在西方文化中，方形和三角形等几何形状则更受重视，它们常常被用于表达秩序、理性和力量。例如，古希腊的建筑多采用三角形的屋顶和方形的立柱，体现了西方古典文化中对秩序和美学的追求。文化背景还会影响线条的运用，东方文化中的书法艺术，通过线条的粗细、长短、曲直等变化，传达出丰富的情感和意境；而西方绘画艺术中，线条更多地用于塑造物体的形状和结构。因此，设计师在运用形态元素进行设计时，需要充分考虑目标受众的文化背景，以确保形态元素能够准确传达设计意图和情感。

（二）受众群体的差异

不同的受众群体对形态元素的感知和喜好存在差异。年龄、性别、职业、教育程度等因素都会影响受众对形态元素的理解和接受程度。例如，儿童群体通常对色彩鲜艳、形状夸张、富有童趣的形态元素更感兴趣，如卡通形象中的圆形大眼睛、圆润的身体等。而年轻的

时尚群体则更倾向于简洁、个性、具有创新性的形态设计，如一些具有独特造型的电子产品、时尚单品等。老年人可能对传统、稳重的形态元素更为偏好，如中式传统家具的经典造型。此外，不同职业和教育程度的受众，对形态元素的审美和理解也有所不同。艺术家、设计师等对形态元素的敏感度和欣赏能力相对较高，他们更注重形态元素的创新性和艺术性；而普通大众则更关注形态元素与日常生活的相关性和实用性。因此，黄文涛、高山（2022）认为，设计师在进行设计时，需要对目标受众群体进行深入的调研和分析，根据受众的特点和需求，选择合适的形态元素进行设计，以提高设计作品的吸引力和感染力。

（三）设计媒介的特性

不同的设计媒介具有不同的特性，这也会影响形态元素的视觉传达效果。在平面设计中，由于媒介的二维特性，设计师主要通过点、线、面的组合和色彩的运用来营造视觉效果。例如，在印刷媒介中，纸张的质地、印刷工艺等都会影响形态元素的呈现效果。光滑的纸张能够更好地呈现细腻的线条和丰富的色彩层次，而粗糙的纸张则给人一种质朴、自然的感觉。在数字媒介中，如网页设计和移动应用设计，形态元素的表现更加多样化，除了静态的点、线、面组合，还可以运用动画、交互效果等动态元素来增强视觉传达效果。例如，网页中的导航菜单可以通过动态的线条和点元素的变化，引导用户进行操作，增加用户体验的趣味性和互动性。

在三维设计领域，如建筑设计和产品设计中，设计媒介的物理特性和空间属性对形态元素的运用提出了更高的要求。建筑设计需要考虑建筑材料的特性、结构力学等因素，形态元素的设计要确保建筑的安全性和稳定性。例如，在高层建筑中，建筑的外形设计需要考虑风力、地震力等因素，通过合理的线条和平面布局，增强建筑的抗风、抗震能力。产品设计则需要考虑材料的质感、加工工艺等因素，以实现形态元素的完美呈现。例如，金属材质的产品在加工过程中，可以通过冲压、锻造等工艺，实现各种复杂的线条和形状设计，展现出金属的质感和光泽。

五、形态元素视觉传达作用的未来发展趋势

（一）与新兴技术融合

随着科技的不断进步，新兴技术如虚拟现实（VR）、增强现实（AR）、人工智能（AI）等将与形态元素的视觉传达作用紧密结合。在VR和AR技术的应用中，形态元素将不再局限于二维或三维空间的呈现，而是可以创造出更加沉浸式、交互式的虚拟空间体验。设计师可以利用这些技术，设计出具有动态变化、实时交互的形态元素，让用户能够身临其境地感受设计作品的魅力。例如，在虚拟展厅的设计中，用户可以通过VR设备自由穿梭于不同的展示空间，形态元素的设计可以根据用户的位置和视角进行实时调整，营造出更加真实、生动的展示效果。

AI技术则可以通过对大量数据的分析和学习，为形态元素的设计提供创新的思路和方法。例如，AI可以根据用户的喜好和行为数据生成个性化的形态设计方案。在产品设计中，可以分析用户对不同形状、颜色、材质的偏好，为设计师提供参考，帮助设计师设计出更符合用户需求的产品形态。同时，它还可以通过模拟和优化，帮助设计师找到最佳的形态元素组合方式，以实现更好的视觉传达效果和功能性能。

（二）更加注重情感化设计

未来的设计将更加注重情感化表达，形态元素作为设计的重要组成部分，也将在情感传达方面发挥更大的作用。设计师将深入研究人类情感与形态元素之间的关系，通过形态元素的设计，引发用户的情感共鸣。例如，在室内设计中，葛禹、潘萌、李美玉（2024）认为，通过柔和的曲线、温暖的色彩和舒适的材质等形态元素的组合，能营造出温馨、放松的居住氛围，让用户在空间中感受到家的温暖和舒适。在产品设计中，形态元素的设计可以体现产品的个性和情感特质，如一款以环保为主题的产品，可以采用自然、流畅的有机形面和清新的色彩，传达出环保、健康的情感信息。

此外，情感化设计还注重用户的参与和体验。设计师通过与用

户的互动，了解用户的情感需求和故事，将这些元素融入形态元素的设计中。例如，在公共艺术设计中，设计师可以邀请当地居民参与设计过程，收集他们对当地文化、生活的记忆和情感，将这些元素转化为形态元素，融入公共艺术作品中，增强居民对作品的认同感和情感连接。

（三）跨领域融合与创新

未来形态元素的视觉传达作用将在跨领域融合中实现更多的创新。随着不同领域之间的界限逐渐模糊，设计与艺术、科学、技术、社会学等领域的融合将越来越紧密。在这种趋势下，形态元素的设计将借鉴其他领域的知识和方法，创造出更加独特、新颖的设计作品。例如，司雨鑫（2024）认为，在生物设计领域，设计师可以借鉴生物的形态结构和生长规律，设计出具有创新性的产品或建筑。如模仿蜂巢结构的建筑设计，利用蜂巢六边形的几何形状和结构特点，实现空间的高效利用和结构的稳定性。

在设计与社会学的融合中，形态元素的设计可以关注社会问题和人类行为。例如，在城市公共空间设计中，设计师可以通过形态元素的设计引导人们的行为和互动。例如，在公园的设计中，通过设置不同形状和功能的座椅、步道等元素，鼓励人们进行社交活动、锻炼身体等。跨领域融合将为形态元素的视觉传达带来更多的可能性和创新空间。

六、小结

形态元素作为艺术设计的基础构成要素，在视觉传达中发挥着至关重要的作用。点、线、面等形态元素各自具有独特的特性和表现力，通过它们的有机组合，能够创造出丰富多样的视觉效果，传达出各种信息、情感和审美体验。在不同的设计领域，如平面设计、产品设计、建筑设计等，形态元素的运用方式和视觉传达效果各不相同，但都紧密围绕设计目标和受众需求展开。同时，形态元素的视觉传达作用受到文化背景、受众群体、设计媒介等多种因素的影响，设计师需要充分考虑这些因素，以实现形态元素的最佳运用。展望未来，随着新兴技术的发展、情感化设计的深入以及跨领域融合的推进，形态元素的视觉传达作用将不断拓展和创新，为我们带来更加精彩、丰富的设计体验。无论是在商业设计领域，还是在文化艺术创作中，深入理解和巧妙运用形态元素的视觉传达作用，都是设计师创造优秀作品、满足人们日益增长的审美和生活需求的关键所在。

第二节 色彩元素的心理效应与表现力

色彩，作为艺术设计中极具感染力和表现力的元素之一，不仅能够塑造视觉形象，更能触动人们的心灵，引发丰富的情感共鸣和心理反应。从远古时期的岩画到现代的数字媒体艺术，从时尚的服装设计到宏伟的建筑外观，色彩无处不在，它以独特的魅力影响着人们的感知、情绪和行为。深入探究色彩元素的心理效应与表现力，对于设计师精准把握设计意图、有效传达信息、营造独特氛围以及满足受众的情感需求具有重要意义。

一、色彩的基本理论

（一）色彩的三原色与三间色

1. 三原色

色彩的三原色（光学三原色），即红色、黄色、蓝色，是无法通过其他颜色混合调配得出的基本颜色。这三种颜色具有最强的独立性和纯度，在色彩体系中占据着核心地位。红色，具有强烈的视觉冲击力，常被视为活力、热情、勇气和危险的象征。在艺术创作中，红色常被用于突出重点、吸引注意力，如在广告设计中，红色的促销标识能够迅速抓住消费者的目光。黄色，代表着明亮、欢快、希望和智慧，给人以温暖、愉悦的感觉。在绘画中，黄色常被用于描绘阳光、丰收的场景，传递积极向上的情感。蓝色，象征着冷静、深邃、忠诚和理智，常用于营造宁静、神秘的氛围。在室内设计中，蓝色调的卧室能够帮助人们放松身心，进入平静的睡眠状态。

2. 三间色

三间色是由三原色两两混合而成的颜色，包括橙色、绿色和紫色。橙色是由红色和黄色混合而成，它融合了红色的热情与黄色的活力，呈现出温暖、活泼、积极的特质。橙色常用于食品包装设计，能够激发人们的食欲，如橙汁饮料的包装多采用橙色，以突出产品的新鲜和美味。绿色是由黄色和蓝色混合而成，它代表着自然、生机、健康和环保。在环境设计中，绿色常被用于公园、植物园等场所的景观布置，营造出清新、舒适的自然氛围。紫色是由红色和蓝色混合而成，它具有神秘、高贵、优雅的气质，常用于高端时尚品牌的设计中，如紫色的礼服能够展现穿着者的高贵与典雅。

（二）色彩的属性

1. 色相

色相是色彩的首要属性，指的是色彩的种类和名称，如红色、黄色、蓝色等。不同的色相具有不同的视觉特征和情感联想，是人们区分色彩的基本依据。在色彩搭配中，色相的选择决定了整体色调的基调。例如，以红色为主色调的设计作品，往往传达出热情、活力的情感；而以蓝色为主色调的作品，则更倾向于表现冷静、理智的氛围。

2. 明度

明度是指色彩的明亮程度，它反映了色彩对光的反射程度。白色是明度最高的颜色，黑色是明度最低的颜色。在同一色相中，增加白色可以提高明度，使其变得更加明亮；增加黑色则会降低明度，使其变得更加深沉。明度的变化可以创造出层次感和立体感。在平面设计中，通过调整不同元素的明度，可以突出主次关系，引导观众的视线。例如，在海报设计中，将重要信息的文字颜色设置为高明度，使其在低明度的背景衬托下更加醒目。

3. 纯度

纯度又称饱和度，是指色彩的纯净程度或鲜艳程度。高纯度的色彩鲜艳夺目，具有强烈的视觉冲击力，能够迅速吸引人们的注意力；低纯度的色彩则相对柔和、淡雅，给人以含蓄、沉稳的感觉。在设计中，纯度的运用可以根据设计主题和情感表达的需要进行调整。例如，在儿童产品的设计中，常使用高纯度的色彩，以符合儿童活泼、好动的天性；而在一些高端商务产品的设计中，低纯度的色彩则更能体现出稳重、专业的气质。

（三）色彩模型

1. RGB 色彩模型

RGB 色彩模型是基于光学原理的色彩模型，主要应用于电子屏幕显示领域，如电视、电脑显示器、手机屏幕等。RGB 分别代表红色（red）、绿色（green）、蓝色（blue）三种颜色，通过这三种颜色不同强度的混合，可以产生几乎所有可见的色彩。在 RGB 色彩模型中，每种颜色的取值范围通常是 0～255，当三种颜色的数值都为 0 时，呈现出黑色；当三种颜色的数值都为 255 时，呈现出白色；当数值不同的三种颜色混合在一起时，就会产生各种丰富多彩的颜色。例如，红色（255，0，0）、绿色（0，255，0）、蓝色（0，0，255）分别代表纯红、纯绿、纯蓝；而黄色（255，255，0）则是由等量的红色和绿色混合而成。

2. CMYK 色彩模型

CMYK 色彩模型主要应用于印刷领域，如书籍、海报、宣传单页等印刷品的制作。C、M、Y、K 分别代表青色（cyan）、品红色（magenta）、黄色（yellow）、黑色（key plate）四种颜色。在印刷过程中，将这四种颜色的油墨在纸张上叠加和混合，会呈现出各种色彩。与 RGB 色彩模型不同，CMYK 色彩模型是一种减色模型，即通过吸收光线来呈现颜色。当四种颜色的油墨（CMYK）均未使用时，纸张呈现其基色（通常为白色）；当黑色油墨（K）单独使用或以高浓度配合适量 C、M、Y 油墨印刷时，可呈现接近纯黑的颜色。而仅靠青色（C）、品红色（M）、黄色（Y）三色油墨全浓度叠加，通常只能产生深灰褐色，无法达到理想的黑色。CMYK 颜色的取值范围通常是 0%～100%，例如，青色（100，0，0，0）表示纯青色，品红（0，100，0，0）表示纯品红，黄色（0，0，100，0）表示纯黄色，黑色（0，0，0，100）表示纯黑色。在实际印刷中，为了避免色彩偏差，设计师需要根据印刷设备和纸张的特性，对 CMYK 颜色的 C、M、Y、K 数值进行精确调整。

二、色彩的心理学特征和文化象征意义

（一）不同色彩的情感联想

1. 红色

红色是一种极具活力和情感张力的颜色，常常引发人们丰富的情感联想。红色与热情、爱情紧密相连，在情人节等浪漫节日的氛围营造中，红色的玫瑰、红色的装饰成为表达爱意的经典元素。同时，红色也象征着勇气和力量，在军事、体育等领域，红色常被用于激发斗志，如军队的旗帜、运动员的队服中常出现红色元素。然而，红色也有其负面的情感联想，它与危险、警示相关，危险区域的警示标识多采用红色，以提醒人们注意安全。在艺术设计中，红色可以用于突出重点、营造热烈氛围，如在庆典活动的海报设计中大量运用红色元素，能够传达欢乐、喜庆的情感。

2. 蓝色

蓝色给人以冷静、理智的感觉，常被视为智慧和忠诚的象征。在企业形象设计中，许多科技公司、金融机构选择蓝色作为主色调，以展现其专业、可靠的形象。例如，IBM 公司的标志以蓝色为主，传达出其在科技领域的领先地位和严谨的企业精神。蓝色还与宁静、平和相关联，在室内设计中，蓝色调的卧室能够帮助人们放松身心，缓解压力。同时，蓝色也有一定的负面情感联想，它可能会让人联想到冷漠、忧郁，如在一些表现孤独、悲伤情绪的艺术作品中，蓝色常被用作背景色，以强化情感氛围。

3. 黄色

黄色代表着明亮、欢快和希望，能够唤起人们积极向上的情感。在儿童产品设计中，黄色常被广泛应用，如黄色的玩具、儿童服装等，以吸引儿童的注意力，展现出活泼、可爱的风格。黄色还与智慧、知识相关，在教育领域的设计中，黄色元素可以营造出积极学习的氛围。然而，黄色在某些文化中也有特殊的含义，如在中国古代，黄色曾是皇家专用颜色，普通百姓使用黄色可能会被视为僭越；在一

些西方文化中，黄色有时与背叛、怯懦相关联。

4. 绿色

绿色是大自然的颜色，象征着生机、健康和环保。在环境设计中，绿色的植物、草坪等元素能够营造出清新、舒适的自然氛围，让人感受到生命的活力和美好。绿色还与健康、安全相关，在医疗领域的设计中，绿色常被用于医院的环境布置和医疗器械的设计，给人以安心、可靠的感觉。在时尚设计中，绿色也逐渐成为一种流行元素，代表着可持续发展和环保理念，如一些以环保为主题的时尚品牌，大量运用绿色面料和设计元素，传达尊重和保护自然的理念。

5. 紫色

紫色具有神秘、高贵的气质，常被用于展现奢华和优雅。在时尚界，紫色的礼服、配饰等常常出现在高端时尚活动中，彰显穿着者的高贵身份和独特品位。紫色还与创造力、想象力相关，在艺术创作和设计领域，紫色可以激发设计师的灵感，营造出富有创意的氛围。然而，紫色在不同文化中的象征意义也有所不同。在一些文化中，紫色可能与悲伤、哀悼相关联，如在泰国，紫色被用于表示哀悼。

（二）色彩对情绪的影响

1. 兴奋与平静

色彩对人的情绪具有显著的影响，能够引发兴奋或平静的情绪反应。高纯度、暖色调的色彩，如红色、橙色等，通常具有较强的视觉冲击力，能够刺激人们的神经系统，使人产生兴奋、激动的情绪。在体育赛事的现场，观众身着鲜艳的红色或橙色服装，能够营造出热烈、激动人心的氛围，激发运动员的斗志。相反，低纯度、冷色调的色彩，如蓝色、绿色等，具有舒缓、放松的作用，能够使人的情绪趋于平静。在医院的病房设计中，采用淡蓝色或淡绿色的墙面，可以帮助患者缓解紧张情绪，放松身心。

2. 愉悦与悲伤

色彩还能够传递愉悦或悲伤的情绪。明亮、鲜艳的色彩，如黄色、粉色等，往往给人带来愉悦、欢快的感觉。在儿童游乐场的设计中，大量运用黄色、粉色等鲜艳的色彩，能够营造出欢乐、有趣的氛围，让孩子们感受到快乐和幸福。而深沉、暗淡的色彩，如深灰色、黑色等，可能会引发悲伤、压抑的情绪。在追悼会等场合，人们通常穿着黑色的服装，以表达对逝者的哀悼之情。

3. 紧张与放松

不同的色彩还能使人产生紧张或放松的情绪体验。强烈对比的色彩组合，如红色与绿色、黄色与紫色等，可能会造成视觉上的冲突，使人产生紧张、不安的情绪。在一些恐怖电影的海报设计中，常常运用强烈对比的色彩，营造出紧张、惊悚的氛围。而柔和、协调的色彩组合，如蓝色与白色、绿色与黄色等，能够给人以舒适、放松的感觉。在咖啡馆的室内设计中，采用蓝色与白色的搭配，营造出宁静、舒适的环境，让顾客能够放松身心，享受悠闲的时光。

（三）色彩在不同文化中的象征意义差异

1. 中国文化中的色彩象征

在中国文化中，色彩具有丰富的象征意义。红色是中国传统文化中最重要的颜色之一，代表着吉祥、幸福、繁荣和喜庆。春节期间，红色的春联、红包、灯笼等随处可见，人们用红色来迎接新年，祈求好运。黄色在古代中国是皇家的专用颜色，象征着皇权、尊贵和威严。北京故宫的建筑大量运用黄色琉璃瓦，彰显皇家的至高无上。白色在中国文化中通常与哀悼、悲伤相关联，在葬礼上，人们会穿着白色的孝服。然而，在现代中国，白色也逐渐被赋予了纯洁、清新的含义，在婚礼等场合，白色的婚纱也越来越受到人们的喜爱。

2. 西方文化中的色彩象征

在西方文化中，色彩的象征意义与中国文化有所不同。白色在西方文化中主要象征着纯洁、无辜和神圣，常用于婚礼等场合，新娘通常会穿着白色的婚纱，寓意着纯洁的爱情。黑色在西方文化中与哀悼、庄重相关联，在葬礼上，人们会穿着黑色的服装。同时，黑色也常被用于正式场合的着装，如商务会议、晚宴等，以营造庄重、严肃的氛围。红色在西方文化中除了象征热情、爱情外，还与危险、警示相关，如交通信号灯中的红灯、消防车的红色车身等。绿色在西方文化中与自然、健康相关联，同时也象征着财富和幸运，如在高尔夫球场等休闲场所，绿色的草坪给人以舒适、愉悦的感觉。

3. 其他文化中的色彩象征

在日本文化中，紫色被视为高贵、神秘的颜色，常用于皇室和贵族服饰、用品等的设计中。在印度文化中，橙色具有特殊的宗教意义，代表着神圣、光明和精神追求。在印度教的寺庙和宗教仪式中，橙色的服饰和装饰随处可见。在非洲文化中，色彩的运用非常丰富，具有强烈的民族特色，且有其独特的象征意义，如红色在一些非洲部落中象征着勇气和力量，蓝色则代表着天空和神灵。

三、色彩的表现力

（一）色彩在营造氛围中的作用

1. 温暖与寒冷氛围的营造

色彩能够通过其冷暖属性营造出温暖或寒冷的氛围。暖色调的色彩，如红色、橙色、黄色等，能够给人带来温暖、热情的感觉，常用于营造温馨、舒适的氛围。在冬季服装的设计中，设计师常常运用红色、橙色等暖色调，让消费者在寒冷的季节感受到温暖。而冷色调的色彩，如蓝色、绿色、紫色等，能够营造出寒冷、清凉的氛围。在夏季饮品的包装设计中，蓝色、绿色等冷色调的运用，能够让消费者联想到清凉的感觉，增加产品的吸引力。

2. 活泼与宁静氛围的营造

色彩还可以营造出活泼或宁静的氛围。高纯度、明亮的色彩，如黄色、粉色、橙色等，具有活泼、欢快的特质，常用于营造充满活力的氛围。在儿童活动场所的设计中，大量运用黄色、粉色等鲜艳的色彩，能够激发儿童的活力和创造力。陈志华（2024）认为，低纯度、柔和的色彩，如淡蓝色、淡绿色、米色等，能够营造出宁静、平和的氛围。在图书馆、书店等场所的设计中，采用淡蓝色、米色等柔和的色彩，能够让读者在安静的环境中专注阅读。

3. 奢华与简约氛围的营造

色彩在营造奢华或简约氛围方面也具有重要作用。金色、银色、紫色等具有高贵、奢华气质的色彩，常用于营造奢华的氛围。在高端酒店的大堂设计中，金色的装饰、紫色的地毯等元素，能够展现出酒店的豪华与尊贵。而简洁、纯净的色彩，如白色、灰色、黑色等，通过巧妙的搭配，可以营造出简约、时尚的氛围。在现代简约风格的家居设计中，白色的墙面、黑色的家具、灰色的地毯等组合，体现出简洁、大方的设计理念。

（二）色彩在突出重点与引导视线方面的应用

1. 通过色彩对比突出重点

色彩对比是突出重点的重要手段之一。在设计中，运用对比强烈的色彩，如黑色与白色、红色与绿色、黄色与紫色等，可以使需要突出的元素在画面中脱颖而出。在广告设计中，将产品的关键信息用与背景色形成强烈对比的颜色呈现，能够迅速吸引消费者的注意力。例如，在一个白色背景的海报中，用红色的大字突出产品的优惠信息，能够让消费者第一时间关注到重要内容。

2. 利用色彩层次引导视线

色彩的层次变化可以引导观众的视线在设计作品中按照一定的顺序移动。通过调整色彩的明度、纯度和色相，创造出色彩的层次感，能够引导观众的视线从主要元素逐渐转移到次要元素。在网页设计中，通常将页面的导航栏设置为与背景色有一定对比度的颜色，以吸引用户的视线。用户首先关注到导航栏，然后，通过色彩的渐变或过渡，引导用户的视线向下浏览页面的其他内容。例如，在一个电商网页中，导航栏采用深灰色，产品图片区域采用明亮的色彩，文字介绍区域采用相对柔和的色彩，通过这种突出色彩层次的设计，引导用户的视线依次关注到导航、产品和详情介绍。

3. 色彩的动态表现引导视线

色彩的动态表现，如闪烁、渐变等，也可以有效地引导观众的视线。在电子显示屏、广告灯箱等设计中，运用闪烁的色彩或色彩渐变效果，能够吸引路人的注意力，并引导他们关注重要信息。例如，在一个户外广告灯箱中，产品的图片区域采用色彩渐变的效果，从蓝色逐渐过渡到红色，这种动态的色彩变化能够吸引行人的目光，并引导他们关注广告中的产品。

（三）色彩在塑造品牌形象中的价值

1. 色彩与品牌个性的契合

色彩是塑造品牌形象的重要元素之一，能够与品牌的个性和价值观相契合，传达出独特的品牌形象。例如，可口可乐以红色作为品牌的主色调，红色的热情、活力与可口可乐所代表的快乐、畅爽的品牌个性相契合，使消费者在看到红色时，能够迅速联想到可口可乐的品牌形象。苹果公司的产品设计以简洁、高端的风格著称，其品牌颜色主要为银色、白色和黑色，这些颜色体现了苹果公司简约、具有科技感和高品质的品牌形象。

2. 色彩在品牌传播中的作用

色彩在品牌传播中具有重要作用，能够提高品牌的辨识度和记忆度。独特的品牌色彩能够在众多品牌中脱颖而出，形成强烈的视觉冲击力，从而增强消费者对品牌的认知和忠诚度。研究表明，色彩能够影响人们的情感和决策，合适的品牌色彩不仅能塑造品牌个性，还能传递品牌的核心价值观，甚至直接影响消费者的购买行为。

第三节 材质与质感元素的表现形式

在艺术设计的广阔天地中，材质与质感元素犹如一对孪生兄弟，相辅相成，共同为作品赋予独特的魅力与个性。它们不仅是构建物体形态的物质基础，更是传递情感、营造氛围、展现设计风格的关键要素。从古老的陶瓷工艺到现代的数字制造，从建筑的宏伟结构到产品的精致细节，材质与质感的巧妙运用贯穿始终，深刻影响着人们对设计作品的感知与体验。深入探究材质与质感元素的表现形式，对于设计师精准把握设计意图、提升作品品质、实现创新突破具有至关重要的意义。

一、材质与质感的基本概念

（一）材质的定义与分类

1. 材质的定义

材质，是指构成物体的物质材料，它具有物理和化学属性，直接影响着物体的外观、性能和使用感受。不同的材质因其独特的成分、结构和加工工艺，呈现出各异的特性，如硬度、光泽度、透明度、柔韧性等。这些特性为设计师提供了丰富的创作素材，使其能够根据设计需求选择合适的材质，以实现预期的设计效果。

2. 材质的分类

材质的种类繁多，按照来源可大致分为天然材质和人造材质。天然材质是指直接取自自然界的材质，如木材、石材、皮革、织物等。木材具有温暖、自然的质感，不同的木材种类，如橡木、松木、红木等，因纹理和色泽的差异，展现出独特的美感。石材则以其坚固、耐用的特性，以及丰富多样的纹理和色彩，被广泛应用于建筑和室内装饰领域，如大理石的细腻纹理、花岗岩的粗犷质感等。皮革柔软而富有弹性，且具有独特的纹理和光泽，常用于制作家具、服装和配饰等，能为产品增添高贵、奢华的气质。织物则以其丰富的材质和织法，呈现出柔软、透气、吸湿等特点，常见的有棉、麻、丝、毛等，不同的织物材质适用于不同的设计场景，如棉质织物常用于制作日常服装，给人以舒适、亲肤的感觉；丝绸则常用于制作高档服装和家居饰品，展现出优雅、华丽的质感。

人造材质（又称合成材料或工程材料）是指通过化学合成、物理加工或利用生物工程技术制造的非天然材料。这类材料具有可定制的物理化学特性，在工业、建筑、医疗、电子、服装等领域应用广泛，主要包括塑料类、金属制品、玻璃、陶瓷等。

（二）质感的内涵与感知方式

1. 质感的内涵

质感是指人们在视觉、触觉等方面对材质表面特性的综合感受，涉及材质的纹理、光泽、粗糙度、柔软度、温度感等多个方面。质感不仅仅是材质的外在表现，更是一种能够引发情感共鸣和联想的重要元素。例如，光滑的金属表面给人以冰冷、坚硬、现代的感觉，而柔软的织物则让人感受到温暖、舒适和亲近。不同的质感能够传达出不同的情感和氛围，如粗糙的石材表面可以营造出古朴、自然的氛围，细腻的皮革质感则能展现出高贵、优雅的气质。

2. 质感的感知方式

人们对质感的感知主要通过视觉和触觉。视觉感知是最直接的方式，通过观察材质的表面纹理、光泽度、色彩等特征，大脑能够快速形成对质感的初步判断。例如，当我们看到一件表面光滑、色泽鲜艳的瓷器时，能够直观地感受到它的精致和细腻。而触觉感知则更为深入和真实，通过触摸材质的表面，我们可以感受到它的硬度、柔软度、粗糙度等物理特性。例如，触摸一块纯棉的布料，我们能够感受到它的柔软和细腻；触摸一块砂纸，我们能明显感觉到它的粗糙和颗粒感。此外，听觉和嗅觉也能在一定程度上辅助我们对质感的感知。例如，敲击金属时发出的清脆声音，能让我们联想到金属的坚硬质感；而闻到新木材散发的清香气味，能让我们更加深刻地感受到木材的天然质感。

二、常见材质的质感特点

（一）天然材质

1. 木材

木材具有温暖、自然的质感，其纹理是最具特色的部分。不同种类的木材纹理各异，如橡木的纹理粗犷大气，具有独特的山形纹，展现出一种质朴而沉稳的美感；松木的纹理相对细腻，年轮清晰，给人以清新、自然的感觉；而红木的纹理细腻精美，常常带有独特的花纹，如鸡翅木的鸡翅纹、黄花梨的鬼脸纹等，彰显出高贵、典雅的气质。木材的光泽度相对柔和，不像金属那样耀眼，它所散发的自然光泽给人以温馨、舒适的感受。此外，木材的表面通常具有一定的粗糙度，即使经过打磨处理，也能让人感受到木材的天然质感。触摸木材时，能够感受到它的温暖和弹性，这是其他材质所无法比拟的。在室内设计中，木材常用于地板、家具、门窗等的制作，能够营造出温馨、舒适的家居氛围。

2. 石材

石材的质感丰富多样，总体给人以坚固、耐用的印象。大理石是一种常见的石材，其纹理细腻、色彩丰富，如白色的大理石常带有灰色或黑色的纹理，形成独特的图案，给人以高贵、典雅的感觉。大理石的表面经过抛光处理后，具有较高的光泽度，能够反射出周围环境的影像，营造出奢华的氛围。花岗岩则以其粗犷的质感和颗粒状的纹理为特点，颜色多为灰色、红色、黑色等，给人以稳重、坚实的感觉。花岗岩的表面相对粗糙，即使经过打磨，也能保留一定的颗粒感，这使其在建筑外观和室外景观设计中得到广泛应用。此外，还有砂岩、板岩等石材。砂岩具有独特的砂质纹理，给人以质朴、自然的感觉；板岩则具有明显的片状结构，纹理独特，常用于地面和墙面的装饰，营造出古朴、典雅的氛围。

3. 皮革

皮革的质感柔软而富有弹性，其表面具有独特的纹理，这是由动物皮肤的天然纹理和加工工艺形成的。牛皮革是最常见的皮革材质之一，其纹理细腻、均匀，毛孔细小且紧密，给人以坚韧、耐用的感觉。羊皮革的纹理则更加细腻、柔软，毛孔呈扁圆形，排列成鱼鳞状，具有独特的美感。皮革的光泽度适中，经过不同的加工处理，可以呈现出不同的光泽效果，如亚光皮革给人以低调、奢华的感觉，而亮光皮革则更加醒目、时尚。触摸皮革时，能够感受到它的柔软和温暖，同时还能感受到皮革的弹性和韧性。在时尚设计和家具设计中，皮革常用于制作服装、鞋子、沙发等，能够提升产品的品质和档次。

4. 织物

织物的质感因材质和织法的不同而千差万别。棉质织物以其柔软、透气、吸湿性好的特点而备受青睐。纯棉织物的表面光滑细腻，触摸起来柔软舒适，给人以温暖、亲肤的感觉。麻质织物具有独特的粗糙质感和自然的纹理，它的纤维相对较粗，透气性极佳，常用于夏季服装和家居装饰，给人以清爽、自然的感觉。丝绸是一种高档的织物材质，其质地柔软光滑，具有独特的光泽，被称为“纤维皇后”。丝绸的光泽柔和而明亮，随着光线的变化而呈现出不同的色彩效果，给人以优雅、华丽的感觉。毛织物以其保暖性强、柔软、丰满的质感为特点，常见的有羊毛、羊绒等。羊毛织物的表面有一层细密的绒毛，触摸起来柔软、温暖，具有良好的弹性和保暖性能；羊绒织物则更加细腻、柔软，质感轻盈，价格也相对较高。

（二）人造材质

1. 塑料

塑料的质感因种类和加工工艺的不同而有所差异。一般来说，塑料具有质轻、光滑的特点。普通的塑料材质表面光滑平整，光泽度较高，如聚乙烯塑料常用于制作塑料袋、塑料瓶等，其表面光滑，质地轻盈，给人以简洁、实用的感觉。聚丙烯塑料则具有较高的硬度和强度，常用于制作塑料餐具、塑料家具等，其质感相对硬朗，表面光滑且有一定的光泽。而一些特殊的塑料，如磨砂塑料，通过特殊的加工工艺，使其表面呈现出细腻的磨砂质感，这种质感不仅能够减少反光，还能增加摩擦力，常用于电子产品外壳、汽车内饰等的制作，给人以高档、精致的感觉。此外，还有一些透明塑料，如亚克力，具有良好的透明度和光泽度，能够营造出通透、时尚的效果，常用于制作装饰品、展示架等。

2. 金属制品

金属具有高强度、良好的导电性和导热性，以及独特的光泽和质感。钢铁是最常见的金属材质之一，其表面经过抛光处理后，具有强烈的金属光泽，给人以坚固、硬朗的感觉。钢铁的质感硬朗，重量感十足，常用于建筑结构、机械制造等领域。铜具有独特的紫红色光泽，其质地柔软，具有良好的延展性和可塑性。铜常用于制作装饰品、雕塑、水龙头等，其独特的光泽和质感能够为产品增添高贵、典雅的气质。铝是一种轻质金属，其表面具有银白色的光泽，质感相对柔和。铝的密度较小，重量轻，常用于航空航天、汽车制造、电子产品等领域。铝合金则是在铝的基础上加入其他元素制成的合金，其强度更高，质感更加丰富多样。不锈钢是一种具有耐腐蚀性的合金钢，其表面光滑，光泽度高，常用于厨房用具、医疗器械、建筑装饰等领域，给人以干净、卫生、现代的感觉。

3. 玻璃

玻璃具有透明、光滑、坚硬的特点，质感独特。普通玻璃的表面光滑平整，具有极高的透明度，能够让光线透过，营造出通透、明亮的空间感。玻璃的光泽度高，反射性强，能够反射出周围环境的影像，增强空间的层次感。例如，在建筑设计中，大面积的玻璃幕墙能够使建筑看起来更加现代、时尚，同时也能充分利用自然光线，节约能源。磨砂玻璃经过特殊的加工工艺处理，其表面呈现出细腻的磨砂质感，这种质感既能保持一定的透光性，又能起到遮挡视线的作用，常用于卫生间、办公室等场所的门窗。彩色玻璃是在玻璃中添加各种金属氧化物，使其呈现出丰富多样的色彩，常用于教堂、艺术建筑等的装饰，营造出神秘、华丽的氛围。此外，还有一些特殊的玻璃，如钢化玻璃、夹胶玻璃等，它们在保留玻璃透明、光滑质感的基础上，具有更高的强度和安全性。

4. 陶瓷

陶瓷的质感丰富多样，具有耐高温、耐腐蚀、质地坚硬的特性。

经过烧制和装饰处理，陶瓷的表面通常呈现出不同的质感效果。釉面陶瓷是最常见的陶瓷类型之一，其表面覆盖一层光滑的釉料，经过高温烧制后，釉面呈现出明亮的光泽，色彩鲜艳，质感细腻。釉面陶瓷常用于制作餐具、茶具、花瓶等，其光滑的表面不仅易于清洁，还能为产品增添美感。亚光陶瓷则具有柔和的质感，其表面没有明显的光泽，给人以低调、素雅的感觉。亚光陶瓷常用于制作建筑瓷砖、艺术摆件等，能够营造出宁静、优雅的氛围。此外，还有一些具有特殊纹理和装饰效果的陶瓷，如裂纹釉陶瓷，其表面呈现出独特的裂纹纹理，给人以独特的美感；粉彩陶瓷则以其细腻的色彩和精美的绘画装饰为特点，展现出高雅、华丽的气质。

三、材质与质感元素在不同设计领域的应用

（一）建筑设计领域

1. 建筑外观设计中的应用

在建筑外观设计中，材质与质感的选择直接影响着建筑的整体风格和视觉效果。现代建筑常常运用玻璃、金属等材质，以展现简洁、时尚、科技感的特点。例如，一些高层建筑采用大面积的玻璃幕墙，玻璃的透明质感和金属框架的硬朗质感相结合，使建筑在阳光下熠熠生辉，展现出现代建筑的独特魅力。而在一些追求自然、生态的建筑设计中，木材、石材等天然材质被广泛应用。例如，一些度假酒店采用木质结构和石材外墙，木材的温暖质感和石材的坚固质感相互映衬，营造出与自然环境相融合的舒适氛围。在历史文化建筑的保护和修复中，材质与质感的还原尤为重要。例如，对于古老的砖石建筑，采用与原建筑相同或相似的砖石材质以及传统的砌筑工艺，能够恢复建筑的原有风貌，保留其历史文化价值。

2. 建筑内部空间设计中的应用

在建筑内部空间设计中，材质与质感的运用能够营造出不同的空间氛围，满足不同的功能需求。在酒店大堂的设计中，常常运用大

理石、金属、皮革等材质，营造豪华、舒适的氛围。大理石地面和墙面的光滑质感，搭配金属灯具和装饰线条的硬朗质感，以及皮革沙发的柔软质感，使大堂显得高贵、典雅。在餐厅的设计中，根据不同的餐饮类型和风格，选择合适的材质与质感。例如，西餐厅可以采用木质餐桌和皮质座椅，营造温馨、浪漫的用餐氛围；而中餐厅则可以采用中式风格的木质家具，搭配陶瓷餐具，营造浓郁的中国传统文化氛围。在图书馆、书店等文化场所的设计中，木材、纸张等材质的运用能够营造出宁静、舒适的阅读氛围。木质书架和书桌的温暖质感，与纸张的柔软质感相呼应，让读者感受到温暖和宁静。

（二）产品设计领域

1. 电子产品设计中的应用

在电子产品设计中，材质与质感的选择既要考虑产品的功能需求，又要满足消费者的审美需求。例如，手机的外壳材质多样，常见的有塑料、金属、玻璃等。塑料材质的手机外壳质轻、成本低，且易于加工成各种形状，通过不同的表面处理工艺，如磨砂、高光等，能够呈现出不同的质感效果。金属材质的手机外壳则具有较高的强度和独特的质感，能够提升产品的档次。例如，苹果手机的铝合金外壳经过精细打磨和阳极氧化处理，表面呈现出细腻的金属质感，给人以高端、精致的感觉。玻璃材质的手机后盖则具有良好的光泽度和质感，能够营造出时尚、通透的效果。此外，电子产品的内部结构也会运用到各种材质，如电路板上的金属线路、塑料外壳内的橡胶缓冲垫等，这些材质的选择和运用都是为了保证产品的性能和质量。

2. 家具设计中的应用

在家具设计中，材质与质感的运用直接影响家具的风格和使用体验。在现代简约风格的家具设计中，常使用木材、金属、玻璃等材质，以展现简洁、大方的设计理念。例如，一款简约风格的餐桌，可能采用木质桌面和金属桌腿，木材的温暖质感与金属的硬朗质感相结合，使餐桌既实用又美观。在欧式古典风格的家具设计中，常使用实木、皮革、布艺等材质，以营造出奢华、典雅的氛围。例如，一张欧式古典风格的沙发，可能采用实木框架，表面覆盖高档的皮革或布艺面料，搭配精致的雕花和金属装饰件，展现出高贵、华丽的气质。在儿童家具设计中，常使用环保、柔软的材质，如松木、塑料、棉质织物等，以确保儿童的安全和舒适。例如，儿童床采用松木材质，表面涂有环保漆，搭配柔软的棉质床垫和床品，给儿童提供一个温馨、安全的睡眠环境。

3. 交通工具设计中的应用

在交通工具设计中，材质与质感的选择既要考虑安全性、功能性，又要考虑美观性和舒适性。例如，汽车的车身材质主要有钢铁、铝合金等。钢铁材质具有较高的绝对强度和安全性，能够有效保护车内乘客的安全。铝合金材质则具有重量轻、比强度高的特点，能够降低汽车的能耗，提高汽车的燃油经济性。汽车的内饰也会使用各种材质，如座椅常用皮革、织物等材质，以提供舒适的乘坐体验。皮革座椅具有柔软、透气、耐磨的特点，能够提升车内的档次感；织物座椅则具有价格实惠、透气性好的特点，更适合一些经济型车型。此外，汽车的仪表盘、中控台等部位也会使用塑料、金属等材质，通过不同的表面处理工艺，营造出不同的质感效果，以满足消费者的审美需求。

（三）室内设计领域

1. 墙面与地面装饰中的应用

在室内设计中，墙面和地面的装饰是营造空间氛围的重要环节，材质与质感的选择至关重要。墙面装饰常见的材质有壁纸、乳胶漆、石材、木材等。壁纸具有丰富的图案和色彩，以及不同的质感效果，如绒面壁纸具有柔软、温暖的质感，给人以温馨、舒适的感觉；PVC壁纸具有光滑、防水的特点，易于清洁和保养。乳胶漆的质感相对单一，但通过不同的施工工艺，如拉毛、滚涂等，能够呈现出不同的纹理效果。石材墙面具有坚固、耐用、高贵的质感，常用于客厅、餐厅等空间的装饰，能够营造出奢华、大气的氛围。木材墙面给人以温暖、自然的感觉，常用于卧室、书房等空间的装饰，能够营造出温馨、舒适的氛围。

地面装饰常见的材质有木地板、瓷砖、地毯等。木地板以其温暖、舒适的质感，成为众多家庭的首选。不同种类的木地板，如实木地板、复合木地板等，各具特点。实木地板具有天然的纹理和质感，每一块木板都独一无二，能够为空间增添自然、温馨的氛围。复合木地板价格相对较低，且具有较好的耐磨性和稳定性，通过表面的处理工艺，也能呈现出逼真的木材纹理质感。瓷砖的种类繁多，包括釉面砖、通体砖、玻化砖等，其质感丰富多样。釉面砖表面光滑，色彩鲜艳，常用于厨房、卫生间等空间的地面装饰，易于清洁和打理。通体砖具有较强的防滑性和耐磨性，质感相对粗糙，常用于室外地面或一些对防滑要求较高的室内空间。玻化砖的表面光泽度高，质地坚硬，常用于客厅、餐厅等空间的地面装饰，能够营造出高档、大气的氛围。地毯以其柔软、舒适的质感，为空间增添温馨的氛围。不同材质的地毯，如羊毛地毯、化纤地毯等，具有不同的特点。羊毛地毯柔软、保暖性强，且具有天然的弹性，但价格相对较高；化纤地毯价格实惠，易于清洗和保养，通过不同的织法和表面处理工艺，也能呈现出丰富多样的质感效果。

2. 顶面装饰中的应用

在室内顶面装饰中，材质与质感的选择不仅影响空间的美观度，还对空间的声学效果和照明效果产生重要影响。常见的顶面装饰材质有石膏板、集成吊顶、木质天花板等。石膏板是一种常用的顶面装饰材质，其质地轻盈，易于加工成型，能够制作出各种复杂的造型。石膏板的表面可以进行多种处理，如涂刷乳胶漆、粘贴壁纸等，以呈现出不同的质感效果。例如，涂刷白色乳胶漆的石膏板顶面，给人以简洁、明亮的感觉；而粘贴带有纹理的壁纸的石膏板顶面，则能营造出温馨、舒适的氛围。集成吊顶是一种现代化的顶面装饰方式，它由金属扣板、龙骨等组成，具有安装方便、防火、防潮等优点。集成吊顶的扣板材质多样，如铝合金扣板、不锈钢扣板等，其表面可以通过不同的处理工艺，呈现出光滑、磨砂、拉丝等多种质感效果。铝合金扣板具有质轻、耐腐蚀、强度高的特点，常用于厨房、卫生间等空间的顶面装饰，其光滑的表面能够反射光线，使空间显得更加明亮。木质天花板则给人以温暖、自然的感觉，常用于一些追求自然风格的空间，如茶室、书房等。木质天花板可以采用实木板材或木质集成吊顶，其天然的纹理和质感能够为空间增添独特的魅力。

3. 软装搭配中的应用

软装搭配是室内设计中体现个性和品位的重要环节，材质与质感的巧妙运用能够使空间更加生动、富有层次感。在家具软装方面，不同材质的家具相互搭配，能够营造出丰富多样的风格。例如，在一个现代简约风格的客厅中，搭配皮质沙发、木质茶几和金属灯具，皮质的柔软质感、木材的温暖质感和金属的硬朗质感相互融合，既展现出简约的设计理念，又不失时尚与舒适。在卧室软装中，选择柔软的棉质床品、木质衣柜和毛绒地毯，能够营造出温馨、舒适的睡眠环境。在窗帘软装方面，不同材质的窗帘具有不同的质感和功能。例如，棉质窗帘柔软、透气，能够营造出温馨、自然的氛围；丝绸窗帘具有光滑、柔软的质感，且具有良好的垂坠感，常用于高档卧室或客厅，能够展现出优雅、华丽的气质；麻质窗帘具有独特的粗糙质感和自然的纹理，透气性极佳，常在夏季使用，给人以清爽、自然的感觉。此外，在饰品软装方面，材质与质感的选择也至关重要。例如，陶瓷摆件、玻璃花瓶、金属雕塑等饰品，其独特的材质与质感，能够为空间增添艺术氛围和个性魅力。

（四）艺术创作领域

1. 绘画艺术中的材质与质感表现

在绘画艺术中，材质与质感的表现是艺术家传达情感和主题的重要手段。不同的绘画材料，如油画颜料、水彩颜料、丙烯颜料等，具有不同的特性和质感。油画颜料具有丰富的色彩和厚重的质感，能够通过层层叠加和笔触的运用，表现出物体的立体感和质感。例如，在油画中描绘金属物体时，艺术家可以通过细腻的笔触和色彩的过渡，表现出金属的光泽和坚硬的质感；描绘织物时，可以通过柔和的笔触和色彩的变化，表现出织物的柔软和纹理。水彩颜料具有透明、轻盈的质感，能够通过水与颜料的相互融合，营造出清新、淡雅的氛围。在水彩画中描绘花卉时，艺术家可以利用水彩颜料的透明性，表现出花瓣的娇嫩和色彩的鲜艳；描绘水面时，可以通过水的流动和颜料的晕染，表现出水面的波光粼粼。丙烯颜料兼具油画颜料和水彩颜料的特点，既具有丰富的色彩和较强的覆盖力，又具有一定的透明性和干燥速度快的优点。在丙烯画中，艺术家可以通过不同的绘画技法，如厚涂、薄涂、刮擦等，表现出各种材质的质感，如石头的粗糙质感、玻璃的透明质感等。

2. 雕塑艺术中的材质与质感表现

雕塑艺术通过对各种材质的塑造和加工，展现出物体的形态和质感。不同的雕塑材质，如石材、木材、金属、陶瓷等，具有不同的质感特点和表现方式。石材雕塑因其坚固、耐用的特性，能够长久地保存下来。在石材雕塑中，艺术家可以通过对石材的雕刻和打磨，表现出不同的质感效果。例如，在雕刻人物雕塑时，艺术家可以通过细腻的雕刻手法，表现出人物肌肤的光滑质感；在雕刻动物雕塑时，可以通过粗犷的雕刻手法，表现出动物毛发的粗糙质感。木材雕塑以其温暖、自然的质感，给人以亲近的感觉。在木材雕塑中，艺术家可以利用木材的纹理和质地，进行巧妙的构思和创作。例如，在雕刻一件木雕作品时，艺术家可以根据木材的纹理走向，设计出独特的造型，同时通过打磨和上漆等工艺，展现出木材的天然质感。金属雕塑以其独特的光泽和质感，展现出现代、时尚的气息。在金属雕塑中，常见的材质有铜、铁、铝等。铜雕塑具有独特的红棕色光泽和良好的延展性，能够通过铸造、锻造等工艺制作出各种精美的雕塑作品。铁雕塑具有坚固、硬朗的质感，常用于制作大型的户外雕塑。铝雕塑具有质轻、耐腐蚀的特点，常用于制作一些造型简洁、时尚的雕塑作品。陶瓷雕塑以其丰富多样的色彩和质感，成为雕塑艺术中的重要组成部分。在陶瓷雕塑中，艺术家通过对陶瓷泥料的塑形、烧制和装饰等工艺，表现出各种独特的质感效果。例如，不同的釉料和烧制温度，能够使陶瓷表面呈现出光滑、粗糙、有裂纹等不同的质感。

3. 装置艺术中的材质与质感表现

装置艺术是一种综合性的艺术形式，它通过对各种现成物品和材料的组合与运用，创造出独特的艺术作品。在装置艺术中，材质与质感的选择和运用更加多样化和自由化。艺术家可以根据自己的创作意图和主题，选择各种不同的材质，如废旧物品、天然材料、人造材料等，通过对这些材质的重新组合和加工，展现出独特的质感和艺术效果。例如，一位艺术家利用废旧的金属零件、木材和织物等材料，制作出一件装置艺术作品。在这件作品中，金属零件的冰冷质感、木材的温暖质感和织物的柔软质感相互碰撞和融合，形成了一种独特的视觉和触觉体验，同时也传达出艺术家对环保和资源再利用的思考。又如，另一位艺术家利用天然材料，如树枝、树叶、石头等，制作出一件与自然环境相融合的装置艺术作品。在这件作品中，树枝的粗糙质感、树叶的柔软质感和石头的坚硬质感，共同营造出一种自然、质朴的氛围，使观众能够感受到大自然的魅力和力量。

四、影响材质与质感表现的因素

（一）加工工艺对材质质感的影响

1. 表面处理工艺

表面处理工艺是影响材质质感的重要因素之一。不同的表面处理工艺能够使同一种材质呈现出截然不同的质感效果。例如，对于金属材质，常见的表面处理工艺有抛光、拉丝、磨砂、电镀等。抛光处理能够使金属表面变得光滑如镜，具有极高的光泽度，展现出金属的华丽质感，常用于高档饰品、电子产品外壳等的制作。拉丝处理则是通过机械加工的方式，在金属表面形成细微的丝状纹理，使金属表面具有一种细腻、柔和的光泽，同时增加了手感的摩擦力，常用于厨房电器、汽车内饰等的制作。磨砂处理能够使金属表面呈现出细腻的颗粒感，减少反光，给人以低调、稳重的感觉，常用于手机外壳、笔记本电脑外壳等的制作。电镀处理是在金属表面镀上一层其他金属或合金，如镀铬、镀镍等，能够改变金属的颜色和光泽度，同时提高金属的耐腐蚀性和耐磨性，常用于卫浴五金、汽车零部件等的制作。

2. 成型工艺

成型工艺也会对材质的质感产生重要影响。不同的成型工艺能够使材质呈现出不同的形状和结构，从而影响其质感表现。例如，对于塑料材质，常见的成型工艺有注塑成型、吹塑成型、挤出成型等。注塑成型是将塑料颗粒加热熔化后，注入模具型腔中，经过冷却固化后形成塑料制品。注塑成型能够制作出形状复杂、尺寸精确的塑料制品，其表面光滑，质感均匀。吹塑成型则是将加热熔化的塑料制成管状型坯，然后通过吹气使其膨胀，紧贴模具型腔壁，经过冷却固化后形成中空的塑料制品，如塑料瓶、塑料玩具等。吹塑成型的塑料制品表面光滑，具有良好的柔韧性。挤出成型是将塑料颗粒加热熔化后，通过挤出机的螺杆挤压，使其通过模具的口模，形成连续的塑料制品，如塑料管材、塑料板材等。挤出成型的塑料制品表面相对光滑，具有一定的强度和硬度。对于金属材质，常见的成型工艺有铸造、锻造、冲压等。铸造是将液态金属倒入模具型腔中，经过冷却凝固后形成金属制品。铸造能够制作出形状复杂的金属制品，但其表面相对粗糙，需要进行后续的加工处理。锻造是通过对金属坯料进行加热和锤击，使其发生塑性变形，从而获得所需的形状和性能。锻造的金属制品具有较高的强度和韧性，其表面通常具有锻造留下的纹理，给人以坚固、耐用的感觉。冲压是将金属板材放置在模具中，通过压力机的冲压作用，使金属板材发生塑性变形，从而获得所需的形状。冲压的金属制品表面光滑，尺寸精确，常用于汽车零部件、电子产品外壳等的制作。

3. 装饰工艺

装饰工艺能够为材质增添独特的质感和美感。常见的装饰工艺有雕刻、镶嵌、彩绘、印刷等。雕刻是在材质表面进行切削加工，形成各种图案和纹理，能够展现出材质的质感和工艺之美。例如，在木材、石材、金属等材质上进行雕刻，能够使材质表面呈现出丰富多样的图案和纹理，增加其艺术价值。镶嵌是将不同材质的物品，如宝石、贝壳、金属片等，嵌入另一种材质的表面，形成独特的装饰效果。例如，在家具表面镶嵌贝壳或金属片，能够使家具呈现出华丽、精致的质感。彩绘是在材质表面绘制各种色彩和图案，能够使材质表面更加生动、富有艺术感。例如，在陶瓷、玻璃等材质上进行彩绘，能够展现出丰富多样的色彩和细腻的图案。印刷是将文字、图案等通过印刷技术转移到材质表面，能够实现批量生产和多样化设计。例如，在纸张、塑料、织物等材质上进行印刷，能够制作出各种精美的包装、广告、服装等。

（二）光线条件对材质质感的影响

1. 不同光源对材质质感的影响

不同的光源具有不同的颜色、强度和方向，这些因素都会对材质的质感产生影响。例如，自然光中的阳光是一种连续光谱光源，其光线强度和颜色会随着时间和天气的变化而变化。在阳光直射下，材质的颜色和质感会显得更加鲜艳和清晰，如金属的光泽会更加耀眼，石材的纹理会更加明显。而在阴天或室内环境中，自然光的强度较弱，颜色偏冷，材质的质感会显得相对柔和、暗淡。人工光源则包括白炽灯、荧光灯、LED 灯等。白炽灯发出的光线颜色偏黄，具有温暖、柔和的特点，能够使材质的质感显得更加温馨和舒适，如在白炽灯的照射下，木材的质感会显得更加温暖，皮革的质感会显得更加柔软。荧光灯发出的光线颜色偏冷，具有较高的亮度和均匀度，能够使材质的颜色更加鲜艳，如在荧光灯的照射下，彩色玻璃的色彩会显得更加鲜艳夺目。LED 灯则具有节能、环保、寿命长等优点，其光线颜色和强度可以通过调节实现多样化，能够满足不同场景下对材质质感的表现需求。例如，在展示珠宝首饰的柜台中，使用高显色性的 LED 灯，能够真实地还原珠宝的颜色和光泽，展现出其璀璨的质感。

2. 光照角度与强度对材质质感的影响

光照角度和强度的变化能够改变材质表面的明暗对比和反射效果，从而影响其质感表现。当光线以垂直角度照射到材质表面时，材质表面的反射光线较强，光泽度较高，质感会更加突出。例如，在展示金属制品时，将灯光垂直照射在金属表面，能够使金属的光泽度达到最佳状态，展现出其坚硬、光滑的质感。当光线以倾斜角度照射到材质表面时，材质表面会产生明暗对比，从而突出材质的纹理和立体感。例如，在展示木材纹理时，将灯光以一定的倾斜角度照射在木材表面，能够使木材的纹理更加清晰地呈现出来，展现出其天然的质感。此外，光照强度的变化也会对材质的质感产生影响。当光照强度较大时，材质的颜色和质感会显得更加鲜艳和清晰；当光照强度较小时，材质的颜色和质感会显得相对柔和和暗淡。例如，在舞台表演中，通过调节灯光的强度和角度，能够使演员的服装和道具的材质质感得到不同的表现，从而增强舞台效果。

3. 光影效果对材质质感的营造

光影效果能够为材质质感的营造增添丰富的层次感和立体感。巧妙地运用光影，能够使材质的质感更加生动、逼真。例如，在室内设计中，利用灯光的反射和折射，在材质表面形成光影效果，能够使空间显得更加宽敞和明亮。在展示艺术品时，通过设置不同角度的灯光，在艺术品表面形成光影对比，能够突出艺术品的材质质感和细节，增强其艺术感染力。此外，光影效果还可以通过投影、阴影等方式来实现。例如，在建筑外观设计中，利用建筑物自身的结构和灯光的照射，在地面上形成投影，能够使建筑的材质质感在光影的映衬下更加突出，同时也增强了建筑的立体感和层次感。在产品设计中，产品周围设置灯光，使其产生阴影，产品的材质质感会更加突出，同时也增强了产品的立体感和层次感。

（三）观察距离与视角对材质质感的感知

1. 近距离观察对材质细节的呈现

近距离观察能够让我们更加清晰地看到材质的细节，从而深入地感知其质感。当我们近距离观察木材时，能够看到木材的纹理、毛孔、节疤等细节，感受到木材的天然质感和温暖的触感。近距离观察金属时，能够看到金属表面的微小瑕疵、划痕、光泽度的变化等细节，感受到金属的坚硬和光滑。近距离观察织物时，能够看到织物的纤维结构、织法、图案等细节，感受到织物的柔软和透气性。在艺术创作中，近距离观察能够帮助艺术家更好地捕捉材质的细节，从而在作品中更加真实地表现出材质的质感。例如，在绘画中，艺术家通过近距离观察物体的材质细节，能够用细腻的笔触和色彩表现出物体的质感；在雕塑中，艺术家通过近距离观察材质的纹理和质地，能够用精湛的技艺表现出物体的质感。

2. 远距离观察对材质整体质感的把握

远距离观察能够让我们从整体上把握材质的质感，感受到材质的整体氛围和风格。当我们远距离观察一座建筑时，能够看到建筑的整体外观、材质的色彩和光泽，感受到建筑的材质质感所传达的风格和气质。例如，远距离观察一座由石材和玻璃构成的现代建筑，能够感受到石材的坚固和玻璃的透明所营造出的现代、时尚的氛围。远距离观察一件大型雕塑时，能够看到雕塑的整体造型、材质的质感和色彩，感受到雕塑的艺术感染力。室内设计涉及美学、建筑学、环境心理学、材料工程学等多个学科。设计师必须在确保美观的同时保证功能和舒适度，增加设计的复杂性。传统的商业室内设计必须考虑建筑类型、环境和谐、景观协调和投资风险。在室内设计中，远距离观察能够帮助我们从整体上评估空间的材质搭配和质感效果，确保各个材质之间的协调性和统一性。例如，在布置客厅时，远距离观察能够让我们看到沙发、茶几、地毯等家具的材质质感是否相互协调，是否能够营造出预期的空间氛围。

3. 不同视角对材质质感的影响

不同的视角能够展现出材质不同的质感，从而丰富我们对材质质感的感知。例如，从正面观察一块金属板，我们能够看到金属板的表面光泽度和颜色；从侧面观察，我们能够看到金属板的厚度和边缘的质感；从顶面观察，我们能够看到金属板的整体形状和纹理。在观察一件家具时，从不同的视角能够看到家具不同部位的材质质感，如从正面观察能够看到家具的面板材质，从侧面观察能够看到家具的框架材质，从顶面观察能够看到家具的桌面材质。

Visual Communication

第三章
艺术元素在视觉传达设计中的应用

视觉传达的艺术性建立在形式法则与语义象征的精密耦合之上。Donis A.Dondis（1974）在 *A Primer of Visual Literacy* 中的视觉素养理论部分将点、线、面奠基性地界定为“视觉词汇”，强调通过对比律（如公益广告中枯树与绿芽的形态对冲）与平衡律（如企业年报版式的轴心对称）构建视觉修辞。Paul Rand（1933）在 *Design, Form, and Chaos* 中关于品牌符号的研究证明，UPS 棕色的温暖感源于孟塞尔色彩体系的明度控制（55% 亮度值），其盾形标志的负空间留白（1∶1.618 黄金比例）暗含可靠性与开放性隐喻。Josef Müller-Brockmann（1981）在 *Grid Systems in Graphic Design* 中指出网格系统在瑞士航空时刻表中展现典范价值，通过 8 栏模块化网格统一多语言文本（德、法、英三语并列），借助基线对齐与字号阶梯（标题 24pt/ 正文 12pt）建立国际化的理性美感。批判视角下，John Berger（1972）在 *Ways of Seeing* 中揭露奢侈品广告常采用伦勃朗布光法塑造商品“灵晕”，如钻石摄影的 45° 侧光强化切割面折射，实质是将物质价值转化为视觉崇拜。Kim 和 Lee（2022）在 *Social Media Aesthetics: Visual Communication in the Age of Instagram* 中的实证研究显示，Instagram 美学霸权通过平台算法与用户共创形成闭环：网红博主自发采用 #cleanbeauty 标签的莫兰迪色系（平均纯度降低 30%），导致品牌包装设计舍弃高对比色彩以适配数字传播。这些案例印证，视觉艺术元素既是功能实现的工具，也是文化权力的具象化载体，设计师必须在数学秩序（瑞士风格网格）、技术约束（响应式布局断点）与社会语境（多元文化转译）间寻找动态平衡。

视觉传达设计的艺术性体现为视觉符号的修辞体系与功能美学的辩证统一。基础元素如几何形态、色彩关系与空间节奏构成视觉语法，通过对比、重复等手法形成信息层级与情感引导。现代主义理论强调数学秩序对美学的支撑作用，例如，网格系统通过模块化比例构建视觉节奏，使复杂信息获得清晰的感知路径。批判性研究则揭示了艺术元素的意识形态属性，指出构图策略与符号选择往往隐含权力话语，如商业设计中的透视法则强化商品权威，社交媒体平台的标准化滤镜导致美学趋同。当前实践注重在技术约束中寻求创新，既运用动态媒介的时空延展性创造沉浸式体验，又通过颠覆性视觉策略解构既定范式，最终实现艺术表达与功能价值的有机融合。

Paul Rand 在 *Design，Form，and Chaos* 中将视觉传达设计的艺术元素提炼为形式与功能的辩证统一，强调设计的美学价值必须根植于传达效率与逻辑性。他提出，艺术性并非孤立的装饰，而是通过简约性、比例、对比与节奏的精准控制（如 IBM 公司标志中几何图形的黄金分割、Westinghouse 标识中负空间的动态平衡），将抽象概念转化为可感知的视觉符号。Rand 批判“为艺术而艺术”的浮夸倾向，主张设计应遵循符号学原理（如隐喻与转喻的视觉化），通过色彩、形状的象征性（如 UPS 国际快递棕色商标给人的信赖感、NeXT 软件公司标识的极简棱角隐喻创新）建立品牌与受众的情感共鸣。其核心观点是：视觉传达的艺术性在于“用最少的元素传递最多的意义”，在商业与美学之间构建理性而诗意的平衡，这一理念深刻影响了现代品牌设计与视觉识别系统的标准化实践。

Josef Müller-Brockmann 在 *Grid Systems in Graphic Design* 中将视觉传达设计的艺术性定义为基于数学逻辑与理性秩序的美学表达，强调网格系统是“形式服务于功能”的核心工具。他主张，艺术元素并非感性的随机发挥，而是通过严格的网格比例（如黄金分割、模块化对齐）实现视觉的和谐与节奏（如海报中文字与图像的层级分布），使信息传递兼具清晰性与审美张力。他还批判装饰主义的无序性，提出“少即是多”的瑞士国际主义原则（如无衬线字体、单色系与几何图形），通过对比、留白与重复（如音乐海报中的极简波浪线）构建动态平衡，其核心理念是：网格并非束缚，而是解放设计师的框架，通过理性结构将复杂信息转化为可读、可信的视觉语言。这一理论奠定了现代主义设计“功能美学”的基石，并持续影响着数字时代的界面设计与信息可视化实践。

第一节 艺术与设计的跨界协作

在当今多元化、全球化的时代背景下，艺术与设计正逐渐突破传统的边界，走向深度融合与跨界协作的道路。这种跨界协作不仅为艺术创作带来了新的活力与灵感，也为设计领域注入了丰富的文化内涵和创新思维。艺术与设计的跨界协作已成为推动视觉传达设计发展的重要力量，它跨越了学科之间的壁垒，整合了不同领域的资源和技术，为解决复杂的设计问题、满足人们日益增长的审美和功能需求提供了全新的途径。通过深入探讨艺术与设计跨界协作的内涵、形式、意义，以及面临的挑战与应对策略，我们能够更好地把握这一趋势，为视觉传达设计的未来发展提供有益的启示。

一、艺术与设计的关联与区别

（一）艺术与设计的紧密联系

1. 共同的审美追求

艺术与设计都以审美为核心追求，致力于通过各种形式和手段创造出具有美感的作品。无论是绘画、雕塑等传统艺术形式，还是平面设计、产品设计等现代设计领域，都注重对形式美、色彩美、材质美等方面的探索和表现。在艺术创作中，艺术家通过对线条、形状、色彩的巧妙运用，构建出富有美感和表现力的画面，以传达情感和思想。例如，梵高的《星月夜》以其独特的笔触和强烈的色彩对比，营造出梦幻般的视觉效果，给人带来强烈的审美震撼。在设计领域，设计师同样注重审美原则的运用，通过对设计元素的精心组织和搭配，打造出既美观又实用的作品。例如，苹果公司的产品设计，以简洁、优雅的外观和精致的工艺赢得了全球消费者的喜爱，其背后蕴含着对审美价值的高度追求。

2. 相互依存的创作基础

艺术与设计在创作过程中相互依存，艺术为设计提供了丰富的灵感源泉和表现手法，而设计则为艺术的传播和应用提供了更广阔的平台。艺术的发展历程中积累了大量的创作经验和表现形式，如各种绘画风格、雕塑技法、建筑样式等，这些都为设计提供了无尽的灵感。设计师可以从艺术作品中汲取灵感，将其转化为设计元素，应用于产品设计、空间设计等领域。例如，现代建筑设计常常借鉴古代建筑艺术的风格和元素，如哥特式建筑的尖拱、巴洛克建筑的华丽装饰等，使现代建筑既具有时代感又蕴含着深厚的文化底蕴。同时，设计也为艺术的传播和应用提供了支持。通过设计，艺术作品可以以更多样的形式呈现给大众，如将艺术作品印刷在海报、书籍封面、服装等载体上，使其能够被更多人欣赏和理解。

3. 对文化的传承与表达

艺术与设计都是文化的重要载体，它们通过各自的方式传承和表达着不同地域、不同民族的文化。艺术作品往往反映了特定时期、特定文化背景下人们的生活、信仰、价值观等，如中国传统的山水画，体现了中国人对自然的崇尚和对意境的追求，蕴含着丰富的中国传统文化内涵。设计同样也承载着文化的印记，不同国家和地区的设计风格往往受到当地文化的影响。例如，日本的设计风格注重简约、自然，体现了日本文化对“和”的追求；北欧的设计风格则以简洁、实用、环保著称，反映了北欧国家的文化特色和生活方式。艺术与设计在文化传承与表达方面相互补充，共同推动着文化的发展和传播。

（二）艺术与设计的差异体现

1. 创作目的有不同侧重点

艺术创作的目的更侧重于表达艺术家的个人情感、思想和观念，追求的是艺术的纯粹性和独立性。艺术家通过作品传达自己对世界的独特理解和感受，往往不考虑作品的实用性和商业价值。例如，毕加索的立体主义作品打破了传统绘画的表现形式，以独特的视角和创新的手法表达了对现实世界的思考，其创作目的并非满足某种实用需求，而是探索艺术的新边界。而设计的创作目的更强调实用性和功能性，它需要满足用户的实际需求，解决实际问题。设计师在进行设计时，需要考虑产品的使用场景、用户体验、生产工艺等因素，使设计作品既具有美感又具有良好的实用性。例如，汽车设计师在设计汽车时，不仅要考虑汽车的外观造型，还要考虑汽车的性能、安全性、舒适性等因素，以满足用户对出行的需求。

2. 受众群体的范围差异

艺术作品的受众群体相对较小众，通常是对艺术有较高兴趣和鉴赏能力的人群。艺术作品往往具有较高的艺术价值和文化内涵，但可能由于其表现形式较为抽象或独特，不容易被大众理解和接受。例如，一些现代艺术作品，如行为艺术、装置艺术等，其创作理念和表现形式较为前卫，只有具备一定艺术素养的观众才能欣赏和理解。而设计作品的受众群体则更为广泛，它面向的是广大消费者。设计作品需要尽可能满足不同年龄、不同性别、不同文化背景的人群的需求，因此在设计过程中需要考虑大众的审美和使用习惯。例如，一款手机的设计，需要考虑到不同用户群体的需求，既要满足年轻人对时尚、功能的追求，又要考虑老年人对操作简单、字号大的需求。

3. 评价标准的多样化

艺术作品的评价标准相对较为主观和多元化，不同的人对同一艺术作品可能有不同的评价。艺术评价往往注重作品的创新性、思想性、艺术性等方面，强调作品对艺术发展的贡献和对观众情感的触动。例如，对于一幅绘画作品，不同的艺术评论家可能从不同的角度进行评价，有的注重作品的技法，有的注重作品的意境，有的注重作品的社会意义。而设计作品的评价标准则相对客观和具体，需要综合考虑作品的功能性、易用性、审美性、经济性等多个方面。例如，对于一款产品设计，评价时需要考虑产品是否满足用户的功能需求，操作是否方便，外观是否美观，生产成本是否合理等因素。

二、艺术与设计跨界协作的重要性

（一）推动设计创新与突破

1. 引入艺术思维，激发创新灵感

艺术思维具有独特的创造性和想象力，它不受传统规则和模式的

束缚，能够从全新的角度看待问题和解决问题。在设计中引入艺术思维，可以为设计师带来丰富的创新灵感，帮助他们突破传统设计的局限，创造出更具创新性和独特性的作品。例如，在服装设计中，设计师借鉴绘画艺术中的色彩搭配和构图原理，将抽象的艺术元素融入服装款式设计中，创造出具有艺术感和时尚感的服装作品。艺术思维还可以激发设计师对材料和工艺的创新探索，如将传统手工艺与现代科技相结合，创造出全新的材料质感和表现形式。

2. 融合艺术表现形式，丰富设计语言

艺术拥有丰富多样的表现形式，如绘画、雕塑、摄影、装置艺术等，这些表现形式为设计提供了丰富的语言资源。通过融合不同的艺术表现形式，设计师可以丰富设计语言，使设计作品更具表现力和感染力。例如，在平面设计中，设计师运用摄影艺术的真实感和绘画艺术的表现力，将两者有机结合，创造出独特的视觉效果。在室内设计中，设计师借鉴雕塑艺术的空间感和形式美，打造出富有艺术氛围的室内空间。融合艺术表现形式还可以使设计作品更好地传达情感和讲述故事，增强与观众的情感共鸣。

3. 打破设计边界，实现跨界创新

艺术与设计的跨界协作有助于打破传统设计的边界，实现跨领域、跨学科的创新。通过与不同艺术领域的合作，设计师可以整合各种资源和技术，创造出具有创新性的设计解决方案。例如，在建筑设计中，设计师与艺术家合作，将艺术装置融入建筑空间，使建筑不仅具有实用功能，还成为一件具有艺术价值的作品。在产品设计中，设计师与科技领域的专家合作，将先进的科技成果与艺术设计相结合，创造出具有创新性的智能产品。艺术与设计的跨界协作还可以促进不同行业之间的交流与合作，推动整个设计行业的创新发展。

（二）提升设计作品的文化内涵

1. 挖掘艺术作品中的文化价值

艺术作品蕴含着丰富的文化价值，它们是不同历史时期、不同文化背景下人们智慧和情感的结晶。在设计中挖掘艺术作品的文化价

值，可以使设计作品具有深厚的文化底蕴。例如，中国传统的陶瓷艺术承载着几千年的文化历史，其独特的造型、装饰和烧制工艺都体现了中华传统文化的精髓。设计师通过对陶瓷艺术的研究和借鉴，将其中的文化元素融入现代设计，如将陶瓷的造型元素应用于家具设计，将陶瓷的装饰图案应用于纺织品设计，使现代设计作品既具有时代感又蕴含传统文化的魅力。

2. 传承与创新传统文化

艺术与设计的跨界协作是传承与创新传统文化的重要途径。通过将传统文化元素与现代设计理念相结合，设计师可以创造出既符合现代审美又具有传统文化内涵的作品。例如，在平面设计中，设计师运用中国传统的书法、剪纸、水墨画等元素，创造出具有中国特色的海报、书籍装帧等作品。在产品设计中，设计师将传统的手工艺技法与现代材料和工艺相结合，创作出具有传统文化特色的产品。这种传承与创新不仅可以使传统文化得到更好的保护和发展，还可以为现代设计注入新的活力。

3. 促进多元文化的交流与融合

在全球化的背景下，艺术与设计的跨界协作有助于促进多元文化的交流与融合。不同国家和地区的艺术和设计都具有独特的文化特色，通过跨界协作，设计师可以吸收和借鉴不同文化的精华，创作出具有多元文化融合特点的作品。例如，在时尚设计中，设计师将东方文化的元素与西方时尚理念相结合，创作出具有独特风格的服装作品。这种多元文化的交流与融合不仅可以丰富设计的内涵，还可以促进不同文化之间的相互理解和尊重。

（三）满足消费者多样化需求

1. 提升消费者的审美体验

随着人们生活水平的提高，消费者对设计作品的审美要求也越来越高。艺术与设计的跨界协作可以将艺术的审美价值融入设计中，提升消费者的审美体验。例如，在室内设计中，设计师通过引入艺术作品，如绘画、雕塑等，营造出具有艺术氛围的室内空间，使消费者在日常生活中能够感受到艺术的魅力。在产品设计中，设计师运用艺术的审美原则，对产品的外观、色彩、材质等进行精心设计，使产品不仅具有实用性，还具有较高的审美价值。这种通过艺术元素提升消费者审美体验的方式，可以满足消费者对高品质生活的追求。

2. 融合艺术情感，增强设计共鸣

艺术作品往往蕴含着丰富的情感，能够触动人们的心灵。在设计中融合艺术情感，可以使设计作品更具感染力，增强与消费者的情感共鸣。例如，在广告设计中，设计师通过讲述一个感人的故事，将产品与情感元素相结合，使消费者在情感上产生共鸣，从而提高产品的吸引力和销售力。在包装设计中，设计师运用艺术的表现手法，营造出温馨、浪漫、时尚等不同的情感氛围，满足消费者在不同情境下的情感需求。这种融合艺术情感的设计，可以更好地满足消费者的情感需求，提升消费者对产品的认同感和忠诚度。

3. 运用艺术创新，拓展设计功能

艺术与设计的跨界协作还可以通过艺术创新拓展设计的功能。艺术家和设计师可以共同探索设计的新功能和新应用场景，以满足消费者多样化的需求。例如，在交互设计中，设计师与艺术家合作，运用艺术的创意和表现手法，创造出更加有趣、富有创意的交互体验。在服务设计中，设计师通过引入艺术元素，提升服务的品质和体验。在酒店设计中，通过打造艺术化的大堂、餐厅等空间，为顾客提供独特的服务体验。这种运用艺术创新拓展设计功能的方式，可以使设计更好地适应社会的发展和消费者需求的变化。

三、艺术与设计跨界协作的现状与案例分析

（一）国际上的成功案例剖析

1. 苹果公司与艺术的融合

苹果公司以其卓越的设计理念和创新精神在全球范围内备受赞誉，其成功的背后离不开与艺术的深度融合。苹果公司的产品设计不仅注重

功能性和易用性，还追求极致的美学体验。苹果公司的设计师从艺术、建筑、时尚等多个领域汲取灵感，将简洁、优雅的设计风格贯穿于产品的外观、界面和交互设计中。例如，iPhone 系列手机，其简洁流畅的线条、精致的材质选择以及精心设计的界面，都体现了对艺术审美和创新的追求。苹果公司还经常与艺术家合作，举办艺术展览、推出限量版产品等，将艺术元素融入品牌推广中，提升品牌的文化内涵和艺术价值。通过与艺术的融合，不仅打造出了具有高度辨识度和市场竞争力的产品，还塑造了独特的品牌形象，赢得了消费者的喜爱和支持。

2. 迪拜哈利法塔的艺术与设计结合

迪拜哈利法塔是世界上最高的建筑，它的设计融合了艺术与设计的精髓。哈利法塔的建筑外观造型独特，灵感来源于沙漠中的蜘蛛百合，其曲线优美的轮廓和独特的结构设计，展现了艺术与工程技术的完美结合。在建筑内部，哈利法塔的设计同样注重艺术氛围的营造，大堂、电梯间等空间装饰着精美的艺术作品，如雕塑、壁画等，使人们在欣赏建筑的同时，也能感受到艺术的魅力。哈利法塔不仅创造了建筑史上的奇迹，还成为迪拜的标志性建筑，展示了艺术与设计跨界协作在大型建筑项目中的巨大潜力。

3. 意大利时尚品牌的艺术跨界合作

意大利是时尚之都，众多意大利时尚品牌通过与艺术跨界合作，不断创新和提升品牌的影响力。例如，古驰（Gucci）经常与艺术家合作推出联名系列产品，将艺术作品中的元素融入服装、配饰等产品中。古驰与艺术家合作的系列产品，不仅在设计上独具匠心，还具有较高的艺术价值，吸引了众多消费者的关注和追捧。芬迪（Fendi）与建筑师合作设计旗舰店，将建筑艺术与时尚零售空间相结合，打造出独特的购物体验环境。这些时尚品牌通过与艺术跨界合作，不仅丰富了产品的设计内涵，还提升了品牌的文化品位和时尚感。

（二）国内的发展态势与典型案例

1. 故宫文创产品的艺术设计创新

故宫博物院近年来推出的文创产品取得了巨大的成功，其背后是艺术与设计的深度融合。故宫文创产品以故宫丰富的文物资源为基础，将传统文化元素与现代设计理念相结合，创造出了一系列既具有文化内涵又具有实用性和趣味性的产品。例如，故宫文创中的口红系列产品，将故宫建筑的色彩和装饰元素应用于口红的包装设计，其独特的设计和高品质的产品受到了消费者的喜爱。故宫文创中的文具系列产品，将故宫的书画作品、印章等元素融入文具设计中，使文具不仅具有实用功能，还成为传播传统文化的载体。故宫文创产品的成功，展示了艺术与设计跨界合作在文化创意产业中的重要作用，为传统文化的传承和发展提供了新的思路和方法。

2. 小米生态链产品的设计创新

小米生态链产品以其高性价比和创新性的设计在市场上脱颖而出，其设计理念融合了艺术与科技。小米生态链企业注重产品的外观设计和用户体验，通过与设计师、艺术家合作，不断创新产品的设计。例如，小米的智能音箱，其外观设计简洁大方，同时还具有良好的音质和智能交互功能。小米的智能家居产品，如智能灯具、智能门锁等，不仅功能强大，而且在设计上注重与家居环境的融合，营造出舒适、便捷的生活氛围。小米生态链产品的设计创新，体现了艺术与设计跨界协作在科技产品设计中的应用，为消费者提供了高品质、创新的产品选择。

3. 中国当代建筑的艺术探索

近年来，中国当代建筑在艺术与设计的跨界协作方面进行了积极的探索，涌现出了一批具有代表性的建筑作品。例如，北京大兴国际机场的设计融合了中国传统文化元素和现代建筑技术，其独特的造型灵感来源于中国传统的凤凰文化，寓意“凤凰展翅”。大兴国际机场的建筑设计不仅在功能上满足了现代化航空枢纽的需求，还在艺术上展现了中国文化的魅力。上海东方艺术中心，其建筑外观造型独特，如同一朵盛开的蝴蝶兰，内部空间设计和声学设计也达到了国际一流水平。这些中国当代建筑的艺术探索，展示了艺术与设计跨界协作在建筑领域的创新成果，提升了中国建筑的国际影响力。

四、艺术与设计跨界协作面临的挑战与应对策略

（一）面临的挑战

1. 专业壁垒与沟通障碍

艺术与设计虽然有一定的关联，但毕竟是两个不同的专业领域，各自有着独特的知识体系、思维方式和工作方法。在跨界协作过程中，专业壁垒可能导致双方在沟通和理解上存在障碍。艺术家注重情感表达和艺术创新，而设计师则更关注功能实现和用户需求。这种差异可能导致在项目合作中，双方对设计目标、设计理念的理解产生分歧，从而影响项目的进展和成果。例如，在一个产品设计项目中，艺术家提出的设计方案可能过于注重艺术表现，而忽视了产品的实用性和生产可行性；设计师则可能对艺术家的创意理解不够深入，无法将其有效地转化为实际的设计方案。

2. 商业目标与艺术追求的平衡

在商业项目中，艺术与设计的跨界协作往往需要在商业目标和艺术追求之间寻求平衡。企业通常希望通过与艺术结合，提升产品的附加值，提高产品的市场竞争力，实现商业利益的最大化。然而，艺术家往往更注重艺术创作的独立性和纯粹性，追求艺术表达的深度和独特性。这种差异可能导致双方在合作过程中产生矛盾。例如，企业可能希望艺术元素的运用能够直接促进产品的销售，而艺术家则可能更倾向于在作品中表达个人的艺术理念，不愿意对商业需求作出过多妥协。如何在商业目标和艺术追求之间找到平衡点，是艺术与设计跨界协作面临的一个重要挑战。

3. 时间成本与资源分配难题

艺术与设计跨界协作项目通常涉及多个领域的专业人员，项目的复杂性和创新性往往会导致时间成本的增加。艺术家和设计师需要花费大量的时间进行沟通、协调和磨合，以确保项目的顺利进行。同时，在项目执行过程中，可能会遇到各种意外情况和技术难题，需要投入更多的时间和精力去解决。此外，资源分配也是一个难题。跨界

协作项目需要整合不同领域的资源，包括人力、物力、财力等。如何合理分配这些资源，确保各个环节都能够得到足够的支持，是项目成功的关键。如果资源分配不合理，可能会导致某些环节出现资源短缺，影响项目的进度和质量。

（二）应对策略

1. 加强沟通与理解，打破专业壁垒

为了打破艺术与设计之间的专业壁垒，加强双方的沟通与理解至关重要。首先，在项目开始前，可以组织艺术家和设计师进行深入的交流和培训，让双方了解彼此的专业知识、思维方式和工作方法。通过这种方式，双方可以更好地理解对方的需求和想法，减少沟通障碍。其次，在项目执行过程中，建立定期的沟通机制，如项目会议、工作汇报等，及时解决项目中出现的问题和分歧。此外，还可以鼓励艺术家和设计师进行实地考察和体验，让他们更加深入地了解项目的背景和需求，从而更好地将自己的专业知识融入项目中。

2. 建立合理的评估机制，平衡商业与艺术

为了在商业目标和艺术追求之间找到平衡，需要建立合理的评估机制。在项目策划阶段，明确项目的商业目标和艺术追求，并将其转化为具体的评估指标。例如，可以设定产品的市场销量、用户满意度等商业指标，同时设定艺术创新度、文化内涵等艺术指标。在项目执行过程中，根据这些评估指标对项目进行定期评估和调整。当商业目标和艺术追求出现冲突时，需通过评估机制进行权衡和决策。例如，如果艺术创新可能会影响产品的市场销量，但从长远来看，能够提升品牌的文化价值和艺术影响力，那么可以在一定程度上牺牲短期的商业利益，支持艺术创新。

3. 优化项目管理，合理分配时间与资源

针对时间成本与资源分配难题，需要优化项目管理。首先，制订详细的项目计划，合理安排项目的各个阶段和任务，明确每个阶段的时间节点和责任人。在项目执行过程中，严格按照项目计划进行，确保项目的进度。其次，建立高效的资源管理系统，对项目所需的人

力、物力、财力等资源进行合理分配和优化配置。例如，可以根据项目的不同阶段和任务，合理调配人力资源，确保每个任务都有足够的人员支持。同时，合理安排物力和财力资源，避免资源的浪费和闲置。此外，还可以引入项目管理工具和技术，如项目管理软件、敏捷开发方法等，提高项目管理的效率和质量。

五、艺术与设计跨界协作的未来展望

（一）新兴技术推动下的跨界趋势

1. 人工智能与艺术设计的融合

随着人工智能技术的不断发展，它与艺术设计的融合将成为未来的重要趋势。人工智能可以通过大数据分析和机器学习，为艺术设计提供更多的创意和灵感。例如，人工智能可以根据用户的喜好和行为数据生成个性化的设计方案。同时，人工智能还可以辅助设计师进行设计工作，如自动生成图形、优化设计布局等，提高设计效率。在艺术创作方面，人工智能也可以成为艺术家的创作工具，如通过算法生成音乐、绘画等作品。未来，人工智能与艺术设计的融合将创造出更多具有创新性和个性化的作品。

2. 虚拟现实与增强现实技术的应用

虚拟现实（VR）和增强现实（AR）技术为艺术与设计的跨界协作带来了新的机遇。这些技术可以创造出沉浸式的体验环境，使观众能够更加身临其境地感受艺术作品和设计成果。例如，在艺术展览中，利用 VR 技术可以让观众仿佛置身于艺术作品之中，与作品进行互动。在产品设计中，AR 技术可以让用户在购买产品前，通过手机等设备对产品进行虚拟试用，了解产品的功能和效果。未来，随着 VR 和 AR 技术的不断发展和普及，它们将在艺术与设计领域得到更广泛的应用，为艺术与设计的跨界协作带来更多的可能性。

3. 3D 打印技术对设计制造领域的变革

3D 打印技术的出现对设计制造领域产生了深远的影响。它可以将设计理念快速转化为实物，大大缩短产品的开发周期。在艺术与设计跨界协作中，3D 打印技术可以为艺术家和设计师提供更多的创作自由和实现方式。例如，艺术家可以利用 3D 打印技术制作出复杂的雕塑作品，设计师可以利用 3D 打印技术制作出个性化的产品原型。未来，随着 3D 打印技术的不断成熟和成本的降低，它将在艺术与设计领域得到更广泛的应用，推动艺术与设计的跨界协作向更高水平发展。

（二）对未来视觉传达设计的影响

1. 创造更加丰富多元的视觉体验

艺术与设计的跨界协作将为未来的视觉传达设计带来更加丰富多元的视觉体验。通过融合不同的艺术形式和设计理念，设计师可以创造出更加独特、新颖的视觉效果。例如，将动画艺术与平面设计相结合，可以创作出具有动态感和互动性的平面设计作品；将数字艺术与空间设计相结合，可以打造出具有未来感和科技感的空间环境。这些丰富多元的视觉体验将满足人们日益增长的审美需求，为人们带来全新的视觉享受。

2. 促进设计风格的多元化与个性化发展

在艺术与设计跨界合作的推动下，未来的设计风格将更加多元化和个性化。不同艺术领域的独特风格和表现手法将为设计带来更多的灵感和创新，使设计不再局限于传统的风格和模式。同时，随着消费者对个性化产品的需求不断增加，设计师将更加注重满足消费者的个性化需求，通过跨界合作创作出具有独特个性的设计作品。例如，在服装设计中，设计师可以结合不同国家和地区的文化元素，以及消费者的个人喜好，设计出个性化的服装款式。

3. 推动视觉传达设计向更广阔的领域拓展

艺术与设计的跨界协作将推动视觉传达设计向更广阔的领域拓展。除了传统的平面设计、产品设计、空间设计等领域外，视觉传达设计将与更多的领域进行融合，如医疗、教育、环保等。例如，在医疗领域，视觉传达设计可以通过与艺术的结合，为医院营造出更加温馨、舒适的环境，缓解患者的紧张情绪；在教育领域，视觉传达设计可以与艺术教育相结合，开发出更加生动、有趣的教学资源，提高学生的学习兴趣和学习效果。未来，视觉传达设计将在更多的领域发挥重要作用，为社会的发展作出更大的贡献。

六、小结

艺术与设计的跨界协作是时代发展的必然趋势，它为视觉传达设计带来了前所未有的机遇和挑战。通过深入分析艺术与设计的关联与区别，我们认识到两者在审美追求、创作基础和文化传承等方面紧密相连，但在创作目的、受众群体和评价标准等方面存在差异。艺术与设计的跨界协作具有重要的意义，它能够推动设计创新与突破，丰富设计作品的文化内涵，满足消费者多样化的需求。通过对国内外成功案例的分析，我们看到了艺术与设计跨界协作的巨大潜力和价值。然而，在跨界协作过程中，也面临着专业壁垒与沟通障碍、商业目标与艺术追求的平衡、时间成本与资源分配困难等挑战。针对这些挑战，我们提出了加强沟通与理解、建立合理的评估机制、优化项目管理等应对策略。展望未来，新兴技术的发展将推动艺术与设计的跨界协作呈现出新的趋势，如人工智能与艺术设计的融合、虚拟现实（VR）和增强现实（AR）技术的应用、3D 打印技术对设计制造的变革等。这些趋势将对未来的视觉传达设计产生深远的影响，创造更加丰富多元的视觉体验，促进设计风格的多元化与个性化发展，推动视觉传达设计向更广阔的领域拓展。因此，我们应积极拥抱艺术与设计的跨界协作，充分发挥其优势，克服面临的挑战，为视觉传达设计的发展开辟新的道路，创造出更加优秀的设计作品，更好地服务于人，提升人们的生活品质。

第二节 艺术元素的视觉符号化

在视觉传达设计的广阔领域中，艺术元素的视觉符号化正逐渐成为一种核心的设计策略与表现手段。随着信息时代的高速发展，人们每天面临着海量信息冲击，如何让设计信息在繁杂的环境中脱颖而出，准确且高效地传达给受众，成为设计师亟待解决的问题。艺术元素的视觉符号化通过将抽象的艺术概念、情感和文化内涵转化为直观、简洁且具有高度识别性的视觉符号，为信息的传播搭建了一座桥梁。这种转化不仅能够提升设计的表现力和感染力，还能跨越语言、文化的障碍，实现更广泛、更深入的信息交流。深入研究艺术元素的视觉符号化，对于探索视觉传达设计的创新路径，提升设计的品质与价值具有重要的理论和实践意义。

一、艺术元素视觉符号化的概念与内涵

（一）艺术元素的范畴界定

艺术元素涵盖了丰富多样的内容，是构成艺术作品的基本要素。从形式上看，它包括线条、形状、色彩、材质、肌理等基本的视觉元素。线条具有不同的形态，如直线给人以刚直、稳定之感，曲线传递出柔和、灵动的气质，折线能够营造出紧张、动感的氛围。形状也是多种多样的，圆形代表着圆满、和谐，方形体现出规则、稳定，三角形则蕴含着力量与动感。色彩更是具有丰富的情感表达和象征意义，红色常常象征着热情、活力、危险，蓝色代表着冷静、理智、深邃，绿色寓意着自然、生机、和平。材质和肌理则赋予了艺术作品独特的质感，木材的温暖质感、金属的坚硬光泽、织物的柔软触感等，都能为艺术表达增添丰富的层次。

从文化和内容层面来看，艺术元素还包含各种艺术风格、文化符号、历史典故、艺术作品中的人物形象、场景等。例如，中国传统的京剧脸谱，其独特的色彩和图案设计就是极具代表性的艺术元素，不同的脸谱色彩和图案代表着不同的人物性格和品质。西方的古希腊神话中的人物形象，如维纳斯、阿波罗等，也成为艺术创作中频繁使用

的艺术元素，它们承载着西方文化中的审美观念和价值取向。

（二）视觉符号的基本特征

视觉符号是一种能够通过视觉感知来传达特定信息和意义的象征形式，具有以下几个基本特征。

1. 直观性

视觉符号能够以最直接的方式被人们的视觉系统捕捉和感知。与文字信息相比，它无须经过复杂的语言解读过程，能够迅速在人们的脑海中形成印象。例如，交通信号灯中的红色圆形符号，人们看到它就能立刻明白其代表着停止的指令，无须额外的文字说明。这种直观性使得视觉符号在信息传播中具有极高的效率，能够在短时间内吸引人们的注意力并传达关键信息。

2. 简洁性

优秀的视觉符号通常具有简洁明了的特点，去除烦琐的细节，以最简洁的形式表达核心意义。简洁的视觉符号更容易被人们记忆和识别，避免信息的混淆和误解。例如，苹果公司的标志是一个被咬了一口的苹果的形象，简洁而独特，成为全球消费者熟知的品牌符号。这种简洁性不仅有助于提高信息传播的准确性，还能降低受众的认知负担，使其能够快速接收并理解信息。

3. 象征性

视觉符号往往具有丰富的象征意义，它不仅仅是一种简单的视觉形象，更是某种抽象概念、情感或文化内涵的象征。例如，鸽子在很多文化中都被视为和平的象征，当人们看到鸽子的视觉符号时，就会联想到和平的概念。这种象征性使得视觉符号能够承载深层次的信息，引发人们的情感共鸣和思考。

4. 普遍性

视觉符号具有一定的普遍性，能够跨越不同的语言、文化和地域界限，被人群广泛地理解和接受。例如，代表禁止的红圈斜杠符号，在世界各地的交通标识、公共场所标识中被广泛使用，无论人们来自哪个国家或地区，都能明白其含义。这种普遍性使得视觉符号成为一种全球性的信息交流工具，促进了不同文化之间的沟通与理解。

（三）艺术元素视觉符号化的本质

艺术元素的视觉符号化本质上是一种将艺术元素进行提炼、概括和转化的过程，将原本复杂、多样的艺术元素转化为具有明确意义和高度识别性的视觉符号。这个过程并不是简单的形式转换，而是融入了设计师的创意、对文化的理解以及对受众认知心理的把握。通过对艺术元素的深入分析和解读，挖掘其内在的核心价值和象征意义，然后运用设计手法将这些元素以简洁、直观的视觉形式呈现出来。例如，在一个以环保为主题的海报设计中，设计师可能会选取树叶这一艺术元素，将其简化为一个具有代表性的形状，并运用绿色这一象征自然和环保的色彩，将树叶转化为一个代表环保的视觉符号。这种转化不仅使艺术元素的信息传达更加准确和高效，还能激发受众的情感共鸣，增强设计的感染力。

二、艺术元素视觉符号化的价值与意义

（一）提升信息传达的效率与准确性

1. 快速吸引注意力

在信息爆炸的时代，人们的注意力成为一种稀缺资源。艺术元素视觉符号化能够通过独特、醒目的视觉形象，在瞬间吸引人们的注意力。例如，在街头的广告海报中，运用夸张的形状、鲜艳的色彩等视觉符号化的艺术元素，能够使其迅速从周围的环境中脱颖而出，抓住路人的目光。这种快速吸引注意力的能力，为信息的有效传达奠定了基础。

2. 跨越语言和文化障碍

视觉符号具有超越语言和文化的特性，能够在不同的语言和文化

背景下被人们理解。这使得艺术元素视觉符号化后的设计作品能够在全球范围内进行传播，打破了语言和文化的隔阂。例如，一些国际知名品牌的标志设计，如耐克的对勾标志、阿迪达斯的三条纹标志，无论在哪个国家和地区，都能被消费者准确识别和理解，实现了品牌信息的全球化传播。

3. 准确传达核心信息

通过对艺术元素的精心提炼和符号化处理，能够将复杂的信息简化为易于理解的视觉符号，从而准确地传达设计的核心信息。例如，在一个电子产品的说明书中，使用简洁明了的图标符号来表示产品的功能和操作方法，比冗长的文字说明更加直观和准确，用户能够迅速明白产品的使用方法，减少因信息误解而产生的使用障碍。

（二）增强设计的文化内涵与艺术感染力

1. 传承与弘扬文化

艺术元素往往承载着丰富的文化内涵，通过视觉符号化的方式，能够将这些文化元素以一种现代的、易于接受的形式传承和弘扬。例如，中国传统的剪纸艺术元素，经过视觉符号化处理后，被应用到现代的包装设计、室内装饰设计中，不仅保留了剪纸艺术的文化特色，还使其在现代社会中焕发出新的活力，让更多的人了解和认识到中国传统文化的魅力。

2. 引发情感共鸣

艺术元素视觉符号化后的作品能够触动人们的情感，引发情感共鸣。例如，在一个纪念战争受害者的公益海报设计中，设计师运用了象征悲伤和痛苦的艺术元素，经过符号化处理后，以强烈的视觉冲击力呈现在观众面前，能够让观众深刻感受到战争的残酷和对和平的渴望，从而引发观众内心深处的情感共鸣。

3. 提升艺术审美价值

艺术元素的视觉符号化过程是一个艺术创作的过程，设计师通过对艺术元素的巧妙运用和创新设计，能够提升设计作品的艺术审美价值。例如，在一些现代艺术展览的视觉设计中，设计师将各种艺术元素进行大胆的组合和符号化处理，创造出具有独特艺术风格和审美价值的作品，为观众带来全新的视觉体验和艺术享受。

（三）塑造独特的品牌形象与视觉识别系统

1. 建立品牌个性

品牌形象是消费者心中对品牌的印象和认知，艺术元素的视觉符号化能够帮助品牌塑造独特的个性。通过选取与品牌理念相契合的艺术元素，并将其转化为具有代表性的视觉符号，能够使品牌在众多竞争对手中脱颖而出。例如，星巴克的绿色美人鱼标志，将美人鱼这一艺术元素进行了独特的符号化设计，绿色的色彩选择也与星巴克倡导的自然、舒适的品牌理念相呼应，从而塑造出了星巴克独特的品牌个性。

2. 强化品牌记忆

视觉符号具有简洁、易记的特点，艺术元素视觉符号化后的品牌标志、包装等设计元素，能够强化消费者对品牌的记忆。例如，可口可乐的红色波浪形标志简洁而醒目，经过长期的品牌传播，已经深深地印刻在消费者的脑海中，成为可口可乐品牌的重要象征。消费者在看到这个标志时，就能迅速联想到可口可乐的产品和品牌形象。

3. 统一视觉识别系统

品牌的视觉识别系统包括品牌标志、包装、广告、店面装修等多个方面，艺术元素的视觉符号化能够为品牌建立统一的视觉语言，使品牌的各个视觉元素之间保持协调一致。例如，苹果公司的产品设计、包装设计、广告宣传等都采用了简洁、现代的设计风格，运用了统一的色彩、线条等视觉符号化的艺术元素，形成了高度统一的视觉识别系统，增强了品牌的整体形象和市场竞争力。

三、艺术元素视觉符号化的构建方法与流程

（一）艺术元素的筛选与提取

1. 基于设计主题的选择

设计主题是艺术元素筛选的重要依据，设计师需要围绕设计主题，深入挖掘与之相关的艺术元素。例如，在一个以海洋保护为主题的设计项目中，设计师可以选择海洋生物、海浪、珊瑚礁等与海洋相关的艺术元素。这些元素能够直接体现设计主题，为后续的视觉符号化工作提供丰富的素材。

2. 考虑受众的认知与情感

受众的认知水平和情感需求也是艺术元素筛选的关键因素。设计师需要了解目标受众的文化背景、审美偏好和情感诉求，选择能够被受众理解和接受的艺术元素。例如，针对儿童群体的设计，设计师可以选择卡通形象、鲜艳的色彩等符合儿童认知和情感特点的艺术元素；而针对高端商务人士的设计，则可以选择简洁、精致的艺术元素，以满足他们的审美需求。

3. 结合文化与历史背景

文化和历史背景中蕴含着丰富的艺术元素，设计师可以从不同的文化和历史时期中寻找灵感。例如，在一个具有中国传统文化特色的设计中，设计师可以选取中国传统的书法、绘画、陶瓷、丝绸等艺术元素，这些元素不仅具有深厚的文化底蕴，还能引发受众对传统文化的情感共鸣。

（二）符号化的创意构思与设计

1. 简化和抽象化处理

简化和抽象化是艺术元素符号化的重要手段。设计师需要对选取的艺术元素进行提炼，去除烦琐的细节，保留其最具代表性的特征，然后将其转化为简洁、抽象的视觉符号。例如，将一朵复杂的花朵简化为一个圆形的轮廓，用简单的线条来表示花瓣的形状，通过这种简

化和抽象化的处理，使花朵这一艺术元素成为一个具有高度识别性的视觉符号。

2. 运用象征和隐喻的手法

象征和隐喻是赋予视觉符号以丰富内涵的重要方式。设计师可以运用象征和隐喻的手法，将抽象的概念、情感与具体的艺术元素相结合，创造出具有深刻意义的视觉符号。例如，用一只飞翔的白鸽象征和平，用燃烧的蜡烛隐喻希望和光明。这种方式使视觉符号不仅仅是一种简单的图形，还承载着丰富的情感和文化内涵。

3. 创新的组合与变形

将不同的艺术元素进行创新的组合和变形，能够创造出全新的视觉符号。设计师可以打破传统的思维模式，将看似不相关的艺术元素进行巧妙的组合，或者对艺术元素进行夸张、变形等处理，以产生独特的视觉效果。例如，将动物的身体部分与机械元素进行组合，创造出一种具有未来感和科技感的视觉符号；将传统的汉字进行变形设计，使其成为具有独特艺术风格的视觉符号。

（三）视觉符号的测试与优化

1. 受众反馈收集

在完成视觉符号的初步设计后，需要收集受众的反馈意见。可以通过问卷调查、焦点小组讨论、用户测试等方式，了解受众对视觉符号的理解、感受和评价。例如，在一个新品牌标志的设计过程中，设计师可以邀请不同年龄段、不同职业的人群对标志进行评价，询问他们对标志的第一印象、是否能够理解标志所传达的信息等。

2. 识别性与记忆性评估

对视觉符号的识别性和记忆性进行评估是测试的重要内容。通过测试，了解受众是否能够准确识别视觉符号所代表的意义，以及在一段时间后是否能够记住该符号。例如，在展示视觉符号一段时间后，对受众进行随机提问，询问他们对符号的记忆情况，以此来评估符号的记忆性。

3. 根据反馈进行优化

根据受众的反馈和评估结果，对视觉符号进行优化和调整。如果受众对符号的理解存在偏差，设计师可以对符号的设计进行修改，使其更加清晰、准确地传达信息；如果符号的记忆性不佳，可以对符号的形状、色彩等进行调整，增强其独特性和吸引力。通过不断地测试和优化，使视觉符号达到最佳的传播效果。

四、艺术元素视觉符号化在不同设计领域的应用案例分析

（一）平面设计领域

1. 海报设计中的艺术元素符号化

海报设计是艺术元素视觉符号化的典型应用领域。在一张宣传环保的海报中，设计师将“地球”这一艺术元素进行了符号化处理。设计师将地球简化为一个蓝色的圆形，用白色的线条勾勒出大陆的轮廓，在地球的表面添加了一些绿色的植被图案，代表着地球上的生态环境。通过这种符号化的设计，观众能够迅速理解海报所传达的环保主题，即保护地球的生态环境。同时，海报中运用了对比强烈的色彩，如蓝色的地球与黄色的背景形成鲜明对比，增强了海报的视觉冲击力，吸引了观众的注意力。

2. 书籍装帧设计中的艺术元素符号化

在书籍装帧设计中，艺术元素的视觉符号化能够提升书籍的整体品质和文化内涵。例如，在一本关于中国古代诗词的书籍装帧设计中，设计师选取了中国传统的书法和印章这两个艺术元素进行符号化处理。设计师将书法作品中的字体进行简化和变形，使其成为一种具有装饰性的图案，运用到书籍的封面和内页设计中。同时，将印章的形状和图案进行抽象化处理，作为书籍的页码标识和章节分隔符号。这些符号化的艺术元素不仅体现了中国传统文化的特色，还为书籍增添了一份独特的艺术魅力。

3. 包装设计中的艺术元素符号化

包装设计中的艺术元素视觉符号化能够帮助产品在市场上脱颖而出。以一款茶叶包装设计为例，设计师将中国传统的山水画艺术元素进行了符号化处理。设计师运用简洁的线条和淡雅的色彩，勾勒出一幅山水画卷的轮廓，将其作为包装的主要图案。在山水画中添加了一些茶叶的形状作为点缀，突出了产品的属性。这种符号化的设计，既体现了中国传统文化的韵味，又传达了茶叶自然、清新的品质特点，从而吸引消费者的关注。

（二）产品设计领域

1. 电子产品设计中的艺术元素符号化

在电子产品设计中，艺术元素的视觉符号化能够提升产品的品牌形象和用户体验。例如，苹果公司的 iPod 音乐播放器，其设计中运用了简洁的圆形按钮这一视觉符号。这个圆形按钮不仅是一个操作界面元素，还具有一定的象征意义，它代表着音乐的播放和暂停，简洁而直观。同时，iPod 的整体外观设计采用了简洁的线条和白色主色调，这些设计元素都经过了精心的符号化处理，传达出苹果公司追求简洁、时尚、高品质的品牌理念。

2. 家具产品设计中的艺术元素符号化

家具产品设计中，艺术元素的视觉符号化能够赋予家具独特的风格和文化内涵。例如，在一款中式风格的家具设计中，设计师将中国传统的回形纹这一艺术元素进行了符号化处理。设计师将回形纹简化为一种简洁的线条图案，运用到家具的边框、把手等部位，使家具呈现出浓郁的中式风格。这种符号化的设计，既传承了中国传统文化，又为家具增添了一份独特的艺术美感。

3. 时尚产品设计中的艺术元素符号化

在时尚产品设计中，艺术元素的视觉符号化能够引领时尚潮流，塑造品牌个性。例如，香奈儿的“双 C”标志，是将香奈儿品牌创始人 Coco Chanel（可可・香奈儿）的名字首字母进行了符号化处理。这个简洁而独特的标志，成为香奈儿品牌的重要象征，代表着时尚、优雅、高贵的品牌形象。在香奈儿的服装、配饰等产品设计中，“双 C”标志被广泛运用，不仅增强了产品的品牌辨识度，还成为时尚界的经典符号。

（三）空间设计领域

1. 室内空间设计中的艺术元素符号化

在室内空间设计中，艺术元素的视觉符号化能够营造独特的空间氛围。例如，在一个以地中海风格为主题的餐厅设计中，设计师将海洋元素进行了符号化处理。设计师运用蓝色和白色的色彩组合，象征海洋和天空；在墙面装饰上，采用了贝壳形状的装饰图案，将贝壳这一海洋生物元素进行了符号化设计；在灯具设计上，采用了船锚形状的吊灯，将船锚这一与海洋相关的元素转化为视觉符号。这些符号化的艺术元素共同营造了充满地中海风情的室内空间氛围，让顾客在就餐过程中仿佛置身于地中海沿岸。

2. 建筑外观设计中的艺术元素符号化

在建筑外观设计方面，艺术元素的视觉符号化能赋予建筑独特的个性与文化标识。例如，悉尼歌剧院以其独特的帆船造型闻名于世。设计师以海洋中的帆船这一艺术元素为设计灵感，将其进行符号化处理。通过一系列流畅的曲线和洁白的外观设计，把帆船的形态抽象地融入建筑整体造型中。这些被符号化的艺术元素不仅让悉尼歌剧院从外观上极具视觉冲击力，成为悉尼乃至澳大利亚的标志性建筑，还传达出这座城市与海洋的紧密联系，以及其开放、包容的文化气质。

再如，中国传统的客家土楼，其圆形的建筑造型是对家族团聚、和谐共生这一文化理念的艺术符号化呈现。土楼的圆形结构源于中国传统文化中对“圆”的崇尚，象征着团圆、完整。在建筑设计中，这一文化艺术元素被具象化为巨大的圆形建筑外观，土楼内部的布局和功能分区围绕中心空间有序展开，形成一个自给自足的家族聚居空间。这种符号化的设计，不仅体现了客家文化的深厚底蕴，还展示了独特的建筑美学，吸引着众多游客前来参观体验。

3. 景观设计中的艺术元素符号化

在景观设计领域，艺术元素的视觉符号化有助于打造富有特色、能引起情感共鸣的公共空间。以法国巴黎的埃菲尔铁塔为例，铁塔本身就是工业时代将艺术元素符号化的经典之作。设计师古斯塔夫·埃菲尔运用钢铁这一新兴工业材料，通过独特的结构设计，将铁塔塑造为一个具有强烈视觉辨识度的艺术符号。铁塔高耸的塔尖、网格状的塔身结构，不仅展现了当时先进的工程技术，还使埃菲尔铁塔成为工业文明和巴黎城市精神的象征。在夜晚，铁塔的灯光设计进一步强化了这一符号的表现力，使其成为巴黎夜空下最璀璨的标志，吸引着世界各地的游客。

在城市公园景观设计中，艺术元素的视觉符号化也发挥着重要作用。例如，在某城市公园的入口处，设计师设置了一组以当地传统剪纸艺术为灵感的雕塑作品。设计师将剪纸艺术中的人物、动物和花卉等元素进行提取和符号化处理，用金属材质打造出大型立体雕塑。这些雕塑不仅具有极高的艺术观赏性，还通过艺术符号化的方式向游客传达了当地的传统文化，让公园在满足休闲功能的同时，承载起文化传承与展示的使命。

此外，在一些滨水景观设计中，水波纹这一艺术元素常常被符号化地运用。设计师通过铺设带有水波纹图案的地面铺装材料、设置水波纹形状的景观小品等方式，将水的流动形态转化为静态的视觉符号，营造出一种与水相关的氛围，让游客在陆地上也能感受到水的灵动与活力，增强了景观空间的趣味性和吸引力。

五、艺术元素视觉符号化面临的挑战与应对策略

（一）面临的挑战

1. 文化差异带来的理解偏差

不同国家和地区有着各自独特的文化背景、价值观和审美观念，这可能导致人们对同一艺术元素视觉符号的理解产生偏差。例如，汤玉丹（2023）认为，在中国文化中，红色象征着喜庆、吉祥，常用于庆祝节日和婚礼等场合；但在部分西方文化中，红色可能与危险、警示相关联。当设计师将红色这一艺术元素进行符号化运用时，如果没

有充分考虑到文化差异，可能会在跨文化传播中引起误解，无法准确传达设计意图。

2. 过度追求形式而忽略内涵

在艺术元素视觉符号化的过程中，部分设计师可能过于注重符号的形式创新，而忽略了其背后所承载的文化内涵和设计主题。例如，为了追求独特的视觉效果，设计出过于复杂或抽象的视觉符号，导致受众难以理解其意义，无法与设计初衷建立起有效的联系。这种过度追求形式的做法，使得视觉符号失去了应有的信息传达功能，成为一种空洞的形式表现。

3. 符号泛滥导致辨识度降低

随着视觉传达设计的广泛应用，各种艺术元素的视觉符号层出不穷，市场上符号泛滥的现象日益严重。这使得一些原本具有独特性和辨识度的视觉符号被大量模仿和滥用，导致其辨识度和独特性逐渐降低。例如，一些流行的标志设计风格可能在短期内被众多品牌效仿，使得消费者在面对众多相似的视觉符号时，难以准确区分各个品牌，从而削弱了品牌的个性和竞争力。

（二）应对策略

1. 深入开展文化研究与调研

设计师在进行艺术元素视觉符号化设计之前，应深入开展文化研究与调研工作。通过对不同文化背景下艺术元素的象征意义、审美偏好等方面的研究，充分了解目标受众的文化特点，避免因文化差异而产生的理解偏差。例如，在进行跨国品牌的标志设计时，设计师可以邀请不同文化背景的专家和消费者参与设计过程，收集他们的意见和建议，确保设计出的视觉符号在不同文化环境中准确地传达品牌信息。

2. 注重内涵挖掘与形式创新的平衡

设计师要在艺术元素视觉符号化的过程中，注重内涵挖掘与形式创新的平衡。在追求独特形式的同时，深入挖掘艺术元素所蕴含的文化内涵和情感价值，并将其巧妙地融入视觉符号的设计中。例如，在设计一个以环保为主题的视觉符号时，设计师可以从大自然中选取具有代表性的元素，如树叶、水滴等，通过创新的设计手法将这些元素转化为简洁而富有表现力的视觉符号，同时通过色彩、材质等元素的运用，传达出环保、可持续的理念，使形式与内涵相得益彰。

3. 加强知识产权保护与品牌建设

为了应对符号泛滥导致的辨识度降低的问题，需要加强知识产权保护与品牌建设。设计师和企业应及时对设计成果进行知识产权登记，保护自己的创意和设计成果不被抄袭和滥用。同时，企业要注重品牌建设，通过持续的品牌传播和文化塑造，强化品牌的独特性和辨识度。例如，品牌可以通过一系列的品牌活动、广告宣传等方式，将品牌所代表的价值观和文化内涵传递给消费者，使消费者在面对众多视觉符号时，能够迅速识别并记住该品牌的视觉符号，从而增强品牌的市场竞争力。

六、艺术元素视觉符号化的未来发展趋势

（一）数字化技术推动下的创新变革

1. 动态与交互性视觉符号的兴起

随着数字化技术的飞速发展，动态与交互性的视觉符号将逐渐成为主流。借助动画、虚拟现实、增强现实等技术手段，艺术元素视觉符号不再局限于静态的图形表现，而是能够以动态、交互的方式呈现给受众。例如，在品牌宣传中，通过 增强现实技术，消费者用手机扫描品牌标志，即可看到一个动态的、与品牌相关的动画场景，这种动态与交互性的视觉符号能够极大地提升消费者的参与感和体验感，增强品牌与消费者之间的互动。

2. 人工智能辅助符号设计

人工智能技术在艺术元素视觉符号化设计中的应用将越来越广

泛。刘晓晴（2024）认为，人工智能可以通过对大量设计数据和用户反馈的分析，为设计师提供创意灵感和设计建议。例如，人工智能算法可以根据设计主题和受众特点，自动生成一些视觉符号的设计方案，设计师可以在此基础上进行优化和完善。此外，人工智能还可以对视觉符号的传播效果进行预测和评估，帮助设计师及时调整设计策略，提高设计的成功率。

3. 跨媒介传播的融合与拓展

未来，艺术元素视觉符号将在跨媒介传播中实现更广泛的融合与拓展。随着新媒体平台的不断涌现，视觉符号需要适应不同媒介的特点和要求，实现无缝传播。例如，一个品牌的视觉符号不仅要在传统的平面广告、产品包装上具有良好的表现效果，还要能够在社交媒体、移动应用等新媒体平台上以不同的形式呈现，并且保持其独特性和辨识度。这就要求设计师在进行视觉符号化设计时，充分考虑跨媒介传播的需求，采用统一的设计语言和风格，确保视觉符号在不同媒介之间的一致性和连贯性。

（二）可持续发展理念下的设计导向

1. 环保材料与工艺的应用

在可持续发展理念的影响下，艺术元素视觉符号化设计将更加注重环保材料与工艺的应用。设计师会用可回收、可降解的材料来制作产品，如在包装设计中，使用纸质材料替代塑料材料，通过创新的设计手法，将纸质材料的质感和纹理转化为具有艺术感染力的视觉符号。同时，在制作工艺上，也会采用更加环保的技术，如减少印刷过程中的油墨使用量、采用无污染的表面处理工艺等，以减少对环境的影响。

2. 生态与自然元素的深度融合

生态与自然元素将在艺术元素视觉符号化设计中得到更深层次的融合。设计师会更加关注生态环境问题，将自然元素作为设计的核心，通过符号化的方式表达对自然的尊重和保护。例如，在城市景观设计中，将绿色植物、水流等自然元素进行符号化处理，并融入城市的公共空间设计中，这样不仅能够美化环境，还能传达出生态环保的理念，营造出人与自然和谐共生的氛围。

3. 文化传承与创新的平衡发展

可持续发展理念要求设计师在文化传承与创新之间找到平衡。在艺术元素视觉符号化设计中，设计师会更加注重对传统文化元素的挖掘和传承，同时结合现代设计理念和技术，对传统文化元素进行创新设计，使其在现代社会中焕发出新的活力。例如，在传统手工艺的传承与发展中，设计师可以将传统手工艺技法与现代设计理念相结合，将传统手工艺中的艺术元素进行符号化处理，应用到现代产品设计、室内设计等领域，既满足了现代消费者的审美需求，又传承了传统文化。

七、小结

艺术元素的视觉符号化在视觉传达设计领域具有不可忽视的重要性和深远的意义。从概念内涵来看，它通过对艺术元素的筛选、提炼与转化，生成具有直观性、简洁性、象征性和普遍性的视觉符号，为信息的高效传播奠定了基础。在价值与意义方面，它不仅提升了信息传达的效率与准确性，打破了语言和文化的障碍，还增强了设计的文化内涵与艺术感染力，塑造了独特的品牌形象与视觉识别系统。

在构建方法与流程上，从基于设计主题、受众需求和文化历史背景进行艺术元素的筛选与提取，到运用简化、象征、创新组合等手法进行符号化的创意构思与设计，再到通过受众反馈收集进行识别性、记忆性评估和优化，形成了一套完整且科学的设计流程。通过在平面设计、产品设计、空间设计等不同领域的广泛应用案例可以看出，艺术元素视觉符号化能够为各类设计作品增添独特的魅力和价值。

然而，这一过程也面临着文化差异带来的理解偏差、过度追求形式而忽略内涵，以及符号泛滥导致辨识度降低等挑战。因此，我们需要通过深入开展文化研究与调研、注重内涵挖掘与形式创新的平衡，以及加强知识产权保护与品牌建设等来应对。

展望未来，在数字化技术的推动下，动态与交互性视觉符号的兴起、人工智能辅助符号设计以及跨媒介传播的融合与拓展，将为艺术元素视觉符号化带来全新的发展机遇。在可持续发展理念的导向下，环保材料与工艺的应用、生态与自然元素的深度融合以及文化传承与创新的平衡发展，将成为艺术元素视觉符号化设计的重要发展方向。

总之，艺术元素的视觉符号化是视觉传达设计不断发展和创新的重要驱动力，我们应充分认识其价值，积极应对挑战，把握发展趋势，不断推动视觉传达设计向更高水平迈进，为人们创造更加丰富、优质的视觉体验，促进文化的传播与交流，推动社会的进步与发展。

第三节 艺术元素的创新性表达

在瞬息万变的当今时代，视觉传达设计领域正经历着深刻的变革与发展。艺术元素作为视觉传达设计的核心组成部分，其创新性表达已成为推动设计行业进步、满足受众日益多样化审美需求的关键因素。创新性表达不仅能够赋予艺术元素全新的生命力，还能使设计作品在众多信息中脱颖而出，引发受众的强烈共鸣。通过突破传统的表现形式，融合多元文化与新兴技术，艺术元素在视觉传达设计中展现出了无限的可能性。深入探讨艺术元素的创新性表达，对于拓展设计思路、提升设计水平、促进视觉传达设计的可持续发展具有重要的理论和实践意义。

一、突破传统艺术元素的表现形式

（一）打破常规的造型与构图

1. 解构与重构经典艺术元素

传统的艺术元素往往具有固定的造型和形式，在创新性表达中，设计师可以通过解构与重构的手法打破这些常规。例如，对于古希腊神话中的维纳斯雕像这一经典艺术元素，设计师可以将其身体各部分进行拆解，然后以一种全新的、意想不到的方式重新组合。将维纳斯的头部与身体分离，放置在不同的空间位置，通过线条或光影的连接，营造出一种超现实的视觉效果。这种解构与重构的方式，打破了人们对维纳斯雕像的固有认知，赋予了这一经典艺术元素全新的生命力和艺术感染力。

2. 运用不对称与动态构图

在构图方面，突破传统的对称和静态构图模式，不对称与动态构图能够为设计带来强烈的视觉冲击力。例如，在一张海报设计中，将主要的艺术元素，如一个具有象征意义的动物形象，放置在画面的一侧，而另一侧则用简洁的线条或色彩来平衡画面。同时，通过对动物形象的姿态进行设计，使其具有奔跑或跳跃的动态感，仿佛要冲破画面的限制。这种不对称的动态构图，能够吸引观众的视线，引导他们的目光在画面中流动，增强设计的趣味性和活力。

（二）创新色彩的运用与搭配

1. 挑战传统的色彩象征意义

每种颜色在不同的文化和语境中都具有特定的象征意义，但在创新性表达中，设计师可以挑战传统的色彩象征意义。例如，在西方文化中，黑色通常与死亡、悲伤相关联，但在一些现代时尚设计中，设计师将黑色与金属质感相结合，创造出一种神秘、高贵且充满科技感的视觉效果。这种对传统色彩象征意义的挑战打破了人们的常规认知，为设计带来了新鲜感和独特性。

2. 创造独特的色彩组合

除了挑战传统的色彩象征意义，创造独特的色彩组合也是创新色彩运用的重要方式。设计师可以将一些看似不相关或相互冲突的色彩进行搭配，创造出令人眼前一亮的效果。例如，将鲜艳的粉色与深沉的墨绿色搭配在一起，粉色的甜美与墨绿色的神秘相互碰撞，形成一种独特的视觉效果。吴晨玮、苏琳玉（2024）认为，这种独特的色彩组合能够吸引观众的注意力，使设计作品在众多信息中脱颖而出。

（三）拓展材质与肌理的表现手法

1. 探索新型材料的应用

随着科技的不断进步，各种新型材料不断涌现，为艺术元素的创新性表达提供了更多的可能性。设计师可以积极探索新型材料的应用，将其与传统艺术元素相结合，创造出独特的视觉效果。例如，在产品设计中，使用具有透明感和柔韧性的硅胶材料来表现传统的花朵造型，硅胶材料的特性使花朵呈现出一种灵动、逼真的效果，与传统的纸质或塑料花朵相比，具有全新的质感和视觉体验。

2. 结合数字技术模拟材质肌理

数字技术的发展为模拟各种材质的肌理提供了便利。设计师可以利用图像处理软件和三维建模软件，结合数字技术模拟出各种真实或想象中的材质肌理。例如，通过软件模拟出一种金属与木材融合的独特肌理，将其应用到建筑外观的设计中，为建筑增添了一种既现代又富有质感的独特魅力。这种结合数字技术模拟材质肌理的方式，不仅拓宽了设计的表现手法，还能够创造出一些在现实中难以实现的材质效果。

二、融合多元文化的艺术元素

（一）跨文化艺术元素的融合与创新

1. 东西方文化元素的碰撞与融合

东西方文化具有各自独特的艺术元素和审美观念，将两者进行碰撞与融合能够设计出极具创新性的作品。例如，在一个家居设计项目中，设计师将中国传统的水墨画元素与西方现代的简约家具风格相结合。在客厅的背景墙上，绘制一幅以山水为主题的水墨画，而客厅中的沙发、茶几等家具则采用西方现代简约的设计风格，简洁的线条与水墨画的意境相互映衬，营造出一种既具有东方文化底蕴又充满现代感的空间氛围。

2. 不同民族文化元素的交织与共生

世界上各个民族都拥有丰富多样的文化元素，将不同民族的文化元素交织在一起，能够创造出独特的设计风格。例如，在服装设计中，将非洲部落的图腾图案与印度的传统印染工艺相结合。设计师运用印度的印染工艺将非洲部落的图腾图案印染在服装面料上，同时在服装的款式设计上融入非洲传统服饰宽松、大气的特点，使服装既具有非洲文化的神秘色彩，又具有印度文化的细腻质感。

（二）传统文化元素的现代演绎

1. 传统工艺与现代设计的结合

传统工艺是传统文化的重要组成部分，将传统工艺与现代设计相结合，能够为传统工艺注入新的活力。例如，在珠宝设计中，将中国传统的花丝镶嵌工艺与现代的简约设计理念相结合。设计师运用花丝镶嵌工艺制作出精美的花朵造型，然后将其镶嵌在简约的金属项链上，现代简约的金属材质与传统的花丝镶嵌工艺相互搭配，使项链既具有传统工艺的精致美感，又符合现代时尚的审美需求。

2. 古代艺术风格在现代设计中的应用

古代艺术风格如古希腊、古罗马、古埃及等，蕴含着丰富的艺术价值。在现代设计中应用这些古代艺术风格，能够为设计增添独特的文化底蕴。例如，在建筑设计中借鉴古希腊的柱式风格，将其应用到现代建筑的入口设计中。设计师在建筑入口处设计了几根带有古希腊多立克柱式风格的柱子，柱子的比例、线条和装饰都遵循古希腊的建筑规范，而建筑的主体部分则采用现代的建筑材料和设计手法，使建筑既具有现代的功能性，又展现出古希腊建筑的庄重与典雅。

（三）地域文化特色的创新呈现

1. 地方特色艺术元素的提炼与升华

每个地区都有其独特的地方特色艺术元素，设计师通过对这些元素的提炼与升华，能够创造出具有地域文化特色的设计作品。例如，在一个以江南水乡为主题的室内设计项目中，设计师提炼了江南水乡的典型元素，如乌篷船、青瓦白墙、小桥流水等。将乌篷船的造型进行简化和抽象，设计成一个独特的灯具，悬挂在客厅的天花板上；用青瓦白墙的色彩和纹理装饰卧室的墙面，营造出江南水乡的宁静氛围；在客厅的地面上，铺设具有流水图案的地毯，摆放一些小型的假山和绿植，营造小桥流水的意境。这些设计手法是对江南水乡的地方特色艺术元素的提炼与升华，使室内空间充满浓郁的地域文化特色。

2. 地域文化与现代生活的融合

在创新呈现地域文化特色时，设计师需要将地域文化与现代生活相结合，使设计作品既具有地域文化特色，又能满足现代人的生活需求。例如，在一个位于少数民族聚居地的民宿设计中，设计师在保留少数民族传统建筑风格和装饰元素的基础上，融入了现代生活设施和设计理念。民宿的外观采用少数民族传统的木质结构和独特的建筑造型，内部则配备了现代化的卫生间、舒适的床铺和便捷的智能家居设备。同时，在室内装饰上运用少数民族的传统图案和色彩，营造出浓厚的民族文化氛围。这样的设计既保留了地域文化特色，又为游客提供了舒适、便捷的现代生活体验。

三、结合新兴技术的艺术元素创新

（一）数字化技术在艺术元素创新中的应用

1. 利用 3D 建模与动画技术

3D 建模与动画技术为艺术元素的创新提供了强大的工具。设计师可以利用这些技术将传统的艺术元素进行数字化处理，创造出更加生动、逼真的效果。例如，在一个动画电影的角色设计中，设计师将中国传统的神话人物孙悟空进行 3D 建模。通过对孙悟空的形象、服装、武器等元素进行细致的 3D 建模，并运用动画技术赋予其生动的动作和表情，使孙悟空这一传统艺术元素在动画电影中焕发出全新的活力。

2. 借助虚拟现实技术与增强现实技术

虚拟现实技术与增强现实技术能够为观众带来沉浸式的体验，将艺术元素与这些技术相结合，能够创造出全新的视觉体验。例如，在一个艺术展览中，观众可以通过佩戴 VR 设备进入一个虚拟的艺术空间。在这个空间中，艺术元素以立体、动态的形式呈现，观众可以与艺术作品进行互动，如触摸、旋转、放大、缩小等。又如，在一个产品营销活动中，消费者可以通过手机上的 AR 应用程序，扫描产品包装，即可看到一个与产品相关的虚拟动画场景，其中包含了各种艺术元素，如品牌标志、产品特点等，以一种生动、有趣的方式展示给消费者。

（二）人工智能技术对艺术元素创新的影响

1. 人工智能辅助艺术创作

刘晓晴（2024）认为人工智能技术可以通过学习大量的艺术作品和设计数据，为设计师提供创意灵感和设计建议。例如，人工智能算法可以根据设计师输入的主题和风格要求，自动生成一些艺术元素的设计方案，如线条、形状、色彩的组合等。设计师可以在此基础上进行修改和完善，从而提高设计效率和创新能力。

2. 人工智能驱动的个性化设计

利用人工智能技术，设计师可以根据不同受众的喜好和需求，实现艺术元素的个性化设计。米楠、余斐斐（2024）认为，通过对用户的浏览历史、购买行为等数据的分析，人工智能可以了解用户的审美偏好和兴趣点，然后为用户推荐或生成个性化的设计作品。例如，在一个在线购物平台的商品展示页面设计中，人工智能可以根据每个用户的个性化需求，调整商品图片中的艺术元素，如颜色、布局、装饰等，以吸引用户的注意力，提高用户的购买意愿。

（三）新材料技术为艺术元素创新带来的机遇

1. 智能材料在艺术设计中的应用

智能材料具有独特的物理和化学性质，能够根据外界环境的变化而改变自身的形态、颜色等特性。将智能材料应用于艺术设计中，能够为艺术元素的创新带来新的机遇。例如，在一个互动艺术装置中，使用了一种能够感应光线变化的智能材料。当光线强度发生变化时，智能材料的颜色也会随之改变，设计师可以利用这种特性将智能材料设计成各种艺术元素，如花朵、星星等，使其在不同的光线强度下呈现出不同的色彩和形态，为观众带来新奇的视觉体验。

2. 可降解材料与艺术创新的结合

随着人们环保意识的不断提高，可降解材料在艺术设计中的应用越来越受到关注。设计师可以利用可降解材料的特性，将其与艺术创新相结合，创造出既环保又具有创新性的设计作品。例如，在一个户外雕塑作品中，使用可降解的纸质材料来制作雕塑的主体部分。纸质材料的纹理和质感为雕塑增添了独特的艺术魅力，同时，由于其可降解的特性，在雕塑完成其展示使命后，不会对环境造成污染。这种将可降解材料与艺术创新相结合的方式，不仅符合可持续发展的理念，还为艺术设计带来了新的发展方向。

四、艺术元素创新性表达的案例分析

（一）国际知名品牌的创新设计

1. 苹果公司产品设计中的艺术元素创新

苹果公司以其简洁、创新的产品设计而闻名于世，在其产品设计中，艺术元素的创新性表达得到了充分体现。例如，在 iPhone 的设计中，苹果公司将科技与艺术完美融合。iPhone 的外观设计采用了简洁的线条和流畅的曲线，机身材质的选择和处理也非常注重质感和细节。从第一代 iPhone 的塑料材质到后来的铝合金、玻璃材质，每一次材质的更新都为产品带来了全新的视觉和触觉体验。同时，iPhone 的界面设计也充满了艺术感，图标设计简洁明了，色彩搭配协调，动画效果流畅自然。苹果公司通过对艺术元素的创新运用，使 iPhone 不仅是一款电子产品，更是一件具有艺术价值的时尚单品。

2. 可口可乐品牌营销中的艺术元素创新

可口可乐在品牌营销中一直致力于艺术元素的创新表达，以吸引消费者的关注。例如，可口可乐推出的“昵称瓶”和“歌词瓶”营销活动，就是对艺术元素创新运用的成功案例。在“昵称瓶”活动中，可口可乐将各种流行的昵称，如“学霸”“女神”“吃货”等，印在可乐瓶身上，将原本单调的可乐瓶变成了具有个性和情感的载体。在“歌词瓶”活动中，可口可乐选取了一些广为人知的歌词将其印在可乐瓶上，消费者可以通过扫描瓶身上的二维码，收听对应的歌曲。这些创新的营销活动，通过将文字这一艺术元素与可乐瓶相结合，赋予了产品更多的文化内涵和情感价值，极大地提高了品牌的知名度和影响力。

（二）艺术展览与活动中的创新实践

1. 草间弥生艺术展览中的创新表达

日本艺术家草间弥生的艺术展览以其独特的艺术风格和创新的展示方式而备受关注。在她的展览中，大量运用了波点这一艺术元素，并通过创新的表现手法，为观众带来了震撼的视觉体验。例如，在“无限镜屋”展览中，草间弥生将房间布置成一个充满镜子的空间，在墙壁、天花板和地面上都布满了大大小小的波点，同时在房间中放置了一些发光的球体。当观众进入这个房间时，会看到无数个自己和波点在镜子中反射和延伸，形成一种无限延伸的视觉效果，仿佛置身于一个奇幻的世界。草间弥生通过对波点这一艺术元素的创新运用，创造出了独特的艺术空间，引发了观众的强烈共鸣。

2. 科切拉（Coachella）音乐节舞台设计中的艺术元素创新

科切拉音乐节是全球知名的音乐盛会，其舞台设计一直以创新和独特而著称。在音乐节的舞台设计中，设计师们充分运用了各种艺术元素，并结合先进的技术手段，创造出了令人惊叹的舞台效果。例如，在某一年的音乐节舞台设计中，设计师将沙漠这一地域文化元素与现代的灯光、投影技术相结合。舞台的背景设计成一个巨大的沙漠景观，通过灯光和投影技术，模拟出沙漠中的日出、日落、星空等自然景象。同时，舞台上还设置了一些可移动的雕塑装置，这些装置的造型灵感来源于沙漠中的岩石和植物，通过机械装置的控制，能够在舞台上变换出不同的形态。这种将艺术元素与技术相结合的创新设计，为音乐节的观众带来了一场视觉与听觉的盛宴。

（三）新兴设计师的创新作品展示

1. 设计师 A 的创新服装系列

设计师 A 以其独特的服装设计风格受到了时尚界的关注。在他的一个创新服装系列中，将中国传统的旗袍元素与现代的科技材料相结合。设计师 A 采用了一种具有反光效果的新型面料来制作旗袍的主体部分，这种面料在不同的光线下能够呈现出不同的色彩和光泽，为旗袍增添了一种现代感和科技感。同时，在旗袍的领口、袖口和裙摆等部位，采用传统的刺绣工艺，绣上了具有中国传统文化寓意的图案，如龙凤、牡丹等。这种将传统元素与现代材料相结合的设计，既保留了旗袍的优雅气质，又展现出了创新的时尚感。

2. 设计师 B 的创新家居产品设计

设计师 B 在家居产品设计中，注重对艺术元素的创新运用。在他的一个创新家居产品设计中，将自然元素与家居用品相结合。设计师 B 设计了一款名为“森林之光”的灯具，灯具的灯罩采用了一种透明的硅胶材料，在硅胶材料中嵌入了一些真实的树叶和树枝，当灯光亮起时，光线透过树叶和树枝，投射出独特的光影效果，仿佛将森林的气息带入了室内。同时，灯具的底座设计成树干的形状，采用木质材料，增强了灯具的自然质感。设计师 B 通过对自然元素的创新运用，为家居产品设计带来了全新的视觉体验。

五、艺术元素创新性表达面临的挑战与应对策略

（一）面临的挑战

1. 技术应用的复杂性与成本

随着新兴技术在艺术元素创新中的应用越来越广泛，技术应用的复杂性与成本成为设计师面临的一大挑战。例如，虚拟现实技术、增强现实技术等的应用需要专业的技术知识和设备支持，设计师不仅需要掌握相关的技术技能，还需要投入大量的资金购买设备和进行技术研发。同时，这些技术的更新换代速度很快，设计师需要不断学习和跟进，以确保设计作品的技术先进性。

2. 文化差异与受众接受度

在融合多元文化的艺术元素进行创新性表达时，文化差异与受众接受度是需要考虑的重要因素。不同文化背景的受众对艺术元素的理解和接受程度存在差异，设计师需要在设计过程中充分考虑这些差异，避免因文化误解而导致设计作品无法被受众接受。例如，在将一种文化中的艺术元素引入另一种文化的设计中时，可能会因为文化背

景的不同而产生误解，无法传达设计初衷。

3. 设计理念与审美观念的转变

艺术元素的创新性表达往往伴随着设计理念和审美观念的转变，这对设计师和受众来说都是一种挑战。设计师需要不断更新自己的设计理念，以适应时代的发展和受众需求的变化。然而，传统的设计理念和审美观念在设计师心中可能根深蒂固，要实现转变并非易事。同时，受众的审美观念也在不断变化，对于过于创新的设计作品，受众可能需要一定的时间来理解和接受。

（二）应对策略

1. 加强技术学习与合作

为了应对技术应用的复杂性与成本挑战，设计师应加强自身的技术学习，不断提升自己的技术能力。可以通过参加专业培训课程、在线学习平台、技术研讨会等方式，深入学习新兴技术的原理和应用方法。此外，设计师还可以与专业技术团队合作，共同开发创新的设计项目。例如，在使用虚拟现实技术和增强现实技术的项目中，设计师可以与软件工程师、硬件开发人员合作，充分发挥各自的专业优势，降低技术应用的难度和成本。

2. 深入开展文化调研与沟通

针对文化差异与受众接受度的问题，设计师需要深入开展文化调研。在设计项目开始前，对目标受众的文化背景、审美偏好、价值观念等进行全面的了解和分析。通过与不同文化背景的人进行沟通交流，收集反馈意见，确保设计作品能够被目标受众理解和接受。同时，在设计过程中，注重对文化元素的解读和阐释，避免出现文化误解导致的设计失败。例如，在跨文化设计项目中，可以邀请文化专家对设计方案进行评估和指导，确保文化元素的运用准确恰当。

3. 引导设计理念与审美观念的转变

为了推动设计理念与审美观念的转变，设计师可以通过多种方式进行引导。一方面，积极参与各类设计展览、学术交流活动，展示和分享创新的设计作品和理念，与同行进行交流和探讨，促进设计理念的转变。另一方面，通过媒体、社交媒体等渠道，向公众传播创新的设计理念和审美观念，提高公众的审美水平。例如，设计师可以在社交媒体上发布自己的创新设计作品，并配以详细的设计说明，引导公众理解和欣赏创新设计，逐渐提高公众对创新设计的接受度和喜爱度。

六、艺术元素创新性表达的未来发展趋势

（一）可持续发展与环保理念的深度融合

1. 环保材料的广泛应用

未来，随着人们环保意识的不断提高，环保材料将在艺术元素的创新性表达中得到更广泛的应用。设计师会更加注重选择可回收、可降解、无毒无害的材料来创作设计作品。例如，在产品设计中，使用以植物纤维为原料的可降解塑料替代传统塑料，不仅减少了对环境的污染，还为产品赋予了独特的环保属性。在建筑设计中，采用再生木材、环保水泥等材料，既符合可持续发展的要求，又能为建筑带来自然、质朴的美感。

2. 生态主题的艺术创作

生态主题将成为艺术元素创新性表达的重要方向。设计师会以生态环境为灵感，创作一系列具有环保教育意义的作品。例如，通过艺术装置展示海洋污染的现状，用废弃的塑料瓶、渔网等材料制作成大型的海洋生物雕塑，提醒人们关注海洋生态保护。在景观设计中，打造以生态修复为目的的城市公园，通过艺术化的设计手法展示生态系统的自我修复过程，增强人们对生态环境的保护意识。

（二）个性化定制与用户参与的设计模式

1. 满足个体需求的定制设计

随着消费者对个性化需求的不断增加，未来的艺术元素创新性表

达将更加注重满足个体需求的定制设计。设计师会根据每个用户的独特喜好、生活方式和需求设计作品。例如，在室内设计中，根据用户的兴趣爱好、职业特点等因素，为用户打造个性化的居住空间。用户可以选择自己喜欢的艺术元素，如一幅特定风格的画作、一件具有纪念意义的雕塑等，设计师将这些元素巧妙地融入室内设计中，创造出独一无二的居住环境。

2. 用户参与设计过程

用户参与设计过程将成为未来设计的重要趋势。设计师会通过各种方式邀请用户参与到艺术元素的选择和设计中，让用户成为设计的一部分。例如，在一个品牌的包装设计项目中，设计师通过线上平台邀请消费者参与设计投票，让他们从几个不同的艺术元素方案中选择自己喜欢的，或者提出自己对艺术元素的创意和建议。这种用户参与的设计模式，不仅能够满足用户的个性化需求，还能增强用户对设计作品的认同感。

（三）全球化与本地化的平衡发展

1. 全球文化元素的融合与创新

在全球化的背景下，艺术元素的创新性表达将继续融合全球各地的文化元素。设计师会跨越国界，汲取不同文化的精华，进行创新设计。例如，将日本的禅宗文化与意大利的时尚设计相结合，创造出具有独特东方韵味的时尚单品。通过这种全球文化元素的融合与创新，设计作品能够满足不同文化背景受众的审美需求，在全球范围内获得更广泛的认可。

2. 本土文化特色的传承与发扬

在追求全球化的同时，本土文化特色的传承与发扬将受到重视。左梦程、鲍夫才（2023）认为，设计师会深入挖掘本土文化中的艺术元素，将其与现代设计理念相结合，创造出具有鲜明本土特色的作品。例如，在中国的设计领域，设计师会将中国传统的剪纸、京剧、陶瓷等艺术元素进行创新表达，使其在现代社会中焕发出新的活力。这种本土文化特色的传承与发扬，不仅能够增强民族文化的自信，还能为全球设计文化的多样性作出贡献。

七、小结

艺术元素的创新性表达在视觉传达设计中占据着举足轻重的地位，它是推动设计行业不断发展和进步的核心动力。通过突破传统的表现形式，如打破常规的造型与构图、创新色彩的运用与搭配、拓展材质与肌理的表现手法，为艺术元素注入了新的生命力。融合多元文化的艺术元素，实现跨文化的融合与创新、传统文化元素的现代演绎以及地域文化特色的创新呈现，使设计作品具有更加丰富的文化内涵和独特的魅力。结合新兴技术，如数字化技术、人工智能技术和新材料技术，为艺术元素的创新提供了广阔的空间和无限的可能性。

然而，艺术元素的创新性表达也面临着诸多挑战，包括技术应用的复杂性与成本、文化差异与受众接受度、设计理念与审美观念的转变等。为了应对这些挑战，我们提出了加强技术学习与合作、深入开展文化调研与沟通、引导设计理念与审美观念更新等应对策略。

展望未来，艺术元素的创新性表达将朝着可持续发展与环保理念深度融合、个性化定制与用户参与的设计模式、全球化与本地化平衡发展的方向发展。在可持续发展方面，环保材料的广泛应用和生态主题的艺术创作将成为主流。在设计模式上，满足个体需求的定制设计和用户参与设计过程将受到更多关注。在文化融合方面，全球文化元素的融合创新与本土文化特色的传承与发扬将共同推动设计文化的繁荣。

在未来的视觉传达设计中，我们应充分认识到艺术元素创新性表达的重要性，积极应对挑战，把握发展趋势，不断探索和创新，以创作出更多具有创新性、文化性和时代感的设计作品，满足人们日益增长的审美需求，推动视觉传达设计行业的持续发展，为社会文化的繁荣和进步作出贡献。

Visual

Communication

第四章 色彩元素在视觉传达设计中的应用

第一节
色彩的心理效应与文化意义

第二节
色彩搭配与视觉层次感

第三节
色彩在品牌设计中的应用

第一节 色彩的心理效应与文化意义

一、色彩的心理效应

色彩作为一种视觉语言，具有强大的心理影响力，能够在瞬间引发人们的情感共鸣和心理反应。这种心理效应并非偶然，而是基于人类长期的视觉经验和生理、心理机制形成的。

（一）色彩的冷暖感

暖色调。红色、橙色、黄色等暖色调，往往给人以温暖、热情、活跃的感觉。红色，作为最具代表性的暖色调，常被视为活力、激情与勇气的象征。在中国文化中，红色更是与吉祥、幸福紧密相连，每逢春节、婚礼等重要节日和庆典，红色无处不在，从春联、红包到新娘的嫁衣，无不洋溢着喜庆的氛围。在西方文化里，红色也常与爱情、勇气相关，如情人节的红色玫瑰，象征着热烈的爱情。橙色，是红色与黄色的混合色，兼具红色的热情与黄色的明亮，给人以欢快、活泼之感，同时也带有一定的食欲暗示，许多餐饮品牌会选择橙色作为主色调，如知名快餐品牌麦当劳，采用高纯度的红黄经典配色，红色刺激食欲并传递活力，黄色提升辨识度带来欢乐感，严格遵循“红表能量、黄表欢乐”的品牌理念。赵星宇、刁小卫（2024）认为，在古代中国，黄色是皇家专用色，象征着至高无上的权力和尊贵地位。而在现代，黄色常被用于警示标识，如交通信号灯中的黄灯，因其明亮醒目，能迅速引起人们的注意。

冷色调。蓝色、绿色、紫色等冷色调，可营造冷静、理智、宁静的氛围。蓝色，常与天空、海洋联系在一起，给人以广阔、深邃、沉稳的感觉。在企业形象设计中，许多科技公司喜欢选用蓝色作为主色调，如 IBM 公司。蓝色被视为科技、专业和可靠的象征，传达出企业的创新精神和强大的技术实力。绿色，作为大自然中最常见的颜色，代表着生机、健康与和谐。在环保领域，绿色是标志性的颜色，象征着可持续发展和对自然的尊重。同时，绿色也具有一定的舒缓情绪的作用，在医院、疗养院等场所，绿色的运用有助于缓解病人的紧张情绪。紫色，在历史上一直与皇室、贵族相关联，象征着高贵、神秘和奢华。在西方，紫色常被用于宗教仪式，如天主教的弥撒，主教会穿着紫色的长袍，营造宗教场所庄重、神秘的氛围。

（二）色彩的轻重感

色彩的轻重感主要取决于色彩的明度。明度高的色彩，如白色、浅黄色等，给人以轻盈、明快的感觉；而明度低的色彩，如黑色、深灰色等，则让人感觉沉重、压抑。在室内设计中，这种色彩的轻重感被广泛应用。例如，天花板通常会采用白色或浅色系，以营造出空间开阔、轻盈的视觉效果，避免让人产生压抑感；而地面则多选择明度较低的颜色，如深灰色、棕色等，使空间更具稳定性和安全感。在产品包装设计中，如果产品本身追求轻盈、灵动的形象，如化妆品、香水等，其包装往往会采用浅色系；而对于一些强调稳重、扎实的产品，如机械设备、高档家具等，包装则可能会使用深色系。

（三）色彩的软硬感

一般来说，明度高、纯度低的色彩，如粉色、浅蓝色等，给人以柔软、温和的感觉；而明度低、纯度高的色彩，如黑色、大红色等，会让人觉得坚硬、锐利。在服装设计中，色彩的软硬感体现得尤为明显。柔软的棉质衣物，常采用柔和的色彩，如淡粉色、米白色等，以展现其舒适、亲肤的质感；而皮革材质的服装，往往选择黑色、深棕色等深色系，以凸显其硬朗、帅气的风格。在儿童产品设计中，为了营造温馨、亲切的氛围，通常会使用大量柔和的色彩，如浅蓝、浅绿、粉红等，以符合儿童天真可爱的形象。

（四）色彩的胀缩感

不同色彩在视觉上会产生不同的胀缩感。一般而言，暖色、亮色具有膨胀感，看起来比实际面积大；而冷色、暗色则具有收缩感，看起来比实际面积小。在平面设计中，设计师常常利用色彩的胀缩感来突出主题或调整画面的平衡。例如，在海报设计中，为了吸引观众的注意力，重要的信息或元素可能会使用具有膨胀感的色彩，如红色、黄色等，使其在画面中更加醒目；而次要的元素则可以用具有收缩感的色彩，如蓝色、灰色等，以避免喧宾夺主。在服装设计中，身材较胖的人可以选择冷色、深色系的服装，利用色彩的收缩感来达到视觉上显瘦的效果；而身材纤瘦的人则可以选择暖色、浅色系的服装，借助色彩的膨胀感让自己看起来更加丰满。

（五）色彩的疲劳感

长时间观看高纯度、高对比度的色彩，容易使人产生视觉疲劳。例如，红色虽然具有强烈的视觉冲击力，但长时间注视红色，会让人感到烦躁、不安，甚至出现视觉疲劳。相比之下，一些柔和、淡雅的色彩，如浅蓝色、淡绿色等，能够给人以舒适、放松的视觉感受，不易引起视觉疲劳。在网页设计中，为了提供良好的用户体验，背景色通常会选择柔和、低纯度的色彩，以减轻用户长时间浏览页面时的视觉负担。而在一些警示标识或广告设计中，虽然会使用高纯度、高对比度的色彩来吸引注意力，但也会注意控制使用面积，避免给人造成过度的视觉刺激。

二、色彩的文化意义

色彩在不同的文化背景下，承载着丰富多样的文化内涵和象征意义。这些文化意义不仅反映了一个民族的历史、宗教、价值观，还深刻影响着人们的审美观念和生活方式。

（一）中国文化中的色彩

红色。在中国文化中，红色占据着极其重要的地位。它是吉祥、繁荣、幸福的象征。从传统的春节习俗到婚礼庆典，红色无处不在。春节期间，人们张贴红色春联、悬挂红灯笼，红色鞭炮的响声更是增添了节日的喜庆氛围。婚礼上，新娘身着红色嫁衣，寓意着婚后生活红红火火。红色还与革命、热血紧密相连，在中国近现代历史上，红色象征着革命的热情和为民族解放事业而奋斗的精神。例如，五星红旗的红色代表着革命先烈的鲜血，激励着中华儿女为国家的繁荣富强而不懈努力。

黄色。黄色在中国古代是皇家专用色，象征着皇权、尊贵和至高无上的地位。只有皇帝才能穿着黄色龙袍，使用黄色的器具。这种对黄色的特殊尊崇，源于古代中国人对土地的崇拜。黄色与土地的颜色相近，而土地是万物生长的根基，代表着国家的繁荣昌盛。此外，黄色还与佛教文化有着密切联系，在佛教寺庙中，常能看到黄色的建筑和僧人的黄色袈裟，黄色在这里象征着神圣、光明和智慧。

黑色。在古代中国，黑色曾是一种尊贵的颜色。在秦朝，黑色被视为正色。秦始皇统一六国后，规定黑色为皇家服饰的颜色，这与秦朝崇尚水德有关，水在五行中对应黑色，象征着深沉、神秘和权威。在现代，黑色仍然具有一定的文化内涵，它常被视为庄重、严肃的象征。在正式场合，人们常穿着黑色的服装，以显示自己的稳重和得体。

白色。白色在中国文化中有多种含义。一方面，它与丧葬文化相关，在传统葬礼上，人们会穿着白色孝服，表达对逝者的哀悼之情；另一方面，白色也象征着纯洁、无辜，如“洁白无瑕”一词所表达的含义。在现代，白色在一些时尚领域也被广泛应用，代表着简约、清新的风格。

青色。青色在中国文化中涵盖了多种颜色，包括蓝色、绿色以及黑色的一些变体。在古代诗词中，“青山绿水”描绘了大自然的美丽景色，这里的“青”指绿色。而在传统的青花瓷中，“青”则指蓝色，青花瓷以其淡雅的蓝色图案而闻名于世，体现了中国传统审美中对宁静、悠远意境的追求。此外，在古代的服饰文化中，青色也常被文人雅士所喜爱，代表着高雅、淡泊的品质。

（二）西方文化中的色彩

红色。在西方文化中，红色同样具有丰富的象征意义。它与爱情紧密相连，情人节时，红色玫瑰是表达爱意的经典礼物。红色还象征着勇气和力量，如在一些战争题材的绘画和文学作品中，红色常被用来描绘勇敢的战士。然而，红色也可能与危险、警示相关，如交通信号灯中的红灯，以及一些警示标识上的红色，都传达着停止、危险的信息。

蓝色。在西方文化中常与冷静、理智相关联。在基督教文化中，蓝色是圣母玛利亚的象征色，代表着纯洁、神圣和慈爱。在现代，蓝色在企业形象设计中被广泛应用，许多金融机构和科技公司选择蓝色作为主色调，传达出专业、可靠、创新的形象。例如，美国银行的标志以蓝色为主色调，给人以稳健、值得信赖的感觉。

白色。在西方文化中主要象征着纯洁、无辜和神圣。在西方婚礼中，新娘通常会穿着白色婚纱，寓意着纯洁的爱情和美好的婚姻。在宗教仪式中，白色也经常出现，如基督教的洗礼仪式，白色象征着新生和净化。此外，白色还与和平相关，如在一些国际活动中，人们会挥舞白色旗帜，表达对和平的向往。

黑色。在西方文化中具有多重含义。它常被视为正式、庄重的颜色，在商务场合和正式晚宴上，男士通常会穿着黑色西装，展现出优雅、稳重的形象。同时，黑色也与死亡、悲伤相关，在葬礼上，人们会穿着黑色服装，表达对逝者的哀思。此外，黑色在时尚领域也具有独特的地位，它被认为是一种经典、永恒的颜色，许多时尚品牌的设计中都大量运用黑色，展现出时尚、简约的风格。

紫色。在西方文化中一直与皇室、贵族紧密相连，象征着高贵、奢华和神秘。在古代，紫色染料的制作工艺复杂且昂贵，只有皇室和贵族才能使用紫色的织物。在现代，紫色仍然被视为一种高端、优雅的颜色，常被用于高端品牌的包装和设计中，以彰显其独特的品质和地位。

（三）其他文化中的色彩

日本文化中的色彩。在日本文化中，每种颜色都有其独特的象征意义。白色在日本文化中不仅代表纯洁，还与神道教中的神圣仪式相关。在神道教的神社中，白色的建筑和装饰随处可见，象征着神圣和清净。红色在日本文化中与活力、幸福相关，同时也与女性的美丽和温柔联系在一起。例如，在日本传统的艺伎妆容中，红色的嘴唇和脸颊是重要的特征。绿色在日本文化中象征着自然、生命和希望。日本是一个热爱自然的国家，绿色在其艺术和设计中经常出现，体现了对自然的敬畏和赞美。此外，黑色在日本文化中也有庄重、严肃的含义，常用于正式场合的服装和礼仪。

印度文化中的色彩。印度文化中色彩丰富多样，每种颜色都与宗教、神话和社会阶层紧密相关。红色在印度教中具有重要地位，象征着爱、生育和力量。在印度的婚礼上，新娘通常会穿着红色的纱丽，佩戴红色的饰品，寓意吉祥如意。黄色在印度文化中与宗教和精神追求相关，它是印度教中神圣的颜色，代表着知识、智慧和光明。许多印度教寺庙和宗教仪式中都大量使用黄色。蓝色在印度神话中，常与神灵毗湿奴相关，他常被描绘为蓝色皮肤，蓝色因此象征着神圣、保护和力量。此外，绿色在印度文化中象征着繁荣、希望和新生，在印度的传统节日中，绿色的服装和饰品也较为常见。

非洲文化中的色彩。非洲文化中的色彩充满了活力和生命力，不同的部落和地区对色彩有着独特的理解和运用。红色在许多非洲部落中象征着鲜血、勇气和战斗精神，同时也与生命的力量和热情相关。蓝色在非洲文化中常与天空、水和精神世界联系在一起，代表着宁静、神秘和智慧。黄色在一些非洲部落中象征着太阳、光明和财富，被视为吉祥的颜色。绿色在非洲大陆象征着大自然的生机与活力，同时也与农业和丰收相关。此外，黑色在非洲文化中不仅代表着大地和母亲，还象征着神秘、力量和尊严。非洲的艺术作品常常运用鲜明、强烈的色彩，展现出非洲人民对生活的热爱和独特的文化魅力。

三、色彩心理效应与文化意义在视觉传达设计中的应用

1. 广告设计

利用色彩的心理效应吸引注意力。在广告设计中，色彩是吸引受众注意力的关键因素之一。运用具有强烈视觉冲击力的色彩，如高纯度的红色、黄色等，可以迅速抓住人们的眼球。例如，可口可乐的广告，以标志性的红色为主色调，搭配白色的文字，红色所展现的活力与热情能够瞬间激发消费者的购买欲望，同时，白色的文字清晰醒目，使品牌信息得以准确传达。在一些促销广告中，常使用黄色、橙色等暖色调来营造热烈的氛围，吸引消费者关注促销活动。

结合文化意义传达品牌信息。广告设计需要充分考虑目标受众的文化背景，运用色彩的文化意义来传达品牌信息。例如，肯德基在中国市场的广告中，巧妙地融入了中国文化元素，在一些节日期间，其广告画面会出现红色、金色等具有中国文化特色的颜色，红色代表吉祥、喜庆，金色象征着富贵、繁荣，与中国传统节日的氛围相契合，使消费者更容易产生共鸣。而在西方市场，肯德基的广告色彩运用则

更注重体现品牌的活力和便捷，以红色、白色为主色调，传达出品牌的热情和干净整洁的形象。

2. 包装设计

利用色彩心理效应影响消费者的购买决策。包装设计中的色彩能够影响消费者对产品的感知和购买决策。例如，食品包装常使用能够引发食欲的色彩，如红色、橙色、黄色等。巧克力包装多采用棕色，棕色给人以醇厚、浓郁的感觉，与巧克力的口感相呼应；而一些健康食品的包装则可能选择绿色，传递出天然、健康的信息。化妆品包装设计会根据产品的定位和目标受众选择不同的色彩。针对年轻女性的化妆品，可能会使用粉色、紫色等柔和、浪漫的色彩，突出产品的甜美、优雅；针对成熟女性的高端化妆品，可能采用黑色、金色等颜色，体现出产品的高贵、奢华。

遵循文化意义，避免文化冲突。在包装设计中，必须遵循不同文化背景下的色彩禁忌和文化意义，避免因色彩运用不当而引发文化冲突。例如，在日本，绿色是吉祥的颜色，但在巴西，绿色与黄色搭配可能会被视为不吉利，因为这两种颜色与巴西国旗的颜色相冲突。因此，跨国企业在进行产品包装设计时，需要深入了解目标市场的文化特点，合理运用色彩，以确保产品能够被当地消费者接受和喜爱。

3. 网页设计

运用色彩心理效应提升用户体验。网页设计中的色彩选择直接影响用户体验。为了营造舒适、便捷的浏览环境，网页背景色通常选择柔和、淡雅的色彩，如浅蓝色、米白色等，以减轻视觉疲劳。导航栏和重要按钮的颜色要醒目，以便用户能够快速找到所需信息。例如，电商网站的“购买”按钮常使用红色，红色具有强烈的视觉引导作用，能够促使用户点击购买。同时，根据网站的主题和定位，选择合适的色彩来营造氛围。如旅游网站可能会使用蓝色、绿色等与大自然相关的色彩，让用户感受到清新、愉悦的氛围；而科技类网站则多采用蓝色、灰色等冷色调，传达出专业、创新的形象。

考虑文化差异，进行色彩适配。随着互联网的全球化发展，网页设计需要考虑不同文化背景下用户的色彩偏好和文化意义。例如，在针对中国用户的网页设计中，可以适当运用红色、金色等具有中国文化特色的颜色，以增强用户的认同感；而在面向西方用户的网页设计中，要注意遵循西方文化中对色彩的理解和习惯，避免使用可能引起误解的色彩。此外，一些国际知名网站会提供多语言版本，并根据不同地区的文化特点对色彩进行适配，以满足全球用户的需求。

4. 品牌形象设计

通过色彩心理效应塑造品牌个性。色彩是塑造品牌个性的重要元素之一。不同的色彩能够传达出不同的品牌个性和价值观。例如，苹果公司的品牌形象以简洁、高端著称，其产品和宣传资料多采用白色、银色等简洁的色彩，传达出科技、创新、简约的品牌个性。而星巴克的绿色标志，给人以自然、舒适、温馨的感觉，与品牌倡导的“第三空间”理念相契合，让消费者在繁忙的生活中找到一个放松、交流的场所。

借助文化意义强化品牌认知。品牌形象设计需要借助色彩的文化意义来强化品牌在消费者心中的认知。例如，中国的茅台品牌，其包装以红色和金色为主色调，红色在中国文化中象征着吉祥、喜庆，金色代表着富有、高贵，这两种颜色的搭配不仅体现了中国传统文化的特色，也彰显了茅台作为高端白酒品牌的尊贵地位。在国际市场上，茅台的品牌形象也因其独特的色彩运用而具有较高的辨识度。同样，一些国际品牌在进入中国市场时，也会通过调整色彩，融入中国文化元素，来提升品牌在中国消费者心中的亲和力和认同感。

第二节 色彩搭配与视觉层次感

一、色彩搭配的基础原理

（一）色彩的三原色与色轮

色彩的三原色在光学中是红色、绿色、蓝色，即 RGB 模式，主要应用于电子屏幕显示，如电脑显示屏、电视和手机屏幕等。而在美术和设计领域，三原色通常指青色、品红色、黄色，再加上黑色，即 CMYK 色彩模型，多用于印刷。

基于三原色可以混合出各种不同的色彩，将这些色彩按照一定顺序在一个圆周上排列，就形成了色轮。色轮是色彩搭配的重要工具，它直观地展示了色彩之间的关系。在色轮上，相对的颜色被称为互补色，相邻的颜色被称为邻近色。例如，红色与绿色为互补色，红色与橙色为邻近色。这种色彩关系为我们进行色彩搭配提供了基本的框架。

（二）色彩的属性对搭配的影响

色相。朱铭亮、林丽华（2017）认为，色相是色彩的首要特征，是区别各种不同色彩的最准确的标准，如红色、橙色、黄色、绿色、蓝色、紫色等具体的颜色名称就是色相的体现。不同色相的搭配能够产生丰富多样的视觉效果。例如，红与黄的搭配，充满活力与热情，常给人以欢快、活泼之感，在一些儿童产品的设计中较为常见；而蓝与绿的组合，则营造出清新、宁静的氛围，适合用于环保、自然主题的设计。

明度。在色彩搭配中，明度对比至关重要。高明度的色彩如白色、浅黄色等，给人轻盈、明亮的感觉；低明度的色彩如黑色、深灰色等，给人厚重、沉稳的印象。通过合理运用明度对比，可以增强画面的层次感和立体感。比如，在一幅以夜景为主题的海报设计中，用低明度的深蓝色作为背景，代表夜晚的深沉，再用高明度的黄色来表现路灯或月亮，使画面中的元素在深浅对比中凸显出来，层次分明。

纯度。高纯度的色彩鲜艳夺目，能够吸引注意力；低纯度的色彩则相对柔和、淡雅。在搭配时，高纯度色彩与低纯度色彩相结合，可以产生主次分明的效果。例如，在一个化妆品广告设计中，产品主体可能会使用高纯度的色彩来突出其独特性和吸引力，而背景或辅助元素则采用低纯度色彩，避免喧宾夺主，同时使整个画面更加和谐统一。

二、常见的色彩搭配方法

（一）同类色搭配

同类色是指在色轮上处于相邻位置且色相相近的颜色，如浅蓝色、蓝色、深蓝色。这种搭配方法容易营造出和谐、统一的视觉效果，给人一种舒适、柔和的感觉，常用于营造宁静、优雅的氛围。例如，在室内软装设计中，使用浅蓝色的墙面、深蓝色的窗帘以及蓝灰色的沙发，通过同类色的深浅变化，既保持了整体色调的一致性，又能产生一定的层次感。在平面设计中，一些高端品牌的宣传海报常采用同类色搭配，以展现品牌的简洁与高雅。比如，某时尚品牌的海报，以不同明度的灰色为主色调，搭配少量深灰色的品牌标志和文字，整个画面简洁大气，突出了品牌的高端质感。

（二）邻近色搭配

邻近色是在色轮上夹角大约为60°范围内的颜色，如红色与橙色、橙色与黄色、黄色与绿色等。邻近色搭配比同类色搭配更具活力和变化，同时又能保持色彩的协调性。这种搭配方式能够营造出丰富而和谐的视觉感受，给人以温暖、亲切的感觉。例如，在一幅秋季主题的插画中，运用橙色、黄色和红色的邻近色搭配，生动地描绘出秋天树叶金黄、果实累累的丰收景象，让人感受到秋天的热烈与温暖。在网页设计中，一些旅游网站会采用绿色与蓝色的邻近色搭配，既体现了大自然的清新与宁静，又展现出海洋的广阔与深邃，激发用户对旅游目的地的向往。

（三）互补色搭配

互补色是色轮上相对位置的颜色，夹角为180°，如红色与绿色、蓝色与黄色。互补色搭配能够产生强烈的视觉冲击力，使画面充满活力和张力，吸引观众的注意力。但如果运用不当，容易造成视觉疲劳和画面混乱。在实际应用中，通常会采用调整互补色的明度、纯度或控制其面积比例等方法来达到和谐的效果。例如，在交通标识设计中，常使用红色与绿色的互补色搭配，红色的禁令标识与绿色的指示标识形成鲜明对比，能够让驾驶员在远距离就清晰地识别。在时尚设计中，一些设计师会巧妙地运用互补色搭配来打造独特的风格。比如，将红色的上衣与绿色的裙子搭配，通过控制色彩的纯度和面积，使整体造型既醒目又不失时尚感。

（四）对比色搭配

对比色是指在色轮上夹角大于 120°且小于 180°的颜色，其对比效果介于邻近色和互补色之间。对比色搭配能够创造出活泼、生动的视觉效果，同时比互补色搭配更易于协调。例如，在儿童玩具的包装设计中，常搭配使用黄色与蓝色这组对比色，黄色的明亮活泼与蓝色的智慧冷静相结合，吸引儿童的注意力，激发他们的好奇心和购买欲望。在广告设计中，对比色搭配可以突出产品的特点和优势，使广告更具吸引力。比如，一款运动饮料的广告，运用橙色与蓝绿色这组对比色，橙色代表活力与激情，蓝绿色象征清爽与冷静，两者结合强调了产品既能提供运动所需的能量，又能带来清爽的口感。

（五）无彩色搭配

无彩色是指白色、黑色和各种深浅不同的灰色。无彩色搭配简洁、大方，具有很强的现代感和通用性。黑色代表着神秘、庄重和权威，白色象征着纯洁、简洁和光明，灰色则给人以沉稳、平和的感觉。在设计中，无彩色既可以单独使用，也可以与有彩色搭配使用。例如，许多高端品牌的标志和包装设计采用黑白灰的无彩色搭配，展现出简洁、高雅的品牌形象。如苹果公司的产品包装，以白色为主，搭配黑色的文字和图标，简洁明了，凸显了产品的科技感和高品质。在室内设计中，灰色的墙面搭配白色的家具和黑色的装饰线条，营造出简约而不失格调的空间氛围。

三、色彩搭配与视觉层次感的营造

（一）通过明度对比营造层次感

明度对比是营造视觉层次感最常用的方法之一。通过将高明度色彩与低明度色彩相结合，可以使画面中的元素在深浅对比中自然地产生前后关系和空间感。例如，在一幅以风景为主题的海报设计中，将天空部分用高明度的浅蓝色来表现，使其看起来更加高远；地面则使用低明度的深绿色，给人一种沉稳、扎实的感觉。这样，天空与地面在明度上形成鲜明对比，使画面具有明显的层次感，仿佛真实的风景呈现在眼前。在产品包装设计中，也可以运用明度对比来突出产品的主体。比如，将产品名称用白色（高明度）印在深色（低明度）的背景上，能够使文字更加醒目，吸引消费者的注意力，同时也让产品主体从背景中凸显出来，增强了包装的层次感。

（二）利用纯度对比突出层次感

纯度对比同样可以有效地营造视觉层次感。高纯度色彩鲜艳夺目，容易吸引眼球，而低纯度色彩相对柔和、淡雅，起到衬托的作用。将高纯度色彩与低纯度色彩搭配，可以使高纯度色彩部分成为视觉焦点，从而突出画面的层次感。例如，在一幅环保主题的插画中，用高纯度的绿色来描绘一棵生机勃勃的大树，周围的草地和天空则采用低纯度的绿色和蓝色，大树在低纯度色彩的衬托下更加突出，成为画面的核心元素，同时也使整个画面层次分明，强调了环保主题中绿色生命的重要性。在网页设计中，对于重要的按钮或关键信息，可以使用高纯度色彩，而背景或其他次要元素则采用低纯度色彩，引导用户的视线，使页面的重点更加突出，层次更加清晰。

（三）借助色彩的冷暖对比强化层次感

色彩的冷暖对比能够给人带来不同的视觉感受，从而营造出独特的视觉层次感。暖色调如红色、橙色、黄色等具有前进感和膨胀感，冷色调如蓝色、绿色、紫色等具有后退感和收缩感。在设计中合理运用冷暖对比，可以使画面产生远近、前后的空间感。例如，在一幅表现城市夜景的插画中，用暖色调的黄色来描绘路灯和建筑物的灯光，使其看起来仿佛就在眼前，给人温暖、明亮的感觉；而用冷色调的蓝色来绘制夜空和远处的建筑，营造出深邃、遥远的氛围。这样，通过冷暖对比，画面中的元素在空间上有了明显的区分，增强了画面的层次感和立体感。在服装设计中，也可以利用色彩的冷暖对比来打造独特的风格。比如，一件红色的外套搭配蓝色的牛仔裤，红色的前进感与蓝色的后退感相互映衬，使穿着者在视觉上更加引人注目，同时也展现出一种时尚、个性的气质。

（四）运用色彩的面积对比丰富层次感

色彩的面积对比是指不同颜色在画面中所占面积的大小关系。通过调整色彩的面积比例，可以创造出丰富多样的视觉层次。当大面积的色彩与小面积的色彩搭配时，大面积色彩起到主导和衬托的作用，小面积色彩则成为视觉焦点，吸引观众的注意力。例如，在一幅宣传海报中，用大面积的浅蓝色作为背景，营造出宁静、舒适的氛围，然后在画面中心位置放置一个小面积的红色圆形图案，红色在蓝色的衬托下格外醒目，成为整个画面的核心元素，吸引观众的目光，同时使画面在色彩的面积对比中产生了丰富的层次感。在室内软装设计中，也可以运用色彩的面积对比来打造富有层次感的空间。比如，大面积的白色墙面搭配小块的彩色装饰画或抱枕，白色作为主导色使空间显得宽敞明亮，彩色的小面积点缀则为空间增添了活力和趣味，丰富了空间的层次感。

四、色彩搭配与视觉层次感在不同视觉传达领域的应用

（一）平面广告设计

色彩搭配吸引注意力。在平面广告设计中，色彩搭配是吸引受众注意力的关键因素。运用鲜明、独特的色彩组合，能够瞬间抓住观众的眼球，使广告脱颖而出。例如，在户外广告设计中，为了在远距离

就能吸引行人的注意，常采用高纯度、高对比度的色彩搭配，如红色与黄色的搭配，能够产生强烈的视觉冲击力。在杂志广告设计中，根据目标受众和产品特点选择合适的色彩搭配。对于时尚类产品广告，可能会采用流行的色彩趋势和独特的色彩组合，展现产品的时尚感和个性；而对于健康类产品广告，多会运用绿色、蓝色等给人以健康、清新感觉的色彩。

营造视觉层次感，传递信息。平面广告需要通过色彩搭配营造出清晰的视觉层次感，以便有效地传递产品信息。例如，在产品宣传海报设计中，将产品主体用高纯度或高明度的色彩突出显示，使其成为视觉焦点，然后用低纯度或低明度的色彩来描绘背景和辅助元素，使产品从背景中凸显出来。同时，通过色彩的冷暖对比和面积对比，进一步增强画面的层次感。比如，在一款电子产品的海报中，产品本身用金属质感的银灰色（高明度）展示，背景则采用深蓝色（低明度），产品周围用少量暖色调的橙色线条进行装饰，通过这些色彩的搭配，使产品在画面中更加突出，信息传递更加清晰，同时也营造出了科技感和现代感。

（二）包装设计

色彩搭配塑造产品形象：包装设计的色彩搭配直接影响消费者对产品的第一印象，能够塑造产品的独特形象。不同类型的产品通常会采用与之相匹配的色彩。例如，健康食品的包装常采用绿色和大地色系传递天然有机的视觉联想，儿童玩具的包装多使用高纯度的对比色（如红色、黄色、蓝色）营造活泼欢快的氛围，奢侈品包装则偏好黑色、金色、深蓝色等低明度、高纯度的配色以强调奢华质感，科技类产品的包装常以银灰色、深空蓝色等冷色调搭配荧光色突出未来感。

视觉层次感增强包装的吸引力。通过色彩搭配营造视觉层次感，可以使包装更具吸引力和立体感。在包装设计中，可以运用明度对比来区分不同的区域和元素。比如，将白色（高明度）的产品名称印在深色（低明度）的背景上，使文字更加醒目；或者用低明度的色彩描绘产品的轮廓，用高明度的色彩填充内部，使产品在包装上更加突出。同时，纯度对比和冷暖对比也能增强包装的层次感。例如，在一款护肤品包装中，瓶身主体采用低纯度的淡蓝色，给人以温和、舒缓的感觉，瓶盖则使用高纯度的银色，增加了产品的精致感和高端感。

在标签设计上，运用暖色调的红色文字突出产品的核心卖点，与瓶身的冷色调形成对比，使整个包装在和谐中又有亮点，吸引消费者的购买欲望。

（三）网页设计

色彩搭配可以营造氛围并引导用户操作。网页设计的色彩搭配需要根据网站的主题和目标受众来选择，以营造出合适的氛围并引导用户操作。例如，电商网站为了促进销售，通常会采用暖色调，如红色、橙色等，激发用户的购买欲望。同时，通过色彩的合理搭配，引导用户的视线，使重要信息如商品展示、购买按钮等能够被用户快速注意到。社交类网站多采用蓝色、绿色等给人以友好、舒适感觉的色彩，营造轻松、愉快的交流氛围。而新闻类网站则倾向于使用简洁、明快的色彩，如白色背景搭配黑色文字，方便用户阅读信息。

视觉层次感提升用户体验。在网页设计中，通过色彩搭配营造视觉层次感对于提升用户体验至关重要。合理的色彩层次可以使页面内容更加清晰、易于浏览。例如，使用不同明度的色彩来区分导航栏、正文内容和页脚等不同区域。导航栏可以采用对比度稍高的色彩，使其更加醒目，方便用户快速找到所需信息；正文内容则使用柔和、协调的色彩，减轻用户的视觉疲劳；页脚部分可以使用与整体风格相呼应但明度较低的色彩，起到稳定页面的作用。同时，对于网页中的重要元素，如按钮、链接等，可以通过色彩的纯度对比使其突出，引导用户进行操作。比如，将“立即购买”按钮设计为高纯度的红色，与周围的低纯度色彩形成对比，吸引用户点击，提高用户在网站上的操作效率。

（四）UI 设计（用户界面设计）

色彩搭配符合用户习惯与品牌风格。UI 设计的色彩搭配既要符合用户的使用习惯，又要体现品牌的独特风格。例如，在移动应用设计中，大多数应用的主色调会选择一种简洁、易于识别的颜色，如微信的绿色，代表着自然、沟通和活力，与品牌的社交属性相契合，同时也给用户一种舒适、亲切的感觉。支付宝的蓝色则展现了专业、可靠的形象，符合金融类应用的特点。在色彩搭配上，UI 设计通常会采用简洁明了的方式，避免过多复杂的颜色组合，以免造成用户视觉混乱。

视觉层次感优化交互体验。通过色彩搭配营造视觉层次感是优化UI 交互体验的重要手段。在用户界面设计中，不同的操作区域和元素需要通过色彩的区分来引导用户进行正确的操作。例如，可点击的按钮与不可点击的元素在色彩上要有明显的区别，可点击按钮通常使用高纯度、高明度的色彩，以吸引用户的注意力；而不可点击的元素则采用低纯度、低明度的色彩，使其看起来较为暗淡，避免用户误操作。同时，通过色彩的明度对比和冷暖对比，使界面中的元素有主次之分，层次更加清晰。比如，在一个音乐播放应用的界面中，当前播放歌曲的信息用高纯度的颜色突出显示，其他歌曲列表则使用相对低纯度的颜色，方便用户快速找到正在播放的内容。在界面的布局上，通过背景色与前景色的明度对比，营造出空间感，使整个界面更加立体、易于操作，提升用户的交互体验。

综上所述，色彩搭配与视觉层次感在视觉传达设计的各个领域都发挥着至关重要的作用。设计师需要深入理解色彩搭配的原理和方法，巧妙运用色彩的各种属性和对比关系，营造出丰富、和谐且具有吸引力的视觉效果，从而有效地传达信息，提升设计作品的质量和影响力。无论是在广告宣传、产品包装，还是网页和UI 设计中，合理的色彩搭配与视觉层次感的营造都能为设计作品增色不少，吸引受众的注意力，满足受众的审美需求，最终实现设计的目标。

第三节 色彩在品牌设计中的应用

一、色彩在品牌识别中的关键作用

（一）色彩是品牌视觉识别的核心要素

在品牌林立的市场环境中，品牌视觉识别系统如同企业的名片，而色彩则是这张名片上最具视觉冲击力和辨识度的元素之一。与品牌名称、标志图形相比，色彩能够在瞬间吸引消费者的目光，引发情感共鸣。例如，可口可乐标志性的红色充满活力与激情，使其在众多饮料品牌中脱颖而出。当消费者在超市货架上匆匆一瞥时，首先映入眼帘的往往是色彩，可口可乐的红色包装能让消费者迅速识别并将其与品牌的活力、欢乐形象联系起来。这种强大的视觉冲击力使得色彩成为品牌在竞争激烈的市场中抢占消费者心智的重要利器。

（二）色彩赋予品牌独特个性

每个成功的品牌都有其独特的个性，而色彩是塑造这种个性的关键手段。以苹果公司为例，其产品和品牌形象多以简洁的白色、银色为主色调，传达出科技、创新、简约的品牌个性。白色象征着纯洁、简洁，银色代表着现代、精致，两者结合精准地诠释了苹果公司追求极致简约与高科技感的特质。又如星巴克的绿色标志，给人以自然、舒适、温馨的感觉，与品牌倡导的“第三空间”理念相契合，让消费者在繁忙的生活中找到一个放松、交流的场所。这种通过色彩塑造的独特个性，使品牌在消费者心中留下深刻的印象，区别于其他品牌。

（三）色彩增强品牌记忆度

人类对色彩的记忆具有特殊性，相比文字和图形，色彩更容易被记住。品牌通过长期使用特定的色彩组合，能够强化消费者对品牌的记忆。例如，蒂芙尼的蓝色礼盒，这种独特的蓝色被称为“蒂芙尼蓝”，已经成为品牌的标志性色彩。消费者在看到这种蓝色时，会立刻联想到蒂芙尼的高端珠宝产品，以及品牌所代表的浪漫、优雅与奢华。这种强烈的色彩记忆关联，使得品牌在消费者的脑海中占据一席之地，当他们有相关消费需求时，首先想到的便是该品牌。

二、品牌设计中色彩选择的考量因素

（一）品牌定位与目标受众

品牌定位决定了品牌在市场中的位置和形象，而目标受众的特点则影响着色彩的选择。如果品牌定位为高端奢华，那么金色、银色、黑色等象征高贵、精致的色彩可能是首选。例如，劳力士手表作为高端制表品牌，其广告和产品包装常运用金色和黑色，金色体现奢华尊贵，黑色展现沉稳大气，精准契合品牌高端定位，吸引追求高品质生活的消费者。若品牌面向年轻时尚的消费群体，则倾向于选择鲜艳、活泼的色调。如匡威运动鞋，以其充满活力的色彩组合，如经典的白色搭配各种鲜艳的颜色，吸引了众多追求个性、时尚的年轻人。

（二）产品特性与功能

产品的特性和功能也是色彩选择的重要依据。对于食品品牌，为了激发消费者的食欲，常采用红色、橙色、黄色等暖色调。例如，麦当劳的标志以红色为主，搭配黄色的“M”标志，红色的热情与活力、黄色的明亮与醒目，都能唤起消费者对美食的渴望。而对于科技产品，蓝色、灰色等冷色调较为常见，因为它们传达出科技、专业、可靠的感觉。如英特尔公司，其品牌色彩以蓝色为主，蓝色象征着科技的深邃与创新，与英特尔公司在芯片领域的专业形象相匹配。

（三）行业色彩传统与差异化

不同行业往往存在一些色彩传统。例如，金融行业多使用蓝色，因为蓝色代表着信任、稳重和专业，像中国银行、工商银行等金融机构的标志和品牌形象中都大量运用蓝色。然而，为了在行业中脱颖而出，品牌也需要在遵循传统的基础上寻求差异化。例如，支付宝作为金融科技品牌，在以蓝色为主的基础上，融入了更具活力的色彩元素，使其在稳重的同时展现出创新和年轻的一面，与传统金融机构形成区别，吸引更多年轻用户。

（四）文化和地域因素

文化和地域因素对品牌的色彩选择有着深远影响。在不同文化背景下，色彩的象征意义截然不同。在中国文化中，红色象征吉祥、幸福，许多中国品牌在节日营销或产品包装上大量使用红色。而在西方文化中，红色更多与爱情、勇气相关。品牌进行国际化推广，必须充分考虑不同地区的文化差异。例如，绿色在大多数国家象征自然、健康，但在一些伊斯兰国家，绿色还有特殊的宗教意义。因此，品牌在进入这些市场时，需要谨慎选择色彩，避免因文化误解而影响品牌形象。

三、色彩搭配在品牌设计中的应用策略

（一）主色调的确立

主色调是品牌色彩体系的核心，它决定了品牌的整体视觉风格和情感基调。主色调的选择要基于品牌定位、目标受众和产品特性。例如，可口可乐选择红色作为主色调，红色的热情、活力与可口可乐所倡导的快乐、分享的品牌理念高度契合。主色调一旦确定，应在品牌的各种视觉传播媒介中保持一致性，包括标志、包装、广告、网站等，以强化品牌形象。如星巴克的绿色主色调，无论是在全球各地的门店招牌、纸杯，还是线上宣传中，都始终如一，让消费者无论身处何地，都能一眼识别出星巴克品牌。

（二）辅助色与强调色的运用

辅助色和强调色是对主色调的补充和强化，它们能够丰富品牌的

色彩层次，增强视觉吸引力。辅助色通常与主色调协调搭配，起到衬托和平衡的作用。例如，苹果公司除了以白色和银色为主色调外，在一些产品宣传中会使用淡蓝色作为辅助色，淡蓝色的清新与科技感与主色调相得益彰，进一步强化了品牌的科技、简约形象。强调色则用于突出品牌的关键信息或元素，吸引消费者的注意力。例如，优衣库的品牌标志以红色为主，在一些促销活动中，会用黄色作为强调色来突出价格、优惠信息等，醒目的黄色能够迅速抓住消费者的视线，促进销售。

（三）色彩搭配的和谐与对比

在品牌设计中，色彩搭配既要追求和谐统一，又要适当运用对比来增强视觉效果。和谐的色彩搭配能给人以舒适、愉悦的感觉，使品牌形象更具亲和力。例如，无印良品采用以自然色系为主的色彩搭配，如米色、木色、灰色等，这些色彩相互协调，营造出简约、自然、舒适的品牌氛围。而对比色的运用则可以增加品牌的活力和视觉冲击力。例如，耐克的标志以黑色和白色为主，在一些产品设计和广告宣传中，会加入鲜艳的红色作为对比色，红色的激情与活力和黑色、白色的简洁形成鲜明对比，突出了耐克品牌的运动、时尚和充满活力的形象。

四、色彩在品牌传播中的应用与效果

（一）品牌广告中的色彩运用

品牌广告是品牌传播的重要手段，色彩在其中起着关键作用。通过色彩的巧妙运用，广告能够吸引消费者的注意力，传达品牌信息，激发消费者的购买欲望。例如，在可口可乐的广告中，红色作为主色调贯穿始终，无论是电视广告中的活力场景，还是户外广告的醒目画面，红色都能迅速抓住观众的眼球，传递出可口可乐快乐、畅爽的品牌信息。同时，广告中的色彩搭配也会根据不同的主题和目标受众进行调整。例如，在针对年轻人的夏季促销广告中，可能会加入更多清新的蓝色和绿色元素，与红色形成对比，营造出清凉、活力的氛围，吸引年轻消费者购买产品。

（二）品牌包装设计中的色彩策略

品牌包装是品牌的“无声推销员”，色彩在包装设计中直接影响消费者的购买决策。首先，包装色彩要能够体现产品的特性和品牌形象。例如，化妆品包装根据产品定位和目标受众选择色彩，高端化妆品多采用黑色、金色等体现高贵、奢华的颜色；而针对年轻女性的化妆品可能会使用粉色、紫色等浪漫、甜美的色彩。其次，包装的色彩要在货架上具有辨识度。例如，汰渍洗衣粉的包装以蓝色为主色调，搭配橙色的标识，蓝色给人以清洁、可靠的感觉，橙色则醒目突出，使汰渍洗衣粉在众多同类产品中脱颖而出，吸引消费者的注意。

（三）品牌网站与社交媒体中的色彩呈现

在数字化时代，品牌网站和社交媒体平台是品牌与消费者互动的重要渠道，色彩的运用对于营造良好的用户体验和塑造品牌形象至关重要。品牌网站的色彩要与品牌整体形象一致，同时要考虑用户的浏览习惯和视觉感受。例如，亚马逊的网站以橙色为主色调，橙色的活力与热情能够激发用户的购物欲望，同时网站的色彩搭配简洁明了，方便用户浏览和购物。在社交媒体上，品牌通过色彩的运用来吸引用户的关注和互动。例如，杜蕾斯在社交媒体上的宣传海报，色彩运用大胆、时尚，与品牌的年轻、时尚、有趣的定位相契合，吸引了大量年轻用户的关注和分享，有效地提升了品牌的知名度和影响力。

五、案例分析：成功品牌的色彩应用之道

（一）可口可乐：红色激情的全球传播

可口可乐作为全球知名的饮料品牌，其红色的品牌形象深入人心。红色是可口可乐品牌的核心色彩，它象征着活力、激情、快乐和分享。这种红色在全球范围内具有极高的辨识度，无论在哪个国家或地区，消费者看到红色的可口可乐标志和包装，就会联想到品牌所传达的积极向上的情感。可口可乐通过在广告、包装、活动等各种传播渠道中始终如一地运用红色，强化了品牌在消费者心中的印象。例如，在世界杯等重大体育赛事期间，可口可乐推出的红色主题广告，与体育赛事的激情氛围相呼应，进一步传播了品牌的活力形象，吸引了全球消费者的喜爱。

（二）星巴克：绿色营造的第三空间

星巴克的绿色标志和品牌形象已经成为咖啡文化的象征之一。绿色代表着自然、舒适、温馨，与星巴克倡导的“第三空间”理念完美契合。从门店的招牌、室内装修到产品包装，通过绿色营造出一种宁静、放松的氛围，让消费者在繁忙的生活中找到一个舒适的休闲场所。此外，星巴克还会根据不同的季节和节日，对绿色进行适当的调整和搭配，如在圣诞节期间，会加入红色元素与绿色搭配，营造出节日氛围，同时又保持品牌的核心色彩特征，既满足了消费者对节日氛围的期待，又强化了品牌形象。

（三）微信：绿色沟通的社交纽带

微信作为中国最具影响力的社交平台之一，选择绿色作为品牌主色调。绿色在中国文化中象征着生机、和谐与沟通，与微信连接人与人、促进沟通交流的功能相契合。微信的绿色界面简洁、清新，给用户带来舒适的视觉体验。在微信的各种功能图标和宣传活动中，绿色

也始终贯穿其中，强化了品牌的辨识度和亲和力。同时，微信通过不断优化界面设计和色彩搭配，如在聊天界面中使用柔和的绿色调，让用户在长时间使用过程中不会感到视觉疲劳，进一步提升了用户体验，巩固了品牌在社交领域的地位。

六、色彩在品牌设计中的发展趋势

（一）个性化与定制化色彩需求增长

随着消费者对个性化产品和服务需求的不断增加，品牌在色彩设计上也越来越注重满足消费者的个性化需求。一些品牌开始推出定制化的产品包装或品牌形象，允许消费者根据自己的喜好选择色彩。例如，一些高端定制服装品牌，消费者可以在一定范围内选择服装的颜色，品牌通过色彩的个性化定制，满足消费者对独特性的追求，增强品牌与消费者之间的情感连接。

（二）可持续色彩理念的兴起

在人们的环保意识日益增强的今天，可持续色彩理念逐渐在品牌设计中兴起。品牌开始选择与环保、可持续发展理念相关的色彩，如绿色、自然色系的色彩等，以传达品牌对环境友好的态度。同时，一些品牌还注重色彩原材料的可持续性，采用天然、可降解的颜料进行产品包装设计。例如，一些有机食品品牌，不仅产品本身强调有机、环保，在包装设计上也大量使用绿色和自然材质的原色，体现品牌的可持续发展理念，吸引注重环保的消费者。

（三）数字化色彩创新与互动体验

随着数字技术的不断发展，品牌在色彩应用上有了更多的创新空间。通过增强现实、虚拟现实等技术，品牌可以为消费者提供更加丰富的色彩互动体验。例如，一些家居品牌利用增强现实技术，使消费者通过手机 APP 可以在虚拟空间中为家具选择不同的颜色，直观地感受不同色彩搭配的效果，然后再作出购买决策。这种数字化色彩创新不仅提升了消费者的参与度和体验感，也为品牌的色彩营销带来了新的机遇。

综上所述，色彩在品牌设计中具有不可替代的重要作用。从品牌识别、个性塑造到品牌传播，色彩贯穿于品牌发展的各个环节。品牌在设计过程中，要充分考虑色彩选择的各种因素，运用合理的色彩搭配策略，以适应不同的市场环境和消费者需求。同时，关注色彩在品牌设计中的发展趋势，不断创新和优化色彩应用，将有助于品牌在激烈的市场竞争中脱颖而出，建立强大的品牌形象，赢得消费者的认可和喜爱。

Visual

Communication

第五章
图形创意在视觉传达设计中的应用

第一节 图形语言的表达方式

一、具象图形

（一）定义与特点

具象图形是对客观世界中真实存在的事物进行如实描绘或进行一定程度的艺术加工后呈现的图形。它以人们熟悉的现实形象为基础，具有高度的可识别性。其特点在于能够清晰、直观地传达信息，因为人们对具象事物有着丰富的认知，所以很容易理解具象图形所表达的内容。例如，一幅描绘苹果的具象图形，无论是写实风格的绘画，还是经过简单设计的插画，人们一眼就能认出这是苹果，同时可能联想到苹果所具有的健康、美味等属性。

（二）在视觉传达设计中的应用

产品宣传。在产品宣传设计中，具象图形广泛应用于展示产品的外观、特点和功能。比如电子产品的广告，常常使用高清的产品图片，以具象的方式展示产品的外观、细节和操作界面，让消费者清晰地了解产品的实际模样和使用方式。在食品包装设计中，具象图形更是常见，如用逼真的水果图片展示果汁的原料，用精致的蛋糕图片吸引消费者购买蛋糕产品。这种直观的展示方式能够迅速引起消费者的兴趣，激发他们的购买欲望。

文化传播。在文化传播领域，具象图形可用于展现特定文化的代表性元素。例如，在宣传中国传统文化的海报中，常常会出现长城、故宫、京剧脸谱等具象图形，这些图形是中国传统文化的重要象征，能够让观众快速了解到中国传统文化的独特魅力。在介绍地方特色文化的宣传册中，当地的传统建筑、特色美食等具象图形也能生动地展现地方文化的特色，使读者产生身临其境的感受。

教育科普。在教育科普设计中，具象图形有助于将抽象的知识转化为直观易懂的内容。比如在生物教材中，通过具象的动植物图形，帮助学生更好地认识各种生物的形态特征。在科普海报中，用具象图形展示自然现象的原理，如用图形展示地球的公转和自转，使观众更容易理解这些复杂的科学知识。

（三）创作手法

写实描绘。这是最直接的创作手法，通过细腻的笔触、准确的色彩和光影表现，尽可能真实地还原事物的原貌。例如，在一些高端产品的广告摄影中，摄影师会精心布置灯光、选择拍摄角度，以写实的方式展现产品的质感、光泽和细节，让消费者感受到产品的高品质。画家也会运用写实绘画技巧，创作出具有艺术感染力的具象图形，用于艺术展览或文化宣传。

简化与提炼。在保留事物主要特征的基础上，对其进行简化和提炼，去除烦琐的细节，使图形更加简洁明了。例如，一些现代简约风格的产品图标设计，将复杂的实物形象简化为简洁的几何图形组合，但依然能让人清晰地识别出图标所代表的事物。像支付宝的一些功能图标，用简单的线条和形状概括出支付、转账等功能的含义，既简洁又具有较高的识别性。

夸张与变形。对事物的某些特征进行夸张或变形处理，以突出其特点或表达特定的情感。例如，在卡通形象设计中常常会对动物或人物的身体比例、五官等进行夸张处理，使形象更加生动有趣。在一些公益广告中，为了强调环境污染的危害，可能会将被污染的河流、天空等形象进行夸张变形，以增强视觉冲击力，引起观众对环保问题的关注。

二、抽象图形

（一）定义与特点

抽象图形不以描绘具体物象为目的，而是通过点、线、面、色等基本视觉元素的组合和构成，传达某种情感、意念或概念的图形。它不依赖于人们对具体事物的认知经验，更注重通过形式语言引发观众的联想和情感共鸣。其特点在于具有高度的概括性和开放性，不同的人对同一抽象图形可能有不同的理解和感受，给观众留下了广阔的想象空间。例如，一个简单的圆形，有人可能联想到团圆、完整，有人可能联想到星球、循环等。

（二）在视觉传达设计中的应用

科技与创新领域。在科技品牌的设计中，抽象图形常用于传达创新、前沿、科技感等理念。例如，许多科技公司的标志采用简洁的几何图形组合，如谷歌的标志在设计中运用了鲜明的色彩和简洁的线条，通过字母的变形和组合，展现出科技的活力与创新。在科技产品的宣传海报中，常使用抽象的线条、光影效果来营造科技感和未来感，传达产品的高科技属性。

艺术与文化活动。在艺术展览、音乐会等文化活动的宣传设计中，抽象图形能够营造出独特的艺术氛围，吸引目标受众。例如，一场现代艺术展览的海报可能会运用色彩斑斓、形态各异的抽象图形，展现现代艺术的多元性和创新性，激发观众对展览的兴趣。在音乐专辑封面设计中，抽象图形可以根据音乐的风格和情感进行创作，如用流动的线条和富有节奏感的图形来表现动感的音乐，用柔和、静谧的图形来传达舒缓的音乐氛围。

品牌形象塑造。抽象图形有助于塑造品牌独特的个性和形象。一些高端品牌会选择简洁而富有内涵的抽象图形作为标志，传达品牌高端、精致和独特的气质。例如，奥迪汽车的标志由四个相连的圆环组成，这个简洁的抽象图形代表了奥迪公司的历史渊源和品牌团结、稳固的形象。在品牌的宣传推广中，抽象图形的运用可以强化品牌的个性特征，使品牌在消费者心中留下深刻的印象。

（三）创作手法

几何构成。运用基本的几何图形，如圆形、方形、三角形等，通过重复、渐变、对称、错位等方式进行组合，创造出具有形式美感和节奏感的抽象图形。例如，在一些现代建筑的外立面设计中，常常运用几何构成的抽象图形，营造出简洁、大气的视觉效果。在平面设计中，也可以利用几何图形的组合来设计海报、包装等，如用不同大小的圆形进行渐变排列，形成富有动感的图案，用于时尚品牌的包装设计。

色彩与光影表现。通过色彩的搭配、对比和光影的变化来创造抽象图形。例如，运用强烈的色彩对比可以营造出充满活力和张力的氛围，而柔和的色彩过渡则使人产生温馨、宁静的感觉。在摄影艺术中，摄影师可以通过对光线的巧妙运用，捕捉光影形成的抽象图案，如逆光下物体的轮廓、透过窗户洒下的光影等。在数字绘画中，也可以利用软件工具创造出各种色彩和光影效果的抽象图形，用于艺术创作或设计项目。

偶然形与肌理表现。偶然形是指在创作过程中偶然产生的、不可重复的图形形态，如泼墨、滴溅、撕裂等形成的图形。肌理则是指物体表面的纹理和质感，如粗糙、光滑、柔软、坚硬等。通过运用偶然形和表现肌理，可以为抽象图形增添独特的质感和艺术魅力。例如，在一些艺术作品中，艺术家会通过泼洒颜料的方式创造出偶然形，然后再对其进行加工和完善，形成独特的抽象图形。在设计中，也可以利用不同材质的肌理效果，如纸张的纹理、布料的质感等，通过扫描或拍摄后应用到设计作品中，增强作品的视觉丰富性。

三、意象图形

（一）定义与特点

意象图形是介于具象与抽象之间的一种图形表达方式，它以客观事物为基础，但不拘泥于事物的真实形态，而是通过对事物的观察、理解和感悟，融入创作者的主观情感和意念，对其进行提炼、加工和变形，创造出具有象征意义和精神内涵的图形。意象图形既具有一定的具象特征，使观众能够识别出其与现实事物的联系，又蕴含着抽象的情感和观念，引发观众深层次的思考和联想。其特点在于能够以独特的方式传达特定的文化、情感或主题信息，具有较强的隐喻性和暗示性。

（二）在视觉传达设计中的应用

文化与传统主题。意象图形在表现文化和传统主题方面具有独特的优势。例如，在中国传统文化中，梅、兰、竹、菊被称为“四君子”，它们不仅仅是植物的形象，更被赋予了高尚的品德和精神内涵。在设计与传统文化相关的作品时，常常会运用以梅、兰、竹、菊为原型创作的意象图形，表达中国人对高洁品质的追求。在其他国家和民族的文化中，也有许多具有象征意义的意象图形，如日本的樱花象征着短暂而绚烂的生命、韩国的木槿花代表着坚韧和繁荣等，这些意象图形在文化宣传、传统节日活动等设计中被广泛应用。

情感与心理表达。意象图形可以有效地表达各种情感和心理状态。比如，在心理健康宣传海报中，可能会用扭曲的线条和暗淡的色彩组合成一个类似人形的意象图形，来表达内心的压抑和困惑；而用明亮的色彩和舒展的图形来表现积极向上的情绪。在情感类产品的包装设计中，如香水、巧克力等，也会运用意象图形来传达浪漫、温馨等情感，如用玫瑰花瓣的变形意象图形来体现香水的浪漫气息。

品牌理念传达。许多品牌会借助意象图形来传达其独特的品牌理念和价值观。例如，一家以环保为理念的品牌，可能会设计一个由树叶和水滴融合变形而成的意象图形作为标志，树叶代表自然，水滴象征着生命之源，二者结合传达出品牌对环境保护和可持续发展的关注。在品牌的宣传活动中，也可以运用相关的意象图形进一步强化品牌理念，使消费者更好地理解和认同品牌。

（三）创作手法

象征与隐喻。选择具有特定象征意义的事物或元素，通过图形的方式进行隐喻表达。例如，鸽子常常被用来象征和平，在设计和平主题的作品时，可以将鸽子的形象进行变形和艺术处理，使其更具意象性，如将鸽子的翅膀与橄榄枝结合，强化和平的象征意义。在品牌设计中，也可以运用象征手法，如用鹰的形象来象征品牌的力量和远见，通过对鹰的形态进行意象化处理，传达品牌的核心价值观。

同构与共生。将不同的事物或元素通过创意的方式组合在一起，形成一个新的、具有独特意义的图形。同构是指将不同物体的部分进行替换或结合，使其在形态上具有一致性；共生则强调不同元素之间相互依存、共同生长的关系。例如，在一个环保主题的海报设计中，可以将地球的形象与树木的枝干进行同构，把地球作为树冠，树干则扎根在大地上，寓意着地球的生态环境与植被的紧密联系。在共生的例子中，将鱼和鸟的形象结合在一起，形成一个相互依存的意象图形，表达对生态平衡的关注。

联想与变形。基于对事物的联想，对其形态进行变形和夸张处理，以突出其内在的情感和意义。例如，在设计一个关于时间流逝的作品时，可以将时钟的指针想象成流淌的河流，然后对指针进行变形，使其呈现出水流的动态感，通过这种联想和变形，生动地表达出时间如流水般一去不复返的主题。在设计一些创意品牌标志时，也可以运用联想与变形的手法，将品牌名称或核心业务相关的元素进行创意变形，使其成为具有独特识别性和寓意的意象图形。

四、装饰图形

（一）定义与特点

装饰图形主要侧重于对物体或空间进行美化和装饰，具有较强的形式美感和装饰性。装饰图形通常以重复、对称、均衡等形式法则为基础，通过对线条、图案、色彩等元素的精心组织和安排，营造出富有韵律感和节奏感的视觉效果。其特点在于注重图形的形式美和装饰性，相对较少强调图形的表意功能，但在一定程度上也能传达出特定的风格和氛围。装饰图形可以是具象的、抽象的或意象的，形式多样，广泛应用于各个设计领域。

（二）在视觉传达设计中的应用

包装设计。在包装设计中，装饰图形能够提升产品的吸引力和附加值。例如，一些传统手工艺品的包装，常常运用具有民族特色的装饰图形，如中国传统的剪纸图案、少数民族的刺绣纹样等，这些装饰图形不仅美化了包装，还传达出产品的文化内涵和地域特色。在现代简约风格的产品包装中，也会运用简洁的几何装饰图形，如线条的重复排列、圆形的有序组合等，营造出简洁而时尚的视觉效果，增强产品的品牌形象。

室内设计。在室内设计领域，装饰图形广泛应用于墙面、地面、天花板等各个界面，以及家具、织物等软装元素上。例如，在欧式风格的室内设计中，常常会在墙面上运用精美的石膏雕花装饰图形，营造出华丽、典雅的氛围；在中式风格的室内空间中，可能会采用传统的回纹、万字纹等装饰图形，通过木雕、瓷砖拼贴等形式应用于门窗、隔断等部位，展现出浓厚的文化韵味。在现代简约风格的室内设计中，一些抽象的装饰图形，如几何图案的地毯、简约线条的装饰画等，也能为空间增添艺术感和趣味性。

服装设计。装饰图形在服装设计中起着重要的作用，能够体现服装的风格、个性和时尚感。例如，在民族风的服装设计中，常常会运用具有民族特色的图案，如苗族的刺绣图案、蒙古族的图腾纹样等，这些装饰图形不仅展示了不同民族的文化特色，还使服装具有独特的艺术魅力。在时尚潮流的服装设计中，设计师会根据当季的流行趋势，运用各种新颖的装饰图形，如抽象的涂鸦图案、夸张的动物纹等，吸引消费者的关注，展现服装的时尚个性。

（三）创作手法

传统图案借鉴。从丰富的传统图案资源中汲取灵感，如中国的传统吉祥图案、埃及的壁画图案、欧洲的巴洛克和洛可可风格图案等。通过对传统图案的研究和分析，提取其精华部分，并结合现代设计理念和审美需求进行创新应用。例如，将中国传统的如意纹进行简化和变形，运用到现代的首饰设计中，使其既保留传统的文化韵味，又符合现代的时尚审美。

现代构成手法。运用现代平面构成的原理和方法，如重复、渐变、发射、对比等，创造出具有现代感的装饰图形。例如，通过线条的重复排列和渐变处理，形成富有节奏感和韵律感的装饰图案，可应用于墙面装饰或服装面料设计。利用发射构成的原理，设计出以一个中心点为发散源的装饰图形，用于包装的中心位置，吸引消费者的注意力。

材料与工艺创新。结合不同的材料和工艺特点，创造出独特的装饰图形效果。例如，利用 3D 打印技术可以制作出具有立体效果的装饰图形，应用于产品包装或室内装饰品设计中。在服装设计中，通过激光切割、刺绣、印染等工艺，将各种图案呈现在面料上，创造出丰富多样的装饰效果。同时，不同材料的质感也能为装饰图形增添独特的魅力，如金属材质的光泽、木质材料的纹理等。

综上所述，图形语言的具象、抽象、意象和装饰这四种表达方式，在视觉传达设计中各有其独特的特点和应用场景。设计师需要根据设计目标、受众需求和文化背景等因素，灵活选择和运用不同的图形表达方式，以创造出具有吸引力、感染力和有效传达信息的设计作品。无论是直观的具象图形、富有想象空间的抽象图形、蕴含情感与寓意的意象图形，还是注重形式美感的装饰图形，都在视觉传达设计中发挥着不可或缺的作用，共同构成了丰富多彩的图形创意世界。

第二节 图形创意与文化符号的结合

一、文化符号概述

（一）文化符号的定义与内涵

文化符号是一个国家、民族或群体在长期的历史发展过程中形成的，能够代表其独特文化特征、价值观和精神内涵的象征物。它可以是具体的实物，如中国的长城、埃及的金字塔；也可以是抽象的概念、图案或艺术形式，如中国的书法、西方的十二星座等。这些符号承载着丰富的文化信息，是文化传承和交流的重要载体。例如，春节作为中国最重要的传统节日，是一个典型的文化符号，它蕴含着团圆、祈福、辞旧迎新等丰富的文化内涵，通过一系列与之相关的习俗，如贴春联、吃年夜饭等，展现出中华民族独特的文化价值观。

（二）文化符号的分类

物质文化符号。这类符号以具体的物质形态存在，是文化的直观体现。它们往往具有独特的造型、材质和工艺，反映了特定时期和地域的文化特色。例如，中国的陶瓷，以其精美的造型、细腻的质地和绚丽的色彩，成为中国文化的重要象征。不同朝代的陶瓷制品，如唐代的三彩、宋代的青瓷、明代的青花瓷等，不仅是实用的器具，更承载了当时的审美观念、工艺水平和社会风貌。又如，意大利威尼斯面具，作为当地狂欢节的重要元素，其造型多样、色彩斑斓，体现了威尼斯独特的历史文化和艺术风格。

行为文化符号。行为文化符号通过人们的行为活动和传统习俗表现出来。它们是在特定文化背景下形成的行为模式，具有一定的规范性和传承性。例如，巴西的狂欢节，人们身着华丽的服饰，伴随着热情奔放的桑巴音乐尽情舞蹈，这种盛大的庆祝活动成为巴西文化的标志性符号，展现了巴西人民热情、乐观的性格特点。又如，日本的茶道，从茶室布置、茶具选用到泡茶、品茶的每一个环节，都遵循着严格的礼仪规范，体现了日本文化中对“和、敬、清、寂”的追求。

精神文化符号。精神文化符号是抽象的概念、信仰、价值观等在文化层面的象征表达。它们通常以语言、文字、艺术作品等形式存在，是一个民族或群体精神世界的核心体现。例如，儒家思想作为中国传统文化的重要组成部分，其倡导的“仁、义、礼、智、信”等价值观，成为中华民族的精神文化符号，影响了中国人的思维方式、行为准则和社会秩序。又如，基督教中的十字架，作为重要的宗教符号，代表着救赎、信仰和神圣，在西方文化中具有深远的影响。

（三）文化符号的特征

独特性。每个文化符号都具有独特的形态、内涵和象征意义，使其区别于其他文化符号。这种独特性源于不同地域、历史、宗教等因素的影响。例如，中国的龙文化源远流长，龙在中国文化中象征着吉祥、权威和力量，其形象独特，与西方文化中恶龙的形象截然不同。这种独特的文化符号反映了中国人民对美好生活的向往和对权威的尊崇，是中华民族文化的独特标识。

传承性。文化符号在历史的长河中得以传承和延续，它们承载着先辈们的智慧和经验，是传统文化的重要组成部分。通过代代相传，文化符号不断强化和丰富，成为连接过去与现在的桥梁。例如，中国的剪纸艺术作为一种古老的民间艺术形式，从古代流传至今。它以其独特的造型和丰富的寓意，在不同地区和民族中传承发展，不仅是人们表达情感和祝福的方式，更是中国传统文化的活化石。

认同性。文化符号能够唤起同一文化群体成员的认同感和归属感。当人们看到或接触到熟悉的文化符号时，会产生情感共鸣，意识到自己与群体的紧密联系。例如，对于海外华人来说，春节的各种文化符号，如红色的春联、喜庆的鞭炮声等，能够让他们在异国他乡感受到浓浓的家乡氛围，增强其对中华民族的认同感和归属感。同样，奥林匹克五环标志作为全球体育文化的重要符号，能够让不同国家和地区的人们在体育赛事中找到共同的情感纽带，促进文化交流与融合。

二、图形创意与文化符号结合的意义

（一）丰富图形创意的内涵

将文化符号融入图形创意中，为图形赋予深厚的文化底蕴。文化符号所承载的历史、故事、价值观等元素，使图形不再仅仅是简单的视觉形象，而是成为文化的传播载体。例如，在设计一款以中国传统文化为主题的海报时，运用太极八卦等文化符号进行图形创意。太极八卦蕴含着中国古代哲学中关于阴阳平衡、宇宙万物变化的思想，通过运用图形的变形、重构等创意手法，如将八卦的线条与现代简约的几何图形相结合，不仅使海报具有独特的视觉效果，更能传达出中国传统文化中深邃的哲学观念，让观众在欣赏图形的同时，感受到文化的魅力。

（二）增强文化的传播与传承

在全球化的时代背景下，图形作为一种直观、通用的视觉语言，能够跨越语言和文化的障碍，有效地传播文化信息。将文化符号与图形创意相结合，可以使文化以更加生动、有趣的方式呈现在大众面前，吸引更多人对文化的关注和了解。例如，一些以中国传统节日为主题的动画短片，将春节、中秋节等节日中的文化符号，如红包、月饼等，通过富有创意的图形设计和动画表现手法，制作成精美的动画作品，在网络平台上广泛传播。这些作品不仅受到国内观众的喜爱，也让国外观众对中国传统节日文化有了更直观的认识，促进了中国文化的国际传播。同时，这种结合也有助于文化的传承，让年轻一代在接触现代设计的过程中，了解和认识本土文化符号，增强对传统文化的认同感和传承意识。

（三）提升品牌的文化价值

在品牌设计中，将文化符号与图形创意相结合，可以为品牌注入独特的文化内涵，提升品牌的文化价值和竞争力。文化符号所蕴含的情感和价值观能够与消费者产生共鸣，使消费者在购买产品或服务时，不仅获得了物质上的满足，还得到了精神上的认同。例如，茅台作为中国著名的白酒品牌，在其包装设计和品牌宣传中，巧妙地运用了中国传统文化中的龙、印章等文化符号。龙在中国文化中象征着尊贵、吉祥，印章则代表着权威和信誉。这些文化符号与茅台的品牌形象相结合，使茅台不仅是一种白酒产品，更成为中国传统文化和高品质的象征，提升了品牌在国内外市场的文化价值和美誉度。

（四）促进多元文化的交流与融合

不同文化背景下的文化符号各具特色，通过图形创意将它们结合在一起，可以促进多元文化的交流与融合。在全球化背景下，设计师常常会借鉴不同文化的符号元素，创造出具有跨文化意义的图形作品。例如，在一些国际艺术展览或文化交流活动的海报设计中，设计师会将东方的书法元素与西方的现代艺术图形相结合，创造出既具有东方文化韵味又符合西方审美观念的作品。这种融合不仅丰富了图形创意的表现形式，也为不同文化之间的相互理解和交流搭建了桥梁，促进了文化的多元发展。

三、图形创意与文化符号结合的方式

（一）直接应用

直接应用是指将文化符号以相对完整、直观的形式应用于图形创意中。这种方式能够最大程度地保留文化符号的原始形态和象征意义，让观众一眼就能识别出其所代表的文化内涵。例如，在一些旅游宣传海报中，常常直接使用当地著名的文化景点作为图形元素。如宣传北京的海报，会将故宫的宏伟建筑作为主体图形，故宫作为中国明清两代的皇家宫殿，是中国古代建筑艺术的杰出代表，也是中国历史文化的重要象征。通过直接展示故宫的形象，能够迅速传达出北京丰富的历史文化底蕴，吸引游客的兴趣。又如，在一些传统节日的贺卡设计中，会直接运用与节日相关的文化符号，如春节贺卡上直接绘制红色的“福”字、喜庆的鞭炮，让收卡人感受到浓厚的节日氛围。

（二）变形与重构

变形与重构是对文化符号的形态进行创意性的改变和重新组合，以创造出新颖独特的图形。这种方式在保留文化符号基本特征的基础上，通过夸张、简化、扭曲、拼接等手法，赋予文化符号新的视觉形象和意义。例如，在设计一款以中国传统戏曲文化为主题的系列海报时，设计师可以对戏曲脸谱进行变形与重构。将不同角色的脸谱特征进行提取，如将关羽脸谱的红色主色调与张飞脸谱的夸张线条相结合，再通过扭曲和变形的处理，使脸谱呈现出一种动态的、富有现代感的视觉效果。这种变形与重构后的图形，既保留了戏曲脸谱所代表的文化内涵，又展现出独特的创意和现代审美，吸引年轻一代对戏曲文化的关注。又如，在一些现代建筑设计中，设计师会对传统建筑的文化符号进行变形与重构，将中国传统四合院的布局结构进行抽象化处理，提取其方正、对称的特点，与现代建筑的玻璃、钢材等材质相结合，创造出既具有传统文化韵味又符合现代功能需求的建筑空间。

（三）寓意延伸

寓意延伸，是在理解文化符号原有寓意的基础上，通过图形创意对其寓意进行拓展和深化，赋予文化符号新的时代意义。这种方式需要设计师深入挖掘文化符号背后的文化内涵，并结合当下的社会现实、人们的需求和审美观念进行创意表达。例如，中国传统的如意文化符号，原本寓意万事如意、吉祥如意。在现代设计中，设计师可以将如意的造型与环保理念相结合，设计出一款以如意为原型的环保标志。将如意的头部设计成地球的形状，身体部分用绿色的线条表示，寓意着通过人们对环保的关注和行动，实现环保与如意的愿望。这种寓意的延伸不仅传承了如意的吉祥寓意，还使其与现代社会的环保主题相契合，为文化符号注入了新的活力。又如，在一些公益广告设计中，对传统的孝道文化符号进行寓意延伸，将古代孝子侍奉父母的场景进行图形化处理，并结合现代社会中老年人的生活需求，如陪伴、关爱等，传达出在现代社会中传承和弘扬孝道的重要性，使孝道这一传统文化符号在当代社会具有了新的现实意义。

（四）文化符号的融合

文化符号的融合是将来自不同文化背景或同一文化体系中不同类型的文化符号有机结合，创造出具有多元文化内涵的图形。这种融合可以是不同国家或民族文化符号的碰撞，也可以是同一文化中不同历史时期、不同领域文化符号的交织。例如，在设计一款国际文化交流活动的标志时，设计师可以将中国的书法元素与西方的油画笔触相结合。用书法的线条勾勒出抽象的人物形象，再用油画的色彩表现手法为其赋予丰富的色彩层次，象征着东西方文化的交流与融合。这种融合后的图形既展现了中国书法的韵味，又体现了西方油画的艺术魅力，传达出活动促进多元文化交流的主题。又如，在一些现代时尚设计中，设计师会将中国传统的丝绸文化符号与现代的科技元素相结合。将丝绸的柔软质感和精美的图案、电子设备的金属质感、简洁线条相融合，设计出具有时尚感的电子产品外壳或服饰配件，使传统文化符号在现代科技与时尚领域焕发出新的生机。

四、图形创意与文化符号结合的应用领域

（一）广告设计

在广告设计中，图形创意与文化符号的结合能够使广告更具吸引力和感染力，有效地传达产品或服务的信息，同时提升品牌的文化形象。例如，在一则宣传中国传统中药品牌的广告中，设计师运用了中国传统的阴阳五行文化符号。将五行中的金、木、水、火、土元素与中药的原材料、制作工艺等相结合，通过创意的图形设计，如用树木的图形代表木元素，象征中药的天然草本成分；用火的图形表示中药炮制过程中的火候控制。这种将文化符号与产品特点相结合的广告图形，不仅让消费者对中药的文化内涵和产品优势有了更深入的了解，还提升了品牌的文化底蕴和专业性。又如，在国际品牌的广告宣传中，为了更好地融入当地市场，常常会运用当地的文化符号。如可口可乐在中国的春节广告中，大量运用了中国传统的红色、剪纸、“福”字等文化符号，营造出浓郁的节日氛围，拉近了与中国消费者的距离，增强了品牌的亲和力和市场竞争力。

（二）包装设计

包装设计是产品与消费者直接接触的重要媒介，图形创意与文化符号的结合可以使包装更具特色和文化价值，吸引消费者的注意力，促进产品销售。例如，在一些地方特色食品的包装设计中，常常运用

当地独特的文化符号。如云南的普洱茶包装，会采用云南少数民族的图案、文字等文化符号，如傣族的孔雀图案、东巴文字等。这些文化符号不仅展现了云南丰富的民族文化特色，还使普洱茶的包装具有独特的地域文化魅力，提升了产品的附加值。又如，在一些高端礼品包装设计中，会运用具有传统文化内涵的符号，如中国传统的云纹、如意纹等，通过精致的图形设计和工艺处理，使包装显得高雅、大气，体现出礼品的高品质和文化价值。

（三）品牌形象设计

在品牌形象设计中，图形创意与文化符号的结合是塑造品牌独特个性和文化价值的重要手段。例如，华为作为中国的科技品牌，在其品牌标志的设计中融入了中国传统文化中的“菊花（象征高洁坚韧）”元素。标志的八个花瓣代表吉祥与繁荣，同时呼应对称美学，寓意平衡、和谐与发展，体现了华为在科技发展中追求创新与稳健的理念。这种将文化符号与品牌理念相结合的设计，使华为的品牌形象在全球市场中具有独特的文化辨识度和内涵。又如，一些具有历史传承的老字号品牌，如全聚德、瑞蚨祥等，在品牌形象设计中保留和强化了传统的文化符号，如全聚德的老字号招牌、传统的烤鸭图案等，这些文化符号成为品牌的重要资产，展现了品牌的悠久历史和深厚文化底蕴，增强了消费者对品牌的信任和忠诚度。

（四）文化创意产品设计

文化创意产品设计以文化为核心，通过创意手法将文化符号转化为具有实用价值和艺术价值的产品。图形创意与文化符号的结合在文化创意产品设计中起着关键作用。例如，故宫博物院推出的一系列文化创意产品，将故宫的建筑、文物等文化符号进行创意设计，转化为各种精美的文具、饰品、生活用品等。如以故宫角楼为原型设计的书签，将角楼的独特造型进行简化和艺术处理，用金属或木质材料制作而成，既保留了角楼的文化韵味，又具有实用价值。又如，一些以敦煌壁画为灵感的文化创意产品，将壁画中的飞天、瑞兽等文化符号通过图形创意应用于丝巾、抱枕、手机壳等产品上，使这些产品成为传播敦煌文化的载体，同时也满足了消费者对文化产品的个性化需求。

（五）空间设计

在空间设计领域，图形创意与文化符号的结合能够营造出具有独特文化氛围和个性的空间环境。例如，在一些主题餐厅的设计中，会根据餐厅的主题选择相应的文化符号进行图形创意设计。如以三国文化为主题的餐厅，会在墙面、地面、天花板等空间界面运用三国人物、兵器、战旗等文化符号进行图形创作，通过壁画、浮雕、灯光投影等形式展现出来，使顾客在就餐过程中仿佛置身于三国时期的文化氛围中。又如，在一些文化场馆的设计中，会将当地的历史文化符号融入空间设计。如西安的陕西历史博物馆，其建筑外观和内部空间的设计运用了大量的秦汉建筑元素，如斗拱、飞檐等文化符号，通过现代的建筑材料和设计手法进行演绎，营造出庄重、古朴的文化氛围，与馆内丰富的历史文物相得益彰，让观众在参观过程中更好地感受历史文化的魅力。

综上所述，图形创意与文化符号的结合在视觉传达设计中具有重要的意义和广阔的应用前景。通过巧妙地运用各种结合方式，将文化符号融入图形创意中，不仅能丰富图形的内涵，增强文化的传播与传承，提升品牌的文化价值，促进多元文化的交流与融合，还能在广告、包装、品牌形象、文化创意产品和空间设计等多个领域创造出具有独特魅力和价值的设计作品。在全球化和文化多元化的时代背景下，设计师应深入挖掘和研究文化符号的内涵与价值，不断创新图形创意的表现手法，使图形创意与文化符号的结合成为推动文化发展和设计创新的强大动力。

第三节 图形设计中的叙事性表达

一、图形叙事性表达的概念与意义

（一）概念阐释

图形设计中的叙事性表达，是指通过图形元素、色彩、构图等视觉语言，以类似于讲故事的方式，向观众传达特定的信息、情感、观念或情节。它不同于文字叙述，图形叙事更依赖于直观的视觉形象，通过巧妙的创意组合，引发观众的联想和解读，使他们在视觉体验过程中理解和感受设计师想要传达的内容。例如，在一幅环保主题的海报中，设计师可能会将干裂的土地、枯竭的树木以及一只绝望的小鸟等图形元素组合在一起，无须文字说明，观众就能从中感受到环境破坏带来的危机，这就是图形叙事性表达的体现。

（二）在视觉传达中的重要意义

增强信息传达效果。在信息爆炸的时代，单纯的文字信息很容易被淹没，而图形的直观性和生动性使其能够快速吸引观众的注意力。叙事性表达可将复杂的信息转化为易于理解的图形故事，使信息传达更加高效。比如，在科普宣传中，对于一些抽象的科学原理，用图形讲述其发展历程或应用场景，比单纯的文字描述更能被大众理解。

引发情感共鸣。图形叙事能够通过营造特定的氛围和情节，触动观众的情感。当观众在图形中看到与自己生活经历、价值观相关的元素时，会产生强烈的情感共鸣。例如，在公益广告中展现贫困儿童渴望知识的眼神和艰苦的学习环境，能唤起观众的同情和帮助的意愿。

塑造独特品牌形象。品牌通过图形叙事可以传达其理念、历史和文化，从而塑造独特的品牌形象。例如，可口可乐的广告图形常常围绕快乐、分享的主题叙事，让消费者在看到相关图形时，就能联想到品牌积极向上的形象，从而增强对品牌的认同感和忠诚度。

突破文化与语言障碍。图形是一种全球性的视觉语言，不受文化和语言的限制。叙事性图形能够跨越地域和文化差异，将信息传递给不同背景的人。例如，奥运会的会徽和相关宣传图形，以简洁而富有叙事性的设计，向全世界传达了体育精神和举办地的特色文化。

二、图形叙事性表达的构成要素

（一）图形

主体图形。主体图形是图形叙事的核心，它承载着主要的情节和信息。主体图形的选择要与叙事主题紧密相关，并且具有较强的视觉吸引力。例如，在一则宣传保护海洋生物的广告中，一只被困在塑料垃圾中的海龟可以作为主体图形，直观地展现海洋污染对生物的危害，引发观众对主题的关注。

辅助图形。辅助图形围绕主体图形展开，起到补充、说明和烘托氛围的作用。它们可以丰富画面内容，使叙事更加完整。在上述海洋保护广告中，周围漂浮的各种塑料垃圾、浑浊的海水等图形元素，作为辅助图形，进一步强化了海洋污染的场景，让观众更深刻地感受到问题的严重性。

象征图形。象征图形是具有特定象征意义的图形元素，能够以简洁的方式传达抽象的概念和情感。例如，鸽子常常象征着和平，在和平主题的图形设计中，鸽子的形象可以引发观众对和平的联想。在不同文化中，象征图形可能具有不同的含义，设计师需要充分考虑目标受众的文化背景，准确运用象征图形进行叙事。

（二）色彩

色彩的情感暗示。色彩具有强烈的情感属性，不同的颜色能够引发不同的情感反应，从而影响图形叙事的氛围和情感基调。例如，红色通常代表热情、活力，但也可能暗示危险；蓝色常与冷静、理智相关，也能传达出孤独或冷漠。在设计一件关于儿童成长的图形叙事作品时，使用明亮鲜艳的色彩，如黄色、橙色等，可以营造出活泼、快乐的氛围；而在表达悲伤或沉重的主题时，可能会选择灰暗、深沉的颜色，如黑色、深灰色等。

色彩的叙事引导。色彩可以引导观众的视线，帮助构建图形叙事的逻辑顺序。通过色彩的对比和变化，突出重要元素，引导观众按照设计师的意图理解故事。例如，在一幅讲述历史事件的图形作品中，将关键人物或情节用鲜明的色彩突出显示，而次要元素使用相对暗淡的颜色，使观众更容易聚焦于核心内容，理解事件的发展脉络。

（三）构图

构图的形式法则。构图遵循一定的形式法则，如对称、均衡、对比、节奏等，这些法则影响着图形叙事的稳定性、动态感和节奏感。对称构图给人一种稳定、庄重的感觉，适合表达严肃、正式的主题；而对比构图，通过图形的大小、形状、颜色等的对比，增强画面的张力，使叙事更具冲击力。例如，在一幅宣传反对战争的海报中，采用对比构图，将战争的破坏场景（如废墟、硝烟）与和平的象征（如白鸽、鲜花）并置，形成强烈的视觉反差，突出反战主题。

构图的空间布局。构图的空间布局决定了图形元素之间的位置关系和层次，从而影响叙事的顺序和深度。合理的空间布局可以使图形叙事更加清晰、有条理。例如，运用前景、中景和背景的层次划分，将重要的主体图形置于中景，吸引观众的注意力，同时通过前景和背景交代环境和情节，使叙事更加丰富和立体。

三、图形叙事性表达的常见方式

（一）连续式叙事

形式特点。连续式叙事通过一系列相互关联的图形，按照时间顺序或情节发展依次展示，类似于连环画的形式。每个图形都是故事的一个片段，它们之间存在着紧密的逻辑联系，共同构成一个完整的故事。例如，在一本儿童绘本中，通过多页的图形展示，讲述一个小动物的冒险旅程，从出发、遇到困难、解决问题到最终的收获，每一页的图形都推动着故事的发展。

应用场景。连续式叙事常用于需要详细讲述一个过程或情节的设计中，如产品使用说明、历史故事插画、教育科普读物等。在产品使用说明中，以连续的图形展示产品的组装步骤、操作方法等，使消费者能够清晰地了解如何使用产品。在历史故事插画中，通过连续的图形描绘历史事件的发展过程，让读者更直观地感受历史的变迁。

（二）片段式叙事

形式特点。片段式叙事选取故事中最具代表性、最能体现主题的几个片段进行展示，不追求情节的完整性，而是通过这些片段的组合，引发观众的联想，让他们在脑海中构建出完整的故事。这些片段之间可能存在时间和空间的跳跃，但它们都围绕着一个核心主题。例如，在一幅关于城市生活的海报中，设计师选取了上班族在地铁上的疲惫面容、街头艺人的精彩表演、公园里老人悠闲的身影等几个片段，通过这些片段展现城市生活的多样性和丰富性。

应用场景。片段式叙事适用于需要在有限的空间或时间内传达丰富信息的设计，如海报设计、广告短片的画面创意等。在海报设计中，由于空间有限，片段式叙事可以快速抓住观众的注意力，激发他们对主题的兴趣。在广告短片中，运用片段式叙事可以在短时间内传达产品的多个特点或品牌的多元形象。

（三）隐喻式叙事

形式特点。隐喻式叙事是将抽象的概念、情感或主题用具体的图形进行隐喻表达，使观众通过对图形的解读理解其背后隐藏的意义。隐喻式叙事不直接陈述故事，而是通过象征、暗示等手法引导观众思考。例如，在一幅关于时间流逝的图形作品中，用沙漏、白发老人和破旧的钟表等图形元素，隐喻时间如同沙漏中的沙子，不断流逝，生命在时间的长河中逐渐消逝。

应用场景。隐喻式叙事常用于需要传达深刻思想、情感或抽象概念的设计中，如文化艺术作品、公益广告等。在文化艺术作品中，隐喻式叙事可以增加作品的艺术深度和内涵，引发观众的思考和共鸣。在公益广告中，通过隐喻式叙事可以将一些复杂的社会问题或道德观念以更易于接受的方式传达给观众。

（四）交互式叙事

形式特点。交互式叙事强调观众的参与和互动，观众不再是被动的信息接收者，而是可以通过与图形的互动，如点击、触摸、移动等操作，改变图形的状态，触发不同的情节，从而影响故事的发展和结局。

例如，在一些数字艺术作品或互动式广告中，观众可以通过手机屏幕滑动图形，解锁不同的画面，了解产品的更多信息或故事的后续发展。

应用场景。交互式叙事主要应用于数字媒体设计领域，如移动应用界面设计、虚拟现实和增强现实体验设计等。在移动应用界面设计中，交互式叙事可以增强用户的参与度和趣味性，从而提升用户体验。在 虚拟现实 和 增强现实体验设计中，交互式叙事能够让用户身临其境地感受故事，增强故事的沉浸感和吸引力。刘华坤在《数字媒体时代的视觉传达设计创新研究》（2019）中，以本土化实践为切入点，将数字媒介中的视觉传达艺术元素解构为“传统文化符号的数字化转译与交互性重生”。研究指出，动态设计与交互技术（如 H5 页面、虚拟展馆）通过时空延展与用户参与，重构了传统艺术元素的表现维度——例如水墨动画中“留白”转化为交互触发式的虚实节奏，年画图案通过 AR 扫描触发民俗故事的多层叙事。

四、图形叙事性表达在不同领域的应用

（一）广告设计

产品推广广告。在产品推广广告中，图形的叙事性表达能够生动地展示产品的特点、优势和使用场景，从而激发消费者的购买欲望。例如，一款运动饮料的广告通过图形讲述了一位运动员在比赛中感到疲惫，但饮用该饮料后迅速恢复活力，最终取得胜利的故事。这种叙事性的图形设计，让消费者直观地感受到产品对提升运动表现的作用。

品牌形象广告。品牌形象广告通过图形叙事传达品牌的价值观、文化内涵和个性特点，塑造品牌形象。例如，苹果公司的广告图形常常围绕简洁、创新、高品质的主题叙事，展示其产品的简洁外观设计、强大的功能以及对用户生活方式的改变，强化消费者对品牌的认同感和忠诚度。

（二）包装设计

产品故事呈现。包装设计可以通过图形叙事讲述产品的来源、制

作工艺、品牌历史等故事，增加产品的文化内涵和附加值。例如，一些传统手工食品的包装，用图形展示食品的制作过程，从原料的选取、传统工艺的加工到成品的呈现，让消费者在购买产品时，不仅获得物质享受，还能了解产品背后的故事。

引导消费体验。通过图形叙事引导消费者对产品的使用体验进行想象，提高消费者对产品的期待值。例如，一款香薰蜡烛的包装，用温馨的卧室场景、摇曳的烛光和放松的人物形象等图形元素，营造出使用蜡烛时的舒适氛围，让消费者在购买前就对产品的使用体验产生美好的憧憬。

（三）插画设计

儿童插画。儿童插画以其丰富的想象力和生动的图形叙事，为孩子们打开了一个充满奇幻色彩的世界，同时起到教育和启发的作用。例如，在儿童绘本《小红帽》中，插画师通过精美的图形，生动地描绘了小红帽与大灰狼的故事，帮助孩子们理解故事内容，培养他们的阅读兴趣和想象力。

成人插画。成人插画在表达复杂情感、思想和社会现象方面具有独特的优势。例如，一些插画作品以社会现实为主题，通过图形叙事揭示社会问题，如环境污染、贫富差距等，引发成年人的思考和关注。

（四）网页与界面设计

用户引导与交互。在网页和界面设计中，图形叙事可以引导用户的操作流程，帮助用户更好地理解和使用产品。例如，通过图形化的导航栏、提示信息和操作引导，以叙事的方式告诉用户如何浏览网站、完成注册、使用功能等。同时，交互式叙事在界面设计中的应用，如点击按钮后出现的动画反馈，增强了用户与界面的互动性和趣味性。

品牌故事传达。网页和界面设计也是传达品牌故事和形象的重要平台。通过首页的轮播图、品牌介绍页面的图形展示等，以叙事的方式向用户介绍品牌的发展历程和产品特色等，增强用户对品牌的认知和好感。

（五）动画设计

故事讲述与情感传递。动画作为一种以图形为主要表现形式的艺术，通过连续的图形叙事，能够生动地讲述故事，传递丰富的情感。例如，迪士尼的动画电影，以精彩的剧情和精美的画面，讲述了许多充满爱、勇气和梦想的故事，深受全球观众的喜爱。动画中的角色形象、场景设计和情节发展都通过图形叙事展开，让观众沉浸在故事中，感受角色的喜怒哀乐。

主题表达与文化传播。动画可以通过图形叙事表达深刻的主题，传播不同的文化。例如，中国的动画《大闹天宫》，以中国传统神话故事为蓝本，通过独特的中国风格图形设计，如京剧脸谱式的人物造型、传统的色彩运用等，讲述了孙悟空反抗权威、追求自由的故事，不仅传达了中国传统文化中的反抗精神和英雄主义，还向世界展示了中国传统艺术的魅力。

五、图形叙事性表达的设计要点与发展趋势

（一）设计要点

明确叙事目标。在进行图形叙事性表达设计之前，设计师必须明确想要传达的信息、情感或观念，确定叙事的主题和目标受众。只有明确了叙事目标，才能选择合适的图形元素、色彩和构图方式，确保叙事的准确性和有效性。

简化与提炼。为了使图形叙事更加清晰易懂，设计师需要对复杂的故事内容进行简化和提炼，抓住核心情节和关键元素，避免图形过于繁杂而分散观众的注意力。简洁的图形语言能够更快速地传达信息，引发观众的共鸣。

考虑受众的理解能力。不同文化背景、年龄层次和生活经历的受众对图形叙事的理解能力和理解方式存在差异。设计师要充分考虑目标受众的特点，选择他们熟悉的图形元素、象征意义和叙事方式，确保观众能够准确理解图形所传达的故事。

保持创意与个性。在众多的图形设计作品中，要想脱颖而出，就

需要保持创意和个性。设计师应不断挖掘新颖的叙事角度和表现手法，结合独特的图形创意，使图形叙事更具吸引力和独特性。

（二）发展趋势

数字化与互动化的深化。随着数字技术的不断发展，图形叙事性表达将更加注重数字化和互动化。未来的图形设计可能会更多地结合虚拟现实、增强现实、人工智能等技术，为观众带来更加沉浸式、个性化的叙事体验。例如，观众可以通过佩戴 VR 设备，身临其境地参与到图形叙事的故事中，根据自己的选择改变故事的走向。

跨媒介融合。图形叙事不再局限于单一的媒介形式，而是会与多种媒介进行融合。例如，一个品牌的图形叙事可能会同时在广告、包装、社交媒体、线下活动等多个渠道展开，形成全方位、多层次的叙事体系。不同媒介之间相互补充、相互呼应，强化品牌故事的传播效果。

情感化与个性化定制。随着消费者对于个性化和情感化体验的需求不断增加，未来的图形叙事将更加注重满足个体的情感需求，通过大数据分析和人工智能技术，为不同的消费者提供个性化的图形叙事内容。例如，根据消费者的兴趣爱好、购买历史等信息，推送定制化的广告图形叙事，使消费者更容易产生情感共鸣。

环保与社会主题强化。随着人们对环境保护、社会公平等问题的关注度不断提高，图形叙事性表达将更多地围绕这些主题展开。设计师将通过图形故事，唤起公众对这些问题的关注和行动意识，推动社会可持续发展。

综上所述，图形设计中的叙事性表达是一种强大而富有魅力的视觉传达方式。它通过图形元素、色彩、构图等构成要素，以连续式、片段式、隐喻式、交互式等多种叙事方式，在广告、包装、插画、网页与界面、动画等多个领域发挥着重要作用。在设计过程中，设计师需要把握明确叙事目标、简化提炼、考虑受众理解和保持创意个性等要点，同时关注数字化与互动化深化、跨媒介融合、情感化与个性化定制以及环保与社会主题强化等发展趋势。通过不断创新和探索，图形的叙事性表达将在视觉传达设计中创造出更加精彩的故事，为观众带来独特的视觉体验和深刻的思想感悟。

Visual

Communication

第六章
排版设计与艺术元素的结合

第一节
排版的视觉结构与动态平衡

第二节
字体设计的艺术性与传达性

第三节
版式设计中的空间与节奏

第一节 排版的视觉结构与动态平衡

一、排版视觉结构的基础认知

（一）视觉结构的概念

排版的视觉结构是指在版面中，各种元素（文字、图像、图形等）依据一定的规律和原则进行组织、排列，形成的一种能够引导观众视线移动，并使信息有序传达的架构。它如同建筑的框架，决定了整个版面的布局和信息呈现方式。例如，在一本杂志的页面排版中，标题、正文、图片等元素如何分布，它们之间的比例关系、位置关系等，共同构成了该页面的视觉结构。这种结构并非随意形成，而是经过精心设计，以确保信息能够清晰、有效地传达给读者，同时给予读者良好的视觉感受。

（二）视觉结构的重要性

1. 引导信息传达

合理的视觉结构能够引导观众按照设计师预期的顺序浏览信息，突出重要内容，使信息传达更加高效。比如在一份产品说明书中，将产品的特点、使用方法、注意事项等信息进行有序排列，形成清晰的视觉结构，消费者可以快速找到自己需要的内容。如果没有清晰的视觉结构，信息可能会显得杂乱无章，导致读者难以理解和获取关键信息。

2. 塑造视觉美感

一个具有良好视觉结构的版面能够给人带来美的享受。它通过元素的合理布局、比例协调以及空间的巧妙运用，营造出和谐、舒适的视觉效果。以海报设计为例，恰当的视觉结构可以使画面中的各种元素相互呼应，形成独特的视觉韵律，吸引观众的注意力并使其产生愉悦的视觉体验。

3. 体现设计意图

视觉结构是设计师表达设计理念和意图的重要手段。不同的设计项目，如商业广告、文化宣传、艺术作品等，都有其特定的目的和想要传达的核心信息。设计师通过构建特定的视觉结构，将这些意图融入版面设计中，使观众能够直观地感受到设计背后的意义。例如，在一个强调环保主题的宣传海报中，设计师可能会采用简洁、自然的视觉结构，以突出环保理念的纯粹和质朴。

二、常见的排版视觉结构类型

（一）骨骼型

1. 结构特点

骨骼型排版是一种较为严谨、规范的结构形式，它以类似于骨骼的框架来组织版面元素。这种框架通常由水平和垂直的线条构成，将版面划分成大小不同、形状规则的区域，元素则被有序地放置在这些区域内。骨骼型排版具有很强的秩序感和稳定性，能够使版面看起来整齐、清晰。例如，常见的书籍内页排版，通常会采用骨骼型结构，将正文放置在固定的文字区域内，页码、页眉、页脚等元素也都有固定的位置，给人一种规整、有序的感觉。

2. 应用场景

骨骼型排版广泛应用于需要呈现大量信息且要求信息清晰、有条理的设计项目中，如书籍、杂志、报纸、网页等。在网页设计中，许多新闻网站采用骨骼型排版，将不同板块的新闻内容、图片、导航栏等元素按照一定的骨骼框架进行排列，用户可以轻松地浏览和查找所需信息。在杂志排版中，骨骼型结构可以帮助设计师合理安排文章标题、正文、图片等元素，使杂志页面既丰富又不失秩序。

（二）满版型

1. 结构特点

满版型排版是指整个版面被单一的图像或图形所占据，文字则通常以简洁的方式放置在图像的某个区域，如顶部、底部或边缘位置。这种排版方式强调图像的视觉冲击力，通过大面积的图像来吸引观众的注意力，营造出强烈的视觉氛围。例如，在一些时尚品牌的宣传海报中，常常采用满版型排版，以一张极具视觉感染力的模特照片铺满整个版面，然后在画面的底部或角落添加品牌名称、宣传语等文字信息，使观众的注意力首先被精彩的图像吸引，进而关注到品牌信息。

2. 应用场景

满版型排版适用于需要突出视觉形象、传达强烈情感或营造特定氛围的设计场景，如广告海报、宣传画册、产品包装等。在产品包装设计中，一些高端化妆品或电子产品的包装会运用满版型排版，以精美的产品图片或富有创意的图形铺满包装表面，展现产品的魅力和品质，激发消费者的购买欲望。在广告海报设计中，满版型排版能够快速抓住路人的目光，有效地传达广告主题和品牌形象。

（三）分割型

1. 结构特点

分割型排版是将版面通过直线、曲线或不规则形状分割成不同的区域，然后在各个区域内分别放置文字、图像等元素。分割的方式可以是等比例分割，也可以根据内容的重要性和视觉需求进行非等比例分割。这种排版方式能够创造出丰富的层次感和节奏感，使版面具有一定的变化和活力。例如，在一个文化活动的海报设计中，可能会用一条倾斜的曲线将版面分割成上下两个区域，上方放置活动的主题文字，下方展示相关的图片或活动信息。这种分割方式使海报既有明确的信息分区，又不会显得过于呆板。

2. 应用场景

分割型排版常用于需要展示多个不同内容，但又希望保持版面整体协调的设计中，如展览海报、活动宣传页、网页的特定板块等。在展览海报设计中，可以将版面分割为不同区域，分别展示展览的主题、参展艺术家作品片段、展览时间地点等信息，通过合理的分割和布局，观众能够清晰地了解展览的各项内容。在网页设计中，分割型排版可以用于首页的不同功能区域划分，如将页面分割为导航区、产品展示区、新闻资讯区等，方便用户快速定位所需信息。

（四）中心型

1. 结构特点

中心型排版是将重要的元素（如标题、主体图像等）放置在版面的中心位置，其他元素围绕中心元素进行排列。这种排版方式能够突出中心元素，吸引观众的注意力，同时营造出一种稳定、庄重的视觉效果。例如，在一些企业的标志设计中，常常采用中心型排版，将企业的核心标识或名称置于中心，周围环绕一些辅助图形或装饰元素，从而强化品牌的核心地位。在海报设计中，中心型排版可用于突出活动的核心主题，如将活动的主题文字以醒目的字体和色彩放置在版面中心，周围搭配相关的装饰图形或次要信息，使观众一眼就能抓住海报的关键信息。

2. 应用场景

中心型排版适用于强调核心内容、突出主题或展现权威感的设计场景，如标志设计、活动海报、宣传册封面等。在活动海报设计中，如果活动的主题非常重要，需要引起观众的高度关注，那么中心型排版是一个不错的选择。在宣传册封面设计中，将宣传册的主题或品牌名称置于中心，能够使封面在众多宣传资料中脱颖而出，吸引读者进一步翻阅。

（五）倾斜型

1. 结构特点

倾斜型排版打破了传统的水平和垂直布局方式，使版面中的主要元素或整体结构呈现出倾斜的状态。这种排版方式能够为版面带来动感和活力，打破常规的视觉感受，吸引观众的注意力。例如，在一些运动品牌的广告设计中，常常会将产品图片或模特形象以倾斜的角度呈现，给人一种充满活力、动感十足的视觉体验，与运动品牌的特点相契合。倾斜的元素可以引导观众的视线沿着倾斜的方向移动，增强画面的视觉冲击力。

2. 应用场景

倾斜型排版常用于需要展现活力、动感、创新或突破的设计项目中，如运动品牌宣传、创意广告、时尚杂志等。在时尚杂志的内页排版中，为了体现时尚的多变和创新，可能会采用倾斜型排版，将模特的照片、时尚单品图片以及文字介绍等元素以倾斜的方式排列，营造出独特的时尚氛围，吸引追求潮流的读者。在创意广告设计中，倾斜型排版能够使广告在众多传统排版的广告中脱颖而出，吸引消费者的关注。

三、排版的动态平衡

（一）动态平衡的概念

排版的动态平衡是指在版面中，通过元素的布局、大小、色彩、重量等因素的相互协调，使版面既具有动态的视觉效果，又能保持整体的平衡感。它并非绝对的静止和对称，而是在动态变化中寻求一种平衡的状态。例如，在一幅海报中，画面的一侧可能放置了一个较大的、色彩鲜艳的图像，为了达到动态平衡，另一侧可能会用一些较小但数量较多的元素，或者用色彩相对较淡但具有一定视觉重量的元素来进行平衡，使整个画面在视觉上达到一种和谐的状态，既充满活力又不会让人感到失衡。

（二）实现动态平衡的要素

1. 元素的大小与数量

元素的大小和数量对动态平衡起着重要作用。较大的元素通常具有更大的视觉重量，能够吸引更多的注意力；而较小的元素则相对较轻。通过合理调整元素的大小和数量，可以实现动态平衡。例如，在一个版面中，将重要的标题以较大的字体展示在一侧，为了平衡画面，可以在另一侧放置一些较小的图标或装饰元素，并适当增加其数量，使两侧在视觉重量上达到平衡。

2. 色彩的运用

色彩的明度、纯度和色相都会影响元素的视觉重量。一般来说，明度高、纯度高的色彩视觉重量较大，而明度低、纯度低的色彩视觉重量较小。在排版中，要注意色彩的分布和搭配，以实现动态平衡。例如，在一个以蓝色为主色调的版面中，如果一侧使用了高纯度的蓝色来突出某个元素，那么在另一侧可以使用低纯度的蓝色或其他相对较轻的色彩元素进行平衡，避免画面出现色彩重心偏移的情况。

3. 空间的分布

空间的分布也是实现动态平衡的关键因素之一。合理的留白和元素之间的间距能够调整版面的视觉节奏和平衡感。如果版面的某一区域元素过于密集，会给人一种压抑的感觉，而另一区域适当留白，可以使画面呼吸顺畅，达到平衡。例如，在一个宣传页中，将主要内容集中在一侧，另一侧留出较大的空白区域，通过这种空间的分布方式，使版面既突出了重点内容，又保持了整体的平衡。

4. 元素的位置与方向

元素在版面中的位置和方向也会影响动态平衡。水平和垂直方向的元素通常给人一种稳定的感觉，而倾斜或旋转的元素则会带来动感。在排版时，要根据设计的需求，合理安排元素的位置和方向，使动态与平衡相互协调。例如，在一个展示舞蹈场景的海报中，将舞者的形象以倾斜和旋转的姿势呈现，为了保持平衡，可以在画面的边缘或底部放置一些水平或垂直的元素，如文字说明或装饰线条，使画面在动感中保持平衡。

四、视觉结构与动态平衡的关系及协同作用

（一）相互依存关系

视觉结构为动态平衡提供了框架和基础，不同的视觉结构类型决定了元素的基本布局方式，而动态平衡则是在这种布局基础上对元素进行进一步的调整和优化，以达到视觉上的和谐。例如，在骨骼型视觉结构中，元素已经按照一定的秩序分布在各个区域，但为了实现动态平衡，需要对每个区域内元素的大小、色彩等进行调整，使整个版面既保持骨骼型结构的秩序感，又具有动态平衡的视觉效果。反之，如果没有动态平衡的理念，仅仅依靠视觉结构，版面可能会显得呆板、缺乏活力。例如，满版型视觉结构若不考虑元素的动态平衡，单纯以大面积图像填充版面，可能会使画面过于单调，无法吸引观众的目光。

（二）协同作用提升设计效果

视觉结构与动态平衡的协同作用能够显著提升排版设计的效果。合理的视觉结构使信息有序呈现，方便观众理解和接收信息；而动态平衡则赋予版面活力和吸引力，使观众更容易产生兴趣并深入阅读。例如，在一本旅游杂志的排版中，采用分割型视觉结构将不同的旅游景点介绍、图片等内容进行清晰分区，对每个区域内元素的大小、色彩、位置等进行调整，实现动态平衡，可使页面既具有丰富的信息层次，又充满视觉吸引力，从而激发读者对旅游目的地的向往。在广告设计中，运用中心型视觉结构突出产品的核心特点，再通过动态平衡的手法，如调整周围元素的动态感和视觉重量，使广告既突出重点，又富有活力，从而更好地吸引消费者的注意力，达到宣传产品的目的。

五、案例分析：优秀排版案例中的视觉结构与动态平衡

（一）《国家地理》杂志排版

1. 视觉结构特点

《国家地理》杂志的排版常采用骨骼型与分割型相结合的视觉结构。在页面布局上，通过清晰的骨骼框架划分出正文区域、图片区域、标题区域等，使信息呈现井然有序。同时，会根据内容的不同，采用分割的方式对版面进行进一步处理，如将一幅大的地理图片与相关的文字介绍分割开来，或者将不同主题的小板块进行分割排列。这种结构能够充分展示杂志丰富的内容，包括精美的地理图片、深入的文字报道等，让读者在阅读时能够轻松地找到所需信息。

2. 动态平衡体现

在动态平衡方面，《国家地理》杂志注重图片与文字的搭配。杂志中的图片往往具有很强的视觉冲击力，为了平衡图片的视觉重量，会在图片周围合理安排文字内容，通过文字的疏密、字号大小等变化来调整视觉重心。例如，在一张占据大半版面的自然风光图片旁边，会以较小的字号、相对密集的排版方式放置图片的说明文字和相关的地理知识介绍，使画面在突出图片的同时，保持整体的平衡。此外，在色彩运用上，杂志会根据图片的色调来选择文字的颜色，以及对标题、页码等元素进行色彩搭配，确保整个页面在色彩上也达到动态平衡。

（二）苹果产品宣传海报排版

1. 视觉结构特点

苹果产品宣传海报多采用中心型视觉结构，将产品的主体形象置于版面中心位置，周围环绕一些简洁的文字信息和少量的装饰元素。这种结构能够突出产品的核心地位，让观众一眼就能聚焦到产品上，同时传达出简洁、高端的品牌形象。例如，在苹果手机的宣传海

报中，手机的高清图片会被清晰地展示在版面中心，周围搭配简洁的产品特点介绍、价格等文字信息，使消费者能够快速了解产品的关键信息。

2. 动态平衡体现

苹果产品宣传海报在动态平衡方面主要通过元素的大小对比和空间分布来实现。中心的产品图片通常占据较大的面积，具有较强的视觉吸引力，为了避免画面过于单调和重心失衡，周围的文字会以较小的字号、简洁的排版方式呈现，并且在空间上与产品图片保持一定的距离，形成疏密对比。此外，海报的色彩运用也非常简洁，以产品的颜色为主色调，搭配少量的辅助色用于文字和装饰，使整个画面在色彩上达到平衡，营造出简洁、和谐的视觉效果，体现了苹果品牌一贯的简约风格。

（三）可口可乐广告排版

1. 视觉结构

可口可乐的广告排版常常采用满版型与倾斜型相结合的视觉结构。充满活力和感染力的画面铺满整个版面，如一群年轻人在户外欢乐畅饮可口可乐的场景，给人强烈的视觉冲击。同时，画面中的人物、产品等元素会以倾斜的角度呈现，增强画面的动感。这种结构能够充分传达可口可乐品牌所倡导的活力、欢乐的理念，吸引消费者的注意力。

2. 动态平衡

在动态平衡方面，可口可乐广告注重色彩的运用和元素的布局。广告的主色调通常为可口可乐标志性的红色，这种高纯度、高视觉重量的颜色能够迅速吸引消费者的目光。为了平衡红色的强烈感，会搭配一些白色的文字和其他色彩相对较轻的元素，如蓝天、绿地等，使画面在色彩上达到平衡。在元素布局上，虽然人物和产品以倾斜的角度增强动感，但通过合理安排人物的位置和动作，以及产品的摆放方向，使画面整体在动态中保持平衡，不会让观众感到画面失重，从而有效地传达出品牌的活力形象。

综上所述，排版的视觉结构与动态平衡是排版设计中至关重要的两个方面。了解常见的视觉结构类型，并掌握实现动态平衡的要素和方法，以及理解它们之间的相互依存和协同作用，对于设计师创作出优秀的排版作品具有重要意义。通过分析实际案例，我们可以更直观地感受到视觉结构与动态平衡在设计中的具体应用和效果。在未来的设计中，随着技术的发展和审美观念的变化，排版的视觉结构与动态平衡将不断创新和发展，为我们带来更多精彩的设计作品。

第二节 字体设计的艺术性与传达性

一、字体设计的艺术性

（一）字体造型的艺术表现

1. 线条之美

字体的线条是构成其造型的基础元素，不同的线条形态赋予字体独特的性格。直线条简洁、硬朗，传达出坚定、稳重的感觉，常用于塑造专业、正式的字体风格。例如，在一些商务品牌的标志字体设计中，直线条的运用能展现企业的严谨与可靠。而曲线条则富有流畅性和动感，给人优雅、灵动的印象，在时尚、艺术相关的字体设计中较为常见。比如，时尚杂志的标题字体可能会运用柔和的曲线，营造出优雅、时尚的氛围。此外，折线的使用可增强字体的锐利感和节奏感，常用于突出个性或强调活力的设计场景。

2. 结构布局

字体的结构布局如同建筑的框架，决定了字体的整体形态和稳定性。合理的结构布局能使字体在视觉上达到和谐与平衡。例如，传统的宋体字，其结构严谨，笔画分布均匀，呈现出一种端庄、典雅的美感。而在现代字体设计中，设计师常常突破传统结构的束缚，通过夸张、变形等手法创造出新颖的结构形式。比如，将某些笔画进行省略或移位，使字体呈现出独特的空间感和趣味性，这种创新的结构布局常用于创意设计或吸引年轻受众的项目中。

3. 装饰元素

装饰元素是提升字体艺术性的重要手段，通过添加各种装饰细节，可使字体更具个性和艺术魅力。常见的装饰方式包括在笔画上添加花纹、图案，或对字体边缘进行特殊处理，如添加光影效果、立体效果等。例如，在一些传统节日的海报字体设计中，会融入具有节日特色的装饰元素，如春节字体可能会添加如意纹、祥云等元素，营造出浓厚的节日氛围。在品牌字体设计中，巧妙的装饰元素可以强化品牌形象，使字体与品牌的文化内涵相契合。

（二）字体与图形的融合艺术

1. 相互转化与替代

字体与图形的融合可以通过相互转化和替代的方式实现。设计师可以将字体的某些笔画替换为相关的图形元素，使字体既保留文字的可读性，又增添图形的直观性和趣味性。例如，在设计一个关于环保主题的字体时，将“绿”字的一点用树叶的图形替代，不仅生动地传达了环保的概念，还使字体更具视觉吸引力。反之，也可以将图形转化为字体的一部分，如将一只鸟的形状融入某个字的笔画中，使整个字仿佛是由图形自然演变而来。这种融合方式能够创造出独特的视觉效果，引发观众的联想和兴趣。

2. 共生与互补

字体与图形还可以通过共生与互补的方式融合，形成一个有机的整体。在这种融合中，字体和图形相互依存、相互补充，共同传达特定的信息或情感。例如，在设计一个旅游宣传海报的标题时，将字体的笔画与当地的特色建筑、风景图形相结合，使字体不仅是文字的呈现，更是对当地旅游特色的一种图形化表达。图形为字体增添了生动性和形象性，而字体则赋予图形明确的信息指向，两者相辅相成，使海报的主题更加突出，艺术感染力更强。

3. 创意图形化字体

创意图形化字体是将字体完全以图形的形式进行设计，使文字的含义通过图形的形态直观地展现出来。这种字体设计打破了传统文字的书写规范，以独特的图形创意来传达信息。例如，设计一个以“快乐”为主题的图形化字体，可能会将“快”字的笔画设计成跳跃的人形，“乐”字则用笑脸的图形来呈现，通过这种极具创意的图形化表达，让观众一眼就能感受到快乐的氛围，同时也体现了字体设计的艺术性和创新性。

（三）色彩赋予字体的艺术魅力

1. 色彩表达情感

色彩具有强大的情感表达能力，不同的色彩赋予字体不同的情感属性。红色字体充满活力与激情，常用于强调重要信息或营造热烈的氛围，如促销广告中的价格字体，红色能够迅速吸引消费者的注意力。蓝色字体通常传达冷静、专业的感觉，在科技、金融等领域的字体设计中较为常见，给人以可靠、值得信任的印象。绿色字体常与自然、健康相关联，在环保、养生等主题的设计中使用，能体现出清新、生机的感觉。黄色字体明亮醒目，具有警示或引人注意的作用，常用于提示性文字。通过合理选择字体的色彩，可以增强字体与设计主题的情感共鸣，提升字体的艺术感染力。

2. 色彩搭配与和谐

字体的色彩搭配同样重要，和谐的色彩搭配能使字体在版面中更加突出且富有美感。对比色搭配可以产生强烈的视觉冲击力，使字体更加醒目，如红色与绿色、蓝色与黄色的搭配，常用于吸引注意力的设计场景，但使用时需注意色彩的比例和纯度，避免过于刺眼。而邻近色搭配则能营造出柔和、协调的氛围，使字体与周围环境融为一体，给人舒适的视觉感受，如黄色与橙色、蓝色与紫色的搭配，常用于追求温馨、和谐效果的设计。此外，无彩色系（黑色、白色、灰色）与有彩色系的搭配也是常见的方式，无彩色系能突出有彩色系的鲜艳度，同时使画面具有现代感和简洁感。

3. 色彩层次感与立体感

通过运用色彩的层次和渐变效果，可以为字体增添立体感和空间感，提升字体的艺术表现力。例如，用渐变色填充字体，从浅到深或从一种颜色过渡到另一种相关颜色，能使字体呈现出丰富的视觉效果，仿佛具有光影变化。在字体的边缘添加阴影或高光效果，也能增强字体的立体感，使其在版面中更加突出。此外，通过色彩的前后叠加，营造出色彩的层次感，让字体仿佛在空间中具有前后关系，增强字体的视觉效果和趣味性。

二、字体设计的传达性

（一）准确传达信息

1. 易读性的重要性

字体设计的首要任务是确保信息能够准确、清晰地传达给受众，而易读性是实现这一目标的关键。易读性良好的字体能够让读者在快速浏览时轻松识别文字内容，减少阅读障碍。为了提高易读性，设计师需要选择合适的字体类型、字号和字距。例如，在正文排版中，通常会选择简洁、规整的字体，如宋体、黑体等，这些字体的笔画清晰、结构明确，便于阅读。字号的选择要根据阅读距离和受众群体来确定，对于远距离观看的户外广告，字号需要足够大，以保证清晰可读；而对于书籍内页的正文，字号则要适中，避免过大或过小影响阅读体验。字距的调整也很重要，过宽或过窄的字距都会影响文字的连贯性和易读性，合适的字距能使文字排列整齐、阅读流畅。

2. 避免歧义与误解

字体设计应避免因造型、结构或装饰等因素导致信息传达出现歧义或误解。一些过于复杂或独特的字体设计可能会使文字的识别度降低，特别是在传达重要信息时，应确保字体的形态不会干扰文字的准确表达。例如，在设计产品名称或重要说明文字时，应避免使用过于花哨或难以辨认的字体，以免消费者产生误解。此外，在多语言设计中，要注意不同语言文字的特点和阅读习惯，确保字体设计不会对传达不同语言的信息造成障碍。

3. 与内容相匹配

字体的风格和特点应与所传达的内容相匹配，以增强信息传达的准确性。例如，在设计儿童读物的字体时，应选择活泼、可爱的字体，如卡通风格的字体，以符合儿童的审美和阅读心理。而在设计学术论文或法律文件的字体时，则应选择严肃、规范的字体，如宋体、楷体等，以体现内容的专业性和权威性。对于创意性的内容，如艺术展览海报、广告宣传语等，可以使用更具个性和创意的字体，以突出内容的独特性和吸引力，但也要确保在创意的同时不影响信息的准确传达。

（二）引导视觉流程

1. 字体大小与层级关系

通过调整字体的大小来建立层级关系，是引导视觉流程的重要手段。在版面设计中，重要的信息，如标题、副标题等，通常使用较大的字号，以吸引读者的注意力，使其首先关注关键内容。而注释等次要信息则使用较小的字号，形成视觉上的主次分明。例如，在杂志封面设计中，杂志名称和当期重要文章的标题会用较大的字号突出显示，引导读者的目光聚焦于此；其他辅助信息，如日期、栏目名称等，则用较小的字号排列在周围，使读者在浏览封面时能够按照设计师预期的顺序获取信息。

2. 字体形态与方向

字体的形态和方向也能引导视觉流程。具有方向性的字体，如倾斜的字体或笔画有明显指向性的字体，能够引导读者的视线沿着特定的方向移动。例如，在设计一个具有动感的广告海报时，将标题字体设计成倾斜的形态，仿佛有向前奔跑的趋势，能够引导观众的视线随着字体的方向移动，增强画面的动感和吸引力。此外，不同字体形态的组合也能产生引导作用，如将粗体字与细体字搭配使用，粗体字更具视觉冲击力，能吸引读者的注意力，而细体字则可以引导读者进一步阅读相关的详细信息。

3. 色彩与位置引导

文字的色彩和位置同样对视觉流程有重要影响。醒目的色彩，如明亮的颜色或与背景色形成强烈对比的颜色，能够吸引读者的目光，使其首先关注到该文字所传达的信息。例如，在网页设计中，导航栏的字体通常会使用与背景色对比强烈的颜色，方便用户快速找到导航信息。文字的位置也能引导视觉流程，一般来说，位于版面上方或中心位置的字体更容易被注意到。设计师可以根据信息的重要性和想要引导的视觉顺序，合理安排文字的位置，使读者在浏览版面时能够自然地按照设计意图获取信息。

（三）传达文化与情感

1. 体现文化内涵

字体作为文化的载体，能够体现不同的文化内涵和地域特色。不同国家和民族都有其独特的文字和字体风格，这些字体反映了当地的历史、文化和审美观念。例如，中国的书法字体，如篆书、隶书、楷书、行书、草书等，各具特色，承载着丰富的中国传统文化内涵。篆书古朴典雅，隶书端庄大气，楷书规整严谨，行书流畅自然，草书奔放洒脱，设计作品中运用这些书法字体，可以传达出浓厚的中国文化气息。在西方，罗马体、哥特体等字体也具有深厚的文化底蕴，罗马体体现了古罗马的庄重与典雅，哥特体则带有中世纪的神秘与庄严。在设计中，选择具有特定文化内涵的字体，能够增强作品的吸引力。

2. 引发情感共鸣

字体设计能够通过其造型、色彩和风格等因素引发受众的情感共鸣。例如，温暖、圆润的字体风格可能会让观众感受到亲切、友好的情感，常用于儿童产品、温馨主题的设计中。而硬朗、锐利的字体则可能传达出坚定、自信的情感，适合用于强调力量和专业性的设计。在设计纪念性的作品时，可能会采用庄重、肃穆风格的字体，以引发人们对纪念对象的敬重和缅怀之情。准确把握目标受众的情感需求，运用合适的字体设计来唤起他们的情感共鸣，能够使设计更具感染力和影响力。

3. 塑造品牌情感

在品牌设计中，字体设计是塑造品牌情感和形象的重要元素。独特的品牌字体能够传达品牌的个性、价值观和情感诉求，使消费者在接触品牌时产生特定的情感联想。例如，可口可乐的标志字体以其流畅、动感的曲线和独特的造型，传达出快乐、活力的品牌情感，让消费者在看到标志时就能感受到品牌所倡导的积极向上的生活态度。苹果品牌的字体简洁、优雅，体现了品牌的简约、高端和创新的价值观，与苹果产品的设计理念相契合。精心设计的品牌字体能够在消费者心中建立起独特的品牌形象和情感连接，增强品牌的忠诚度和竞争力。

三、艺术性与传达性的平衡与融合

（一）平衡的重要性

1. 避免过度追求艺术性

在字体设计中，艺术性和传达性都至关重要，但两者之间需要保持平衡。过度追求艺术性可能会导致字体的易读性降低，信息传达出现障碍。例如，一些设计师为了追求独特的艺术效果，对字体进行过度的变形、装饰或使用过于复杂的图形融合，使文字难以辨认，虽然字体在艺术上可能具有创新性，但却无法有效地传达信息，违背了字体设计的初衷。因此，设计师在进行字体设计时，要时刻牢记传达信息是首要任务，不能为了艺术而牺牲易读性和信息的准确性。

2. 防止忽视艺术性

仅仅注重传达性而忽视艺术性，字体设计可能会显得平淡无奇，缺乏吸引力。在当今信息爆炸的时代，平淡的字体难以在众多设计中脱颖而出，也难以吸引受众的注意力。例如，一些普通的文档排版，仅使用常规的字体，没有任何艺术处理，虽然信息能够准确传达，但很难给人留下深刻的印象。因此，在保证信息准确传达的基础上，设计师需要通过运用各种艺术手段，如独特的造型、色彩搭配、图形融合等，提升字体的艺术性，使字体在传达信息的同时，能够给受众带来美的享受，增强设计的感染力。

（二）融合的方法与策略

1. 以传达为基础进行艺术创新

在字体设计中，应始终以信息传达为基础，在此之上进行艺术创新。设计师首先要明确设计的目的和受众，选择合适的字体类型和基本结构，确保易读性。然后，根据设计主题和想要传达的情感，逐步添加艺术元素，如对字体进行适度的变形、添加装饰细节或进行色彩调整等。例如，在设计一个文化活动的海报标题时，先选择一种适合文化主题的字体，如具有传统韵味的宋体或书法字体，保证文字清晰可读。然后，根据活动的特色和氛围，对字体进行艺术化处理，如将笔画与活动相关的图形元素相结合，或者运用色彩渐变来增强艺术感，使字体既准确传达活动信息，又具有独特的艺术魅力。

2. 保持简洁与适度

为了实现艺术性与传达性的融合，保持简洁与适度是关键。无论是字体的造型、装饰还是色彩运用，都不应过于复杂和烦琐。简洁的设计能够使文字信息传达更加清晰，同时也更容易体现出艺术的美感。例如，在设计品牌标志字体时，一些成功的品牌选择简洁的字体造型，通过巧妙的细节处理和色彩搭配来展现品牌的个性和艺术感。如耐克的标志字体，简洁的线条和独特的倾斜角度，既传达了品牌的动感和活力，又具有高度的识别性和艺术性。在字体装饰方面，适度的装饰能够提升字体的艺术价值，但过度装饰则可能导致信息传达受阻。因此，设计师要把握好简洁与适度的原则，使字体在艺术性与传达性之间达到完美的平衡。

3. 反复测试与优化

在字体设计过程中，反复测试与优化是确保艺术性与传达性融合的重要环节。设计师可以通过模拟不同的使用场景和受众群体，对字体进行测试，观察字体在不同环境下的可读性和视觉效果。例如，将设计好的字体应用到实际的海报、网页或包装等设计稿中，在不同的距离、角度和光照条件下进行观察，检查文字是否清晰可读，艺术效果是否达到预期。同时，可以收集目标受众的反馈意见，了解他们对字体的感受和理解，根据反馈对字体进行优化调整。通过不断地测试与优化，使字体在艺术性与传达性方面都能达到最佳状态，实现两者的完美融合。

四、案例分析：字体设计艺术性与传达性的体现

（一）汉仪旗黑字体

1. 艺术性体现

汉仪旗黑字体在艺术性方面表现出色。其线条设计独具匠心，笔画粗细适中且富有变化，既保留了黑体字简洁、现代的特点，又通过微妙的笔画变化增添了艺术感。例如，某些笔画的起笔和收笔处采用了独特的处理方式，使字体看起来更加精致。在结构布局上，汉仪旗黑字体注重整体的和谐与平衡，各笔画之间的间距均匀，比例协调，给人一种稳重而不失灵动的感觉。此外，该字体在不同字重（从轻到重）的设计上，能够保持风格的一致性，同时又展现出丰富的层次感，为设计师在排版应用中提供了多样的选择，无论是用于标题还是正文，都能展现出独特的艺术魅力。

2. 传达性体现

从传达性角度来看，汉仪旗黑字体具有极高的易读性。简洁的笔画和清晰的结构，使文字在各种字号和排版环境下都能清晰可辨。无论是在远距离观看的户外广告，还是近距离阅读的书籍内页，该字体都能确保信息准确传达。其风格简约现代，适用于多种设计场景，无论是商业宣传、文化活动还是科技产品相关的设计，都能与内容完美匹配，准确传达设计主题的信息。例如，在科技公司的宣传资料中，汉仪旗黑字体能够体现科技的简洁、高效与创新，帮助企业准确传达品牌形象和产品特点。

（二）可口可乐标志字体

1. 艺术性体现

可口可乐的标志字体以其独特的艺术风格闻名于世。其字体造型流畅自然，富有动感，标志性的斯宾塞字体（Spencerian script）经过独特的设计改良，字母之间的连接流畅且富有韵律感，仿佛是一气呵成的手写体，给人一种优雅、活泼的感觉。字体的曲线设计巧妙，既

展现了品牌的活力与亲和力，又带有一种独特的时尚感。在色彩运用上，红色与白色的经典搭配，使标志在视觉上极具冲击力，红色的激情与活力与可口可乐品牌所倡导的快乐文化相契合，进一步强化了字体的艺术感染力，使其成为品牌字体设计的经典之作。

2. 传达性体现

可口可乐标志字体在传达性方面同样表现卓越。独特的字体设计具有极高的辨识度，使消费者能在众多产品中一眼识别出可口可乐的品牌。流畅的字体线条和简洁的结构，使得标志在各种尺寸和媒介上都能清晰呈现，无论是在大型户外广告牌上，还是在小巧的产品包装上，都能准确传达品牌信息。此外，字体所传达出的活力、快乐情感，与可口可乐的品牌定位高度一致，消费者看到标志，就能迅速联想到品牌所代表的积极向上的生活态度和愉悦的消费体验，有效促进了品牌文化的传播。

（三）日本无印良品品牌字体

1. 艺术性体现

无印良品的品牌字体设计充分体现了日本美学中的简约与质朴。它采用了简洁的无衬线字体风格，笔画简洁明快，没有过多的装饰和复杂的造型，以最纯粹的形式展现文字之美。字体的线条粗细均匀，结构方正，给人一种规整、和谐的视觉感受。这种简约的设计风格不仅符合无印良品“无品牌标志的优质商品”的理念，还通过简洁的字体形态营造出一种宁静、素雅的艺术氛围，体现了日本传统文化中对“侘寂”美学的追求。

2. 传达性体现

从传达性角度而言，无印良品的字体设计能够精准传达品牌的核心价值观。简洁的字体风格与品牌倡导的简约生活方式相呼应，让消费者直观地感受到品牌所追求的质朴、自然和高品质。这种字体在各种宣传材料和产品包装上都能清晰地传达品牌信息，无论是店铺招牌还是产品标签，都以简洁明了的方式呈现，易于消费者识别和记忆。同时，无印良品的品牌字体在不同语言版本的设计中，都能保持统一的风格和传达效果，适应了品牌全球化的发展需求，有效地将品牌理念传达给世界各地的消费者。

（四）迪士尼乐园宣传字体

1. 艺术性体现

迪士尼乐园的宣传字体充满了奇幻与童趣的艺术风格。字体造型通常采用圆润、可爱的设计，字母的线条流畅且富有弹性，仿佛具有生命一般。例如，字母的拐角处常常被设计成圆润的弧线，给人一种柔和、亲切的感觉。同时，字体的装饰元素丰富多样，可能会融入迪士尼经典的卡通形象元素，如米老鼠的耳朵、唐老鸭的嘴巴等，使字体与迪士尼乐园的欢乐、奇幻氛围紧密相连。在色彩运用上，多采用明亮、鲜艳的色彩，如红色、黄色、蓝色等，这些色彩组合在一起，营造出活泼、欢快的视觉效果，充分展现了迪士尼乐园充满活力和梦幻的特色。

2. 传达性体现

在传达性方面，迪士尼乐园的宣传字体能够准确地向目标受众传达乐园的欢乐主题。其可爱、有趣的字体风格，能够迅速吸引儿童和年轻人的注意力，让他们对迪士尼乐园充满向往。字体中融入的卡通形象元素，强化了与迪士尼品牌的联系，使消费者能够快速识别出这是与迪士尼相关的宣传内容。此外，通过在各种宣传渠道，如海报、广告、门票等上使用统一风格的字体，迪士尼乐园成功地打造了独特的品牌形象，使消费者在看到这种字体时，就能立刻联想到迪士尼乐园丰富多彩的游乐项目和欢乐的氛围，有效地促进了乐园的宣传和推广。

（五）中国传统书法字体在文化海报中的应用

1. 艺术性体现

将中国传统书法字体用于文化海报设计，可展现出独特的艺术魅力。以行书为例，其笔画行云流水，潇洒自如，笔画之间的连带呼应自然流畅，体现了书法艺术的灵动之美。每个字的结构疏密得当，欹正相生，展现出一种动态的平衡感。书法字体的墨色变化也是其艺术表现的重要方面，浓墨重彩处彰显厚重，淡墨轻染时又透露出空灵。例如，在一幅以中国古典诗词为主题的海报中，用行书书写诗词内容，通过书法的笔法、结构和墨法，营造出一种古朴典雅的艺术氛围，让观众感受到中国传统文化的深厚底蕴和独特魅力。

2. 传达性体现

从传达性角度来说，传统书法字体能够精准传达文化海报的主题和文化内涵。书法作为中国传统文化的瑰宝，本身就承载着丰富的历史文化信息。在文化海报中使用书法字体，能直接唤起观众对传统文化的认知和情感共鸣。例如，在宣传中国传统节日的海报中，用篆书书写节日名称，篆书古朴的风格与传统节日的历史厚重感相契合，使观众在看到字体的瞬间，就能感受到节日所蕴含的文化意义。同时，书法字体独特的艺术风格能够吸引观众的注意力，引导他们进一步关注海报所传达的详细信息，从而有效地传播中国传统文化。

综上所述，通过对不同类型字体设计案例的分析，可以清晰地看到字体设计的艺术性与传达性是相辅相成的。优秀的字体设计能够在展现独特艺术魅力的同时，准确、有效地传达信息，引发受众的情感共鸣，实现艺术性与传达性的完美融合。在实际的字体设计工作中，设计师应深入理解设计目标和受众需求，巧妙运用各种设计手法，创作出既具有艺术价值又能精准传达信息的字体作品。无论是商业品牌的字体塑造，还是文化主题的设计表达，都需要在艺术性与传达性之间找到最佳平衡点，以创造出具有影响力和感染力的设计成果。

第三节 版式设计中的空间与节奏

John Berger 在 *Ways of Seeing* 中，以批判性视角解构视觉传达设计的艺术元素，揭示其本质为权力与意识形态的视觉化载体。他提出，视觉设计中的构图、色彩、符号（如广告中的女性形象、奢侈品摄影的光影修辞）并非纯粹美学选择，而是通过“观看与被观看”的辩证法，将社会阶级、性别角色与消费主义编码为“自然化”的视觉叙事。例如，油画传统中的透视法则（中心化焦点）被广告挪用，强化商品作为“新神祇”的权威感；而大众媒介的复制技术（如海报、电视）则剥离了艺术原作的“灵光”，将其降格为权力话语的传播工具。John Berger（1972）在 *Ways of Seeing* 中的核心批判在于：传统视觉艺术所标榜的“纯粹美学”本质上是文化权力结构的隐性载体，其通过符号化、神圣化等机制巩固社会不平等。他主张，设计师应解构这种“观看的意识形态”（如古典油画对所有权关系的隐喻），转而采用对抗性视觉实践（如拼贴、反讽、去中心化构图）唤醒观众的批判意识，挑战既有的观看秩序。

一、版式设计中空间的概念与类型

（一）空间的概念

在版式设计中，空间并非仅仅指空白的区域，而是所有元素（包括文字、图像、图形等）所占据的区域以及元素之间区域的总和。它是版式设计的重要组成部分，如同舞台为演员提供表演场地一样，为信息的展示提供了平台。空间的合理运用能够影响观众对信息的接收和理解，以及对整个设计作品的视觉感受。例如，在一本杂志的页面上，文字段落、图片以及它们之间的空白部分共同构成了这个页面的空间，设计师通过对这些空间的规划和处理，引导读者的视线，使信息有序呈现。

（二）空间的类型

1. 实体空间

实体空间是指被各种视觉元素实际占据的空间区域，如图片、文字块、图表等。这些元素以具体的形态存在，具有明确的边界和形状。实体空间在版式设计中承载着核心信息，是传达内容的直接载体。例如，在产品宣传海报中，产品的图片就是一个重要的实体空间，它直观地展示了产品的外观和特点，吸引观众的注意力。不同的实体空间形态会对信息传达产生不同的影响，大而醒目的实体空间能够突出重点信息，小而精致的实体空间则可以传递一些细节或辅助信息。

2. 虚体空间

虚体空间是指实体元素之间以及周围的空白区域，也被称为“负空间”。虽然虚体空间没有具体的实体内容，但它同样具有重要的意义。虚体空间能够为实体元素提供呼吸的空间，使画面不至于过于拥挤，从而提升整体的视觉舒适度。例如，在书籍的排版中，页面的边距、行距、字距等都是虚体空间的体现。合理的虚体空间设置可以引导读者的视线，使阅读更加流畅。此外，虚体空间还可以通过与实体空间的对比，增强画面的层次感和节奏感。

3. 心理空间

心理空间是指通过视觉元素的排列、组合以及色彩、光影等因素，在观众心理上产生的空间感。它并非实际存在的物理空间，而是一种主观的感知。例如，运用透视原理绘制的图形会让观众产生远近、深浅的空间错觉；大面积的深色背景搭配小面积的亮色元素，会使亮色元素仿佛从深色背景中凸显出来，在观众心理上形成一种前后的空间层次感。心理空间的营造能够增强设计的趣味性和吸引力，使观众更深入地参与到设计作品的解读中。

二、版式设计中空间的作用

（一）引导视觉流程

1. 空间布局引导视线

版式设计中空间的布局方式能够引导观众的视线移动，使他们按照设计师预期的顺序浏览信息。例如，通过将重要信息放置在版面的上方或中心位置，利用人们自上而下、从中心到边缘的视觉习惯，首先吸引观众的注意力。同时，合理安排元素之间的空间关系，如通过线条、箭头等元素引导视线的走向，或者利用元素的大小对比，使观众的视线从大元素自然过渡到小元素。在网页设计中，通常会将导航栏放置在页面上方，利用空间位置的优势，引导用户首先关注网站的主要功能板块，然后再通过图片、文字等元素的空间布局，引导用户浏览其他内容。

2. 空白空间创造节奏

空白空间在引导视觉流程中起着创造节奏的作用。适当的空白区域可以使观众的视线在浏览过程中有短暂的停留和休息，避免因信息过于密集导致视觉疲劳。例如，在长篇文字排版中，段落之间留出一定的空白，能够让读者在阅读完一段内容后稍作停顿，更好地理解和消化信息。在图片与文字的组合中，图片周围的空白空间可以使图片更加突出，引导观众先关注图片，再阅读相关文字，形成一种有节奏的视觉流程。

（二）划分信息的层次

1. 空间分割区分内容

通过空间的分割，可以将不同类型或不同重要程度的信息区分开来，形成清晰的信息层次。例如，在报纸的排版中，会用线条、色块或空白区域将不同的新闻板块分割开，使读者能够快速区分不同主题的内容。在杂志的目录页，通过不同大小的字体、不同的行距以及空白区域的划分，将章节标题、页码和内容简介等信息进行层次区分，方便读者查找所需内容。空间分割还可以用于突出重点信息，将重要信息放置在相对独立的空间区域，使其从周围信息中脱颖而出。

2. 空间比例体现主次

空间比例的分配能够体现信息的主次关系。重要的信息通常会占据较大的空间，以吸引观众的注意力；而次要信息则占据较小的空间。例如，在广告海报中，产品的图片或宣传口号可能会占据较大的版面空间，以突出产品的特点和优势；而产品的细节介绍、使用方法等辅助信息则会以较小的字体和空间区域呈现。通过这种空间比例的调整，观众能够迅速了解信息的重要程度，提高信息接收的效率。

（三）营造视觉美感

1. 空间平衡营造和谐氛围

版式设计中的空间平衡是营造视觉美感的关键。无论是对称式平衡还是非对称式平衡，都能使版面给人一种和谐、稳定的感觉。对称式平衡通过将元素在中轴线两侧进行对称排列，营造出庄重、严谨的氛围；非对称式平衡则通过元素的大小、颜色、位置等因素的相互协调，在不平衡中找到平衡，使版面更具动感和活力。例如，在标志设计中，一些品牌会采用对称式平衡的空间布局，传达出专业、可靠的形象；而在一些创意海报设计中，非对称式平衡的运用能够吸引观众的注意力，展现独特的创意和个性。

2. 空间韵律增添趣味

空间的韵律感能够为版式设计增添趣味性和吸引力。通过重复、渐变、间隔等方式形成空间的韵律，就像音乐中的节奏一样，能够引起观众的情感共鸣。例如，在图案设计中，将相同的图形元素按照一定的间隔和规律进行排列，形成重复的空间韵律，给人一种秩序感和节奏感。在文字排版中，通过调整字距、行距的大小，形成渐变的空间韵律，使文字具有独特的视觉效果。空间韵律的营造能够使观众在欣赏设计作品时感受到一种流动的美感，增强作品的艺术感染力。

三、版式设计中节奏的概念与表现形式

（一）节奏的概念

版式设计中的节奏是指通过元素的排列、变化以及空间的运用，在视觉上产生类似于音乐的韵律感和节奏感。它使观众在浏览设计作品时，视线产生有规律的起伏和变化，从而增加视觉的趣味性和吸引力。节奏并非简单的重复，而是在变化中寻求统一，在统一中体现变化。例如，在一幅海报中，不同大小的圆形元素按照一定的规律排列，从大到小逐渐变化，这种变化就形成了一种视觉节奏，引导观众的视线有节奏地移动，使画面充满活力。

（二）节奏的表现形式

1. 元素的重复与交替

元素的重复是形成节奏的基本方式之一。将相同或相似的元素，如形状、颜色、图案等，按照一定的规律进行重复排列，能够产生一种秩序感和节奏感。例如，在包装设计中，将产品的标志或图案在包装的边缘或特定区域进行重复排列，不仅可以强化品牌形象，还能形成一种视觉节奏，吸引消费者的注意力。元素的交替则是在重复的基础上，加入一些变化元素，使节奏更加丰富多样。例如，在文字排版中，将不同颜色的文字按照一定的顺序交替排列，或者将不同大小的图形元素交替出现，能够打破单一重复的单调感，使节奏更加生动。

2. 元素的渐变

元素的渐变也是表现节奏的重要形式。渐变可以是形状、大小、颜色、位置等方面的变化。例如，在图形设计中，将圆形从大到小进行渐变排列，形成一种聚焦的视觉效果，引导观众的视线向中心移动，同时产生一种流畅的节奏变化。在色彩方面，从浅到深或从一种颜色到另一种相关颜色的渐变，能够营造出柔和的节奏感，使画面具有丰富的层次感。元素的渐变能够给人一种动态的感觉，仿佛时间在

流动，增强了设计的趣味性和吸引力。

3. 疏密变化

疏密变化是通过调整元素之间的空间距离来表现节奏。密集的元素会给人一种紧张、活跃的感觉，而稀疏的元素则会营造出轻松、舒缓的氛围。在版式设计中，合理运用疏密变化，能够使画面产生节奏感和韵律感。例如，在一幅以自然风光为主题的海报中，将远处的山峦用稀疏的线条描绘，给人一种开阔、宁静的感觉；而将前景的花朵以密集的方式呈现，突出其繁茂和生机。这种疏密对比形成的节奏，使画面既有宁静的氛围，又充满活力，吸引观众的目光在画面中游走。

四、空间与节奏的相互关系及协同作用

（一）相互关系

1. 空间是节奏的载体

空间为节奏的表现提供了载体和舞台。元素的排列、重复、渐变等节奏表现形式都依赖于空间的存在。例如，元素的重复排列需要在空间中确定其位置和间隔，元素的渐变也需要在空间中展现其变化的过程。没有空间的支撑，节奏就无法得以体现。同时，空间的大小、形状和分布也会影响人们对节奏的感受。较大的空间可以使节奏更加舒缓，而较小的空间则可能使节奏更加紧凑。

2. 节奏赋予空间活力

节奏能够赋予空间活力和生命力。通过节奏的变化，空间不再是静态的、单调的，而是充满了动感和变化。例如，元素的渐变节奏可以使空间产生一种流动感，仿佛空间在不断延伸和变化；元素的疏密节奏可以使空间呈现出不同的氛围，从紧张到舒缓，使观众在空间中获得丰富的情感体验。节奏的存在使空间具有了时间的维度，让观众在浏览设计作品时，仿佛经历了一段有节奏的旅程。

（二）协同作用

1. 提升信息传达效率

空间与节奏的协同作用能够有效地提升信息传达的效率。合理的空间布局引导观众的视线，而节奏的变化则能够吸引观众的注意力，使他们更加专注地接收信息。例如，在一份宣传手册中，通过空间的分割和信息层次的划分，不同类型的信息可清晰呈现；同时，利用元素的重复和渐变节奏，引导读者的视线在页面上有节奏地移动，帮助其更好地理解和记忆信息。空间与节奏的协同作用能够避免信息的杂乱无章，使信息以一种有序、有趣的方式传达给观众。

2. 增强视觉吸引力

空间与节奏的协同作用能够极大地增强设计作品的视觉吸引力。空间的平衡与韵律以及节奏的变化，共同营造出独特的视觉效果，使观众在欣赏设计作品时产生愉悦的感受。例如，在网页的首页设计中，通过巧妙运用空间，将重要信息突出展示，同时利用元素的疏密节奏和色彩的渐变节奏，使页面充满活力和动感，吸引用户停留并进一步探索网站的内容。空间与节奏的完美结合能够使设计作品在众多信息中脱颖而出，吸引观众的目光。

3. 强化情感表达

空间与节奏的协同作用还能够强化设计作品的情感表达。不同的空间布局和节奏形式能够传达出不同的情感。例如，对称式空间布局和稳定的节奏可以表达庄重、严肃的情感，而动态的空间布局和变化丰富的节奏可以展现活力与激情。在设计一个儿童产品的包装时，通过活泼的色彩、丰富的图形元素以及富有变化的空间节奏，传达出快乐、有趣的情感，吸引儿童的注意力。空间与节奏的协同作用能够使观众更深入地感受到设计作品所传达的情感，增强情感共鸣。

五、案例分析：优秀版式设计中的空间与节奏运用

（一）*VOGUE* 杂志版式设计

1. 空间运用

VOGUE 杂志在空间运用上独具匠心。其页面布局注重虚实结合，合理的留白使画面具有呼吸感。在时尚大片的跨页排版中，图片往往占据较大的实体空间，以展示时尚的服装和模特的魅力。图片周围适当的空白区域，既突出了图片的主体地位，又使画面不至于过于拥挤，让读者能够专注于欣赏时尚内容。在文字排版方面，标题、正文和注释等文字信息通过不同的字体大小、行距和字距进行区分，形成清晰的空间层次。例如，大而醒目的标题占据重要的空间位置，吸引读者的注意力；正文文字则以适中的字号和行距排列，便于阅读；注释等辅助信息的文字则以较小的字号和较少的空间呈现，不喧宾夺主。这种空间的合理分配和层次划分，使杂志的信息传达清晰有序，同时营造出时尚、高端的视觉氛围。

2. 节奏表现

VOGUE 杂志的节奏表现丰富多样。在图片的排列上，常常采用大小对比和疏密变化的方式形成节奏。例如，在一组时尚图片的展示中，会有一张大幅的主打图片作为视觉焦点，周围搭配一些较小的图片进行辅助展示，大小图片的交替排列使画面产生节奏变化，吸引读者的视线在不同图片之间移动。在文字排版方面，通过字体的粗细、颜色的深浅以及字距的调整来表现节奏。重要的标题文字可能会用粗体和醒目的颜色突出显示，而正文文字则相对较细，形成一种有节奏的视觉效果。此外，杂志中还会运用线条、图案等元素的重复和渐变来增强节奏感，如在页面的边缘或特定区域重复出现的品牌标志线条或装饰图案，为页面增添了韵律感和时尚感。

（二）苹果产品官网版式设计

1. 空间运用

苹果产品官网的版式设计以简洁、大气著称，空间运用恰到好

处。官网页面大量运用虚体空间，即空白区域，使页面显得简洁明了，突出产品的主体地位。产品图片通常占据页面的中心或重要位置，周围环绕着简洁的文字介绍和操作指引。这种空间布局引导用户的视线首先聚焦在产品上，然后自然地过渡到相关信息。同时，通过空间的分割，将不同类型的产品信息、功能介绍、购买选项等进行清晰区分，使用户能够快速找到所需内容。例如，在产品介绍页面，通过不同的板块空间划分，将产品特点、技术参数、用户评价等信息有序呈现，增强了信息的层次感和可读性。

2. 节奏表现

苹果官网的节奏表现简洁而富有韵律。在页面元素的排列上，采用了简洁的重复和渐变方式。例如，产品图片的展示通常以简洁的背景和相似的布局进行重复排列，形成一种秩序感。同时，在产品图片的切换或页面滚动过程中，会运用渐变效果，如图片的淡入淡出、文字的渐显等，使页面的过渡更加流畅，产生一种柔和的节奏变化。在文字排版方面，苹果官网注重字体的简洁和一致性，通过字号的大小变化和行距的适当调整，形成有节奏的阅读体验。例如，标题文字的字号较大，突出产品的关键信息；正文文字则以较小的字号和适中的行距呈现，使阅读过程自然流畅，符合用户在浏览网页时的视觉习惯。

（三）中国传统古籍版式设计

1. 空间运用

中国传统古籍的版式设计蕴含着独特的空间美学。在空间布局上，注重对称与平衡，以营造庄重、典雅的氛围。页面通常以竖排文字为主，文字之间的行距和字距相对均匀，形成整齐的文字空间。版心周围的留白区域，包括天头、地脚、左右边栏等，为文字提供了充足的空间，使页面不至于显得拥挤，同时也体现了中国传统文化中对“留白”的审美追求。在插图的运用上，插图通常与文字相互呼应，占据一定的空间位置，既丰富了页面内容，又不破坏整体的空间平衡。例如，在一些古代诗词集的版式设计中，插图可能会绘制在页面的上方或下方，与诗词文字相得益彰，增强书籍的艺术感染力。

2. 节奏表现

传统古籍的节奏主要体现在文字的排列和韵律上。竖排文字的排列方式本身就形成了一种竖向的节奏，读者在阅读时，视线自上而下移动，仿佛是一种有节奏的律动。此外，古籍中的文字往往具有韵律和节奏感，尤其是诗词部分，平仄押韵的文字在阅读时会产生一种音乐般的节奏。在文字的排版上，会通过字号的大小变化来突出标题、正文、注释等不同层次的内容，形成一种节奏变化。例如，诗词的标题可能会用较大的字号，以突出其重要性；正文则以适中的字号书写；注释部分则用较小的字号，这种字号大小的变化使页面文字在视觉上具有一定的节奏感。同时，古籍中的栏线、界格等元素的重复出现，也为页面增添了一种秩序感和节奏感。

综上所述，版式设计中的空间与节奏是相互关联、协同作用的重要元素。空间为节奏提供了展示的平台，节奏则赋予空间活力和情感。合理运用空间与节奏，能够引导视觉流程、增强页面信息的层次感、营造视觉美感，从而提升设计作品的信息传达效率、视觉吸引力和情感表达能力。通过对不同类型优秀版式设计案例的分析，我们可以更深入地理解空间与节奏在实际应用中的多样性和重要性。在未来的版式设计中，随着设计理念和技术的不断发展，空间与节奏的运用将不断创新，为我们带来更多精彩的设计作品。

Visual

Communication

第七章
材质与质感元素在视觉传达中的表现

第一节 材质的视觉识别性与触觉联想

一、材质的视觉识别性概述

（一）材质视觉识别性的定义

材质的视觉识别性指的是通过视觉感知，人们能够快速且准确地辨别不同材质的特性与差异。从微观层面看，每种材质都有其独特的纹理、色泽、透明度等视觉特征，这些特征组合在一起，构成了材质独特的视觉标识。例如，看到闪耀着金属光泽且表面光滑的物体，人们往往会联想到金属材质；而见到表面具有细腻纹路且呈现自然暖色调的物体，人们可能会判断其为木质的。这种基于视觉的快速判断，使得材质在视觉传达中扮演着重要角色，在无须触摸或进一步了解的情况下，就向观者传达特定的信息。

（二）材质视觉识别性的重要性

1. 强化品牌形象

在品牌视觉传达中，独特的材质选择能够强化品牌形象。例如，奢侈品品牌常选用具有高品质视觉效果的材质，如皮革、丝绸、金属等，来展现品牌的高端与精致。爱马仕的皮包，其皮革材质的细腻纹理、独特色泽以及精湛的加工工艺，使其在众多品牌中脱颖而出，消费者仅通过视觉就能感受到品牌的奢华与品质，从而强化了品牌在消费者心中的高端形象。

2. 引导消费决策

消费者在购买产品时，材质的视觉识别是影响其决策的重要因素之一。例如，在购买家具时，实木材质的天然纹理和质感会给人一种坚固、环保的视觉感受，相比合成板材，更能吸引注重品质和环保的消费者。同样，在电子产品领域，金属材质外壳的手机往往给人以坚固耐用、科技感强的视觉印象，有助于消费者作出购买决策。

3. 丰富视觉体验

不同材质的视觉识别性为受众带来丰富多样的视觉体验。在艺术展览中，艺术家运用各种材质创作作品，如温润的陶瓷、通透的玻璃、厚重的石材等。通过欣赏这些作品，观者能够感受到不同材质所带来的独特视觉魅力，丰富了观者的审美体验。在室内设计中，巧妙搭配不同材质，如木质地板、皮质沙发、棉质窗帘等，营造出丰富而和谐的空间视觉效果，提升居住者的生活品质。

二、常见材质的视觉识别特征

（一）金属材质

1. 光泽与质感

金属材质具有独特的金属光泽，这是其最显著的视觉特征之一。不同的金属光泽有所差异，黄金呈现出明亮且温暖的金色光泽，象征着财富与尊贵；银则具有冷冽、明亮的银色光泽，给人以纯净、高雅之感；不锈钢的光泽相对较为冷峻、现代，具有很强的科技感。金属材质的表面质感多样，经过抛光处理后，表面光滑如镜，能够反射周围环境，增强视觉冲击力；而磨砂处理后的金属表面则呈现出细腻的颗粒感，给人一种低调、沉稳的感觉。

2. 纹理与结构

金属在加工过程中会形成各种纹理。锻造金属可能会留下独特的锤纹，这种纹理不规则且富有力量感，展现手工制作的独特韵味；拉丝金属则具有平行且均匀的线条纹理，赋予金属一种精致、流畅的视觉效果。此外，金属的晶体结构在微观层面也会影响其视觉表现，一些金属的晶体结构使其在特定角度下呈现出独特的光影效果，增强了金属材质的视觉趣味性。

（二）木质材质

1. 颜色与纹理

木质材质的颜色丰富多样，不同种类的木材具有不同的天然色泽。例如，胡桃木通常呈现出深褐色，带有浓郁的复古气息；橡木的颜色相对较浅，多为浅黄色或浅棕色，给人一种清新、自然的感觉。木材的纹理是其另一个重要的视觉特征，每一种木材都有其独特的纹理。如橡木的纹理粗犷且富有变化，有时呈现出山形或波浪形，展现出自然的美感；而樱桃木的纹理则较为细腻、柔和，具有独特的曲线和纹理走向，给人一种优雅、精致的视觉感受。

2. 质地与触感视觉化

木质材质的质地也能通过视觉传达出来。硬木如紫檀、黄花梨等，质地坚硬，其表面光滑且纹理紧密，给人一种坚固、耐用的视觉印象；而软木如松木，质地相对较软，纹理较为疏松，视觉上给人一种质朴、温暖的感觉。即使不通过实际触摸，观者也能从木质的纹理和光泽中感受到其质地的差异，这种质地的视觉化表达使木质材质在视觉传达中具有独特的情感魅力。

（三）玻璃材质

1. 透明度与光泽

玻璃材质以其高透明度而闻名，这是其区别于其他材质的重要视觉特征。透明玻璃能够清晰地透过光线，使观者可以看到另一侧的物体，营造出通透、开阔的视觉效果。除了透明玻璃，还有半透明玻璃和不透明玻璃。半透明玻璃如磨砂玻璃，能使光线散射，产生柔和、朦胧的视觉效果，常用于营造隐私和温馨的氛围。玻璃还具有独特的光泽，其表面光滑，能够反射光线，形成明亮的高光区域，增强了玻璃材质的视觉吸引力。

2. 色彩与形态的可塑性

玻璃可以通过添加不同的化学成分呈现出丰富的色彩。例如，钴玻璃呈现出深邃的蓝色，常用于艺术装饰和特殊光学应用；而彩色玻璃在教堂等建筑中被广泛应用，通过色彩的组合和光线的穿透，营造出神圣、绚丽的视觉氛围。此外，玻璃具有良好的可塑性，可以被吹制成各种形状，如优雅的花瓶、精致的灯具等，其独特的形态与色彩、透明度相结合，为视觉传达带来丰富的可能性。

（四）纸质材质

1. 颜色与光泽度

纸质材质的颜色种类繁多，从洁白如雪的复印纸到各种色彩的艺术纸，满足了不同的设计需求。白色纸张通常给人一种简洁、干净的感觉，常用于商务文件和书籍的印刷；而彩色纸张则可根据色彩的不同传达出不同的情感，如粉色纸张可能传达出温馨、浪漫的氛围，常用于贺卡、请柬等设计。纸张的光泽度也有所差异，高光纸表面光滑，光泽度高，能够使印刷的图案和文字更加鲜艳、清晰，但可能会产生反光问题；而亚光纸光泽度较低，表面较为柔和，给人一种低调、沉稳的视觉感受，常用于需要营造高雅氛围的设计，如艺术画册、高端产品说明书等。

2. 纹理与厚度

纸张的纹理也是其视觉识别的重要特征之一。一些纸张具有明显的纹理，如手工纸的纹理自然、不规则，带有独特的手工质感，常用于艺术创作和高端包装；而机制纸的纹理相对较为均匀、规则。纸张的厚度也会影响其视觉效果，厚纸张给人一种厚实、稳重的感觉，常用于名片、包装盒等需要体现品质感的设计；薄纸张则较为轻盈、透明，常用于书籍内页等对重量和透明度有要求的地方。

三、材质视觉识别性在设计中的应用

（一）产品设计

1. 产品外观差异化

在产品设计中，利用材质的视觉识别性可以实现产品外观的差异化。例如，在智能手机市场，大多数手机采用玻璃或金属材质外壳，但一些品牌通过选用独特的材质脱颖而出。例如，一加手机曾推出过砂岩质感的后盖，这种特殊的材质纹理与传统的光滑玻璃或金属后盖形成鲜明对比，给消费者带来全新的视觉体验，同时也强化了品牌的个性形象。

2. 功能与材质的视觉关联

产品的功能可以通过材质的视觉识别性来强化。例如，户外登山装备通常采用具有耐磨、防水等性能的材质，如尼龙、橡胶等。这些材质的外观往往具有坚韧、厚实的视觉特征，使消费者在看到产品时，就能直观地感受到其适合户外使用的功能特性。同样，厨房刀具的金属材质外观，其锋利的刀刃和坚固的刀柄的视觉效果，让消费者相信刀具的切割性能。

（二）平面设计

1. 模拟材质效果，增强视觉吸引力

在平面设计中，模拟不同材质的视觉效果可以增强作品的吸引力。例如，在设计食品包装时，通过印刷技术模拟出食品的材质质感，如在巧克力包装上模拟出巧克力的光泽和丝滑质感，在面包包装上呈现出面包的松软纹理，能够激发消费者的食欲。在海报设计中，模拟木质、金属等材质的纹理，为画面增添质感和层次感，使海报更加生动、有趣。

2. 材质作为视觉符号传达信息

材质在平面设计中还可以作为一种视觉符号传达特定信息。例如，在环保主题的平面设计中，使用纸质材质的纹理或再生材料的视觉元素，能够传达出环保、可持续的理念。在文化宣传海报中，运用具有传统文化特色的材质视觉元素，如宣纸的纹理、传统织物的图案等，能够传达文化内涵，增强文化氛围。

（三）空间设计

1. 营造空间氛围

在空间设计中，材质的视觉识别性对营造空间氛围起着关键作用。例如，在酒店大堂设计中，大理石材质的地面和墙面，其光滑的

表面和独特的纹理，营造出豪华、大气的氛围；而在咖啡馆设计中，木质的桌椅、地板和装饰，给人一种温馨、舒适的感觉。通过合理选择和搭配不同材质，设计师可以根据空间的功能和定位，营造出各种不同的空间氛围，如现代简约、复古怀旧、自然田园等。

2. 划分空间层次

材质的视觉差异可以用于划分空间层次。例如，在客厅设计中，通过使用不同材质的地面材料，如在客厅中心区域铺设地毯，周边区域采用木地板，能够自然地划分出不同的功能区域，同时增强空间的层次感。在商业空间设计中，利用玻璃材质的透明性和隔断作用，既可以划分空间，又能保持空间的通透感，使不同区域既相互联系又相对独立。

四、材质引发的触觉联想

（一）触觉联想的产生机制

触觉联想是指人们在看到某种材质时，基于以往的生活经验和感知记忆，在脑海中自动唤起对该材质触觉感受的想象。这种联想的产生源于人类感官之间的相互关联，视觉信息的输入会激活大脑中与触觉相关的记忆区域。例如，当人们看到毛茸茸的织物材质时，会不自觉地联想到柔软、温暖的触觉感受；看到粗糙的岩石表面，会联想到坚硬、凹凸不平的触感。这种触觉联想并非有意识的思考，而是一种快速的、本能的心理反应，它丰富了人们对材质的感知体验。

（二）不同材质引发的触觉联想

1. 柔软材质引发的触觉联想

像丝绸、绒毛、海绵等柔软材质，通常会引发细腻、顺滑、温暖的触觉联想。丝绸的光泽和轻盈的质感，让人联想到触摸时的丝滑触感，仿佛能感受到其在指尖轻轻滑过；绒毛材质的外观给人一种毛茸茸的视觉印象，引发人们对柔软、温暖的触觉联想，就像触摸毛茸茸的动物皮毛一样。这种触觉联想使人们对这些材质产生亲近感，常用于设计令人感到舒适、温馨的产品，如床上用品、抱枕等。

2. 坚硬材质引发的触觉联想

金属、石材等坚硬材质，会引发坚固、冰冷、沉重的触觉联想。看到金属材质的表面，尤其是经过抛光处理的金属，人们会联想到触摸时的冰冷质感和坚硬的触感，感受到其强大的支撑力和耐久性；石材如花岗岩、大理石等，其厚重的外观和粗糙或光滑的纹理，让人联想到触摸时的坚硬和冰冷，这种触觉联想使这些材质常用于营造庄重、稳定的氛围，如建筑的外立面、大型雕塑等。

3. 粗糙材质引发的触觉联想

粗麻、砂纸、树皮等粗糙材质，引发的是一种凹凸不平、摩擦力较大的触觉联想。看到粗麻材质的纹理，人们会联想到触摸时手指感受到的粗糙质感和纤维的拉扯感；砂纸的颗粒状表面，让人直观地感受到其粗糙和摩擦力，这种触觉联想使粗糙材质常用于需要增强摩擦力或营造自然、质朴氛围的设计中，如防滑垫、乡村风格的装饰等。

4. 光滑材质引发的触觉联想

玻璃、陶瓷、塑料等光滑材质，给人的触觉联想是平滑、细腻、凉爽的。玻璃透明且光滑的表面，让人联想到触摸时的凉爽和顺滑，没有任何阻碍；陶瓷的釉面质感，给人一种细腻、温润的触觉想象，仿佛能感受到其柔和的曲线和光滑的表面。这种触觉联想使光滑材质在餐具、灯具等设计中被广泛应用，为用户带来舒适的使用体验。

（三）触觉联想在设计中的应用

1. 提升产品的用户体验

在产品设计中，利用触觉联想可以提升用户体验。例如，在设计儿童玩具时，选择具有柔软、圆润外观的材质，引发儿童对安全、舒适的触觉联想，让他们更愿意接触和玩耍。在电子产品设计中，一些手机外壳采用仿皮革材质的纹理，虽然实际材质并非皮革，但这种纹理引发的柔软、舒适的触觉联想，增强了用户手持手机时的舒适感和亲近感。

2. 强化情感共鸣

触觉联想能够强化设计与受众之间的情感共鸣。例如，在设计老年人使用的产品时，采用木质材质，其温暖的色泽和纹理引发的亲切、自然的触觉联想，能够让老年人感受到关怀和温暖，增强他们对产品的情感认同。在纪念性设计中，如墓碑、纪念碑等，采用石材材质，其坚硬、沉重的触觉联想与纪念的庄重、肃穆情感相契合，强化了人们对纪念对象的敬重之情。

3. 引导行为与互动

触觉联想还可以引导用户的行为与互动。例如，在商场的导视系统设计中，采用具有光滑表面的材质制作指示牌，其视觉上的光滑感引发人们对轻松、顺畅的触觉联想，暗示用户可以轻松地按照指示牌的引导前行。在一些互动装置设计中，通过材质的选择和设计，引发特定的触觉联想，鼓励用户主动触摸和参与互动，增强用户与装置之间的互动体验。

综上所述，材质的视觉识别性与触觉联想在视觉传达中具有重要意义。通过对常见材质视觉识别特征的了解，设计师能够在产品设计、平面设计、空间设计等多个领域巧妙运用材质，实现产品差异化、增强信息传达效果、营造独特氛围等目标。同时，深入理解材质引发的触觉联想及其应用，有助于提升产品的用户体验，强化情感共鸣和引导用户行为。在未来的设计发展中，随着新材料的不断涌现和设计技术的不断进步，材质的视觉识别性与触觉联想将在视觉传达中发挥更加丰富和深入的作用，为设计带来更多创新和突破。

第二节 质感元素在包装设计中的运用

一、包装设计中质感元素的重要性

（一）提升产品辨识度

在琳琅满目的商品货架上，包装的质感元素是吸引消费者目光的关键因素之一。独特的质感能够让产品从众多竞品中脱颖而出，迅速提升产品的辨识度。例如，高档化妆品品牌的包装常采用玻璃材质，并通过特殊工艺打造出细腻、光滑且带有一定重量感的质感。这种质感区别于普通塑料包装，让消费者在远距离就能凭借其独特的视觉和触觉印象，快速识别出该品牌，使产品在激烈的市场竞争中占据优势。

（二）传达产品品质

质感元素是产品品质最直观的视觉与触觉表达。质感细腻、工艺精湛的包装，会让消费者下意识地认为产品本身也具有高品质。比如，一些高端电子产品的包装，采用金属材质搭配精致的磨砂质感处理，不仅在视觉上给人一种科技感与现代感，当消费者触摸时，磨砂质感带来的细腻触觉反馈，进一步强化了产品的高品质形象。反之，若包装质感粗糙，即便产品本身质量不错，消费者也可能对其品质产生怀疑。

（三）塑造品牌形象

包装的质感元素与品牌形象紧密相连，是品牌形象塑造的重要组成部分。不同的质感能够传达出不同的品牌个性与价值观。例如，天然环保材质搭配质朴质感的包装，常被有机食品或环保品牌所采用，向消费者传达品牌注重自然、健康与可持续发展的理念。而时尚品牌的包装可能会运用具有光泽感和独特纹理的材质，塑造出时尚、精致的品牌形象，吸引追求潮流的消费者群体。

（四）增强消费者的情感体验

质感元素能够引发消费者的情感共鸣，增强他们的情感体验。当消费者触摸到柔软、有温暖质感的包装时，会产生亲切、舒适的情感；而硬朗、冷峻质感的包装可能会激发消费者对产品坚固、可靠的信任感。例如，在节日礼品包装中，采用带有绒毛质感的材料，搭配温馨的色彩，能够营造出浓厚的节日氛围，让消费者在收到礼物时感受到温暖与关怀，从而提升其对产品和品牌的好感度。

二、常见质感元素在包装设计中的应用

（一）光滑质感

1. 视觉效果与应用场景

光滑质感给人一种简洁、精致、高端的视觉感受。在包装设计中，常用于高端产品包装，如珠宝、高端香水等。例如，香奈儿的香水瓶包装，瓶身采用光滑的玻璃材质，经过精细打磨，表面如镜般光滑，不仅完美地展示香水的色泽，还通过反射周围光线，营造出一种奢华、优雅的氛围。这种光滑质感的包装与香奈儿品牌的高端定位相契合，吸引了追求品质与时尚的消费者。

2. 触觉体验与心理影响

触摸光滑质感的包装，手指能够顺畅地滑过表面，给人一种细腻、舒适的触觉体验。这种触觉反馈会让消费者联想到产品的高品质和精致工艺，从而在心理上提升对产品的认可度。在电子产品包装中，如苹果产品的包装盒，表面的光滑质感不仅提升了产品的整体形象，而且消费者在打开包装时，触摸光滑盒面的触觉体验也为他们带来愉悦感，强化了对品牌的好感。

（二）粗糙质感

1. 视觉效果与应用场景

粗糙质感具有独特、原始、质朴的视觉风格，常被用于营造自然、复古或具有艺术感的包装设计中。例如，一些手工制品、特色农产品的包装会采用粗麻、未经精细打磨的木材等具有粗糙质感的材料。以云南的普洱茶饼包装为例，常使用粗棉纸或竹编材料，这些材料的粗糙质感能够传达出普洱茶的天然、原生态特点，与产品的产地文化和传统制作工艺相呼应，吸引对传统文化和自然风味感兴趣的消费者。

2. 触觉体验与心理影响

触摸粗糙质感的包装，手指能感受到表面的颗粒感或纹理的起伏，这种独特的触觉体验会让消费者产生亲近自然、回归本真的心理感受。在一些文化创意产品包装中，故意保留材料的粗糙质感，如手工纸的毛边、陶土的原始纹理等，能够激发消费者对传统手工艺的尊重与喜爱之情，同时也为产品增添了独特的艺术魅力。

（三）光泽质感

1. 视觉效果与应用场景

光泽质感能够反射光线，产生明亮、耀眼的视觉效果，具有很强的视觉吸引力。在包装设计中，常用于吸引年轻消费者或突出产品活力的场景。例如，一些运动品牌的产品包装会运用具有金属光泽的材质或印刷工艺，如耐克的部分限量版运动鞋包装，采用带有金属光泽的纸盒，在光线的照射下闪烁着独特的光芒，不仅展示了产品的时尚感与潮流感，还能够在众多商品中迅速吸引消费者的目光。

2. 触觉体验与心理影响

当触摸具有光泽质感的包装时，光滑的表面和明亮的光泽会给人一种精致、高档的触觉与视觉综合体验。这种体验会让消费者觉得产品具有较高的价值，从而激发他们的购买欲望。在化妆品包装中，带有光泽的塑料或玻璃材质，不仅在视觉上展现出产品的精致与时尚，而且消费者触摸时感受到的光滑与光泽，也进一步强化了产品的高端形象，提升了消费者对品牌的认同感。

（四）柔软质感

1. 视觉效果与应用场景

柔软质感的包装给人一种温馨、舒适、安全的视觉感受，常用于与肌肤亲密接触或注重情感体验的产品包装。例如，婴幼儿产品的包装常采用柔软的纸质材料或带有绒毛质感的涂层，如婴儿纸尿裤的包装，采用柔和的色彩搭配柔软质感的图案印刷，从视觉上就传递出温和、舒适的感觉，让家长联想到产品对婴儿娇嫩肌肤的呵护。

2. 触觉体验与心理影响

触摸柔软质感的包装，能够给人带来温暖、安心的触觉体验，满足消费者对产品的情感需求。在礼品包装中，使用柔软的绸缎、毛绒材质等，当消费者触摸时，柔软的触感会让他们感受到礼品的珍贵与心意，增强礼品的情感传递功能。这种柔软质感的包装在情人节的巧克力包装、母亲节礼品等包装中被广泛应用，有助于营造浪漫、温馨的氛围。

（五）坚硬质感

1. 视觉效果与应用场景

坚硬质感的包装传达出坚固、耐用、可靠的视觉信息，常用于需要保护产品或展示产品品质稳定性的包装。例如，电子产品的运输包装通常采用坚硬的瓦楞纸箱，其厚实的材质和坚固的结构，从视觉上就给人一种能够有效保护产品的感觉。一些高端酒类的包装采用厚重的玻璃瓶身搭配坚固的纸盒，展示出产品的高品质与稳定性，同时也提升了产品的档次。

2. 触觉体验与心理影响

触摸坚硬质感的包装，消费者能够感受到其强大的支撑力和稳定性，从而对产品的质量和安全性产生信任。在汽车零部件包装中，使用金属材质的包装盒，不仅能在运输过程中更好地保护零部件，而且消费者在接触包装时，感受到的坚硬质感也会让他们对零部件的质量充满信心，认为产品经过了严格的质量把控。

三、质感元素与包装设计要素的融合

（一）与色彩的融合

1. 色彩对质感的强化

色彩能够显著强化质感元素的表现力。例如，深色调如黑色、深棕色常用于强化粗糙质感的原始、厚重感。在一些复古风格的木质包装设计中，采用深棕色的木质材料，并搭配深色的纹理，能够突出木材的粗糙质感，营造出浓厚的复古氛围。而明亮、鲜艳的色彩则可以增强光泽质感的视觉冲击力。如在一些时尚彩妆包装中，采用带有金属光泽的材质，并搭配鲜艳的色彩，如金色搭配大红色，使包装在展示光泽质感的同时，更具时尚感和吸引力。

2. 质感对色彩呈现效果的影响

质感元素也会影响色彩的呈现效果。光滑质感的表面能够使色彩更加鲜艳、明亮，因为光滑的表面对光线的反射均匀，色彩的纯度得以增强。例如，在光滑的玻璃包装上印刷色彩，颜色会显得格外鲜艳夺目。而粗糙质感的表面则会使色彩呈现出一种柔和、质朴的效果，因为粗糙表面对光线的散射作用，使色彩看起来不那么刺眼，更具亲和力。如粗陶包装上的色彩，往往给人一种自然、质朴的视觉感受。

（二）与图形的融合

1. 图形凸显质感特色

图形设计可以突出质感元素的特色。例如，为了强调包装的光滑质感，可以设计一些流畅的线条图形，如流动的水纹、顺滑的曲线等，这些图形能够引导消费者的视线，使其更加关注包装光滑的表面。对于粗糙质感的包装，可以采用具有颗粒感或纹理感的图形，如仿石材纹理、粗布纹理等，进一步强化粗糙质感的视觉效果。在坚果包装设计中，采用仿坚果外壳纹理的图形，搭配粗糙质感的包装材料，能够让消费者更直观地感受到产品的天然与质朴。

2. 质感丰富图形层次

质感元素能够为图形增添层次感和立体感。例如，在包装上印刷具有浮雕效果的图形时，结合不同的质感材料，如在硬纸板上制作凸起的图形，并对其进行光滑处理，而背景部分保持粗糙质感，这样的设计使图形在不同质感的对比下，更具层次感和立体感，从而吸引消费者的注意力。一些高端礼品的包装，运用金属质感的图形元素，如用金色的线条勾勒出的花纹，搭配柔软质感的包装底色，通过质感的对比，使图形更加突出，提升了包装的整体档次。

（三）与文字的融合

1. 文字描述质感特性

文字可以直接描述包装的质感特性，帮助消费者更好地理解产品。例如，在包装上使用“丝滑触感”“柔软亲肤”“坚固耐用”等文字表述，让消费者在未接触产品之前，就能通过文字想象到包装的质感。在护肤品包装上，常出现“如丝般柔滑”的文字描述，结合产品包装的光滑质感设计，进一步强化了消费者对产品质地的认知。

2. 质感烘托文字氛围

质感元素能够烘托文字所传达的氛围。例如，在传统中药包装设计中，采用古朴的纸质材料搭配粗糙质感，文字则使用书法字体，这种质感与文字风格的结合，营造出一种传统、深厚的文化氛围，使消费者感受到中药产品的历史底蕴和天然特性。在现代科技产品包装中，金属质感的包装搭配简洁、现代的字体，能够突出产品的科技感和创新性，使文字与质感相互呼应，增强包装的整体传达效果。

四、质感元素在不同类型包装设计中的运用特点

（一）食品包装

1. 安全与卫生质感呈现

食品包装首先要传达出安全、卫生的质感。通常采用干净、洁白的纸张或透明、无毒的塑料材质，给人一种纯净、卫生的视觉感受。例如，常见的牛奶包装盒，采用白色的纸质材料，表面光滑且印刷清晰，让消费者一眼就能感受到产品的卫生与可靠。一些高端食品品牌会采用玻璃包装，通过其透明、光滑的质感，展示食品的新鲜度和高品质，同时玻璃材质也给人一种安全、稳定的心理暗示。

2. 美味与特色质感营造

为了激发消费者的食欲，食品包装常通过质感元素营造出美味与特色的氛围。例如，烘焙食品包装可能会采用带有光泽质感的纸张，模拟烘焙食品表面的油润光泽，让消费者联想到食物的美味。而一些地方特色食品，如四川的腊肉包装，可能会采用具有粗糙质感的土陶材质或仿土陶纹理的包装纸，搭配浓郁的色彩和传统的图案，传达出产品的地方特色和传统制作工艺。

（二）化妆品包装

1. 精致与时尚质感追求

化妆品包装注重精致与时尚质感的打造，以吸引消费者的关注。品牌常采用玻璃、金属等材质，并结合精湛的工艺处理，如磨砂、抛光、雕刻等，营造出精致、高端的质感。例如，一些高端面霜的包装采用玻璃材质搭配金属瓶盖，瓶身经过磨砂处理，瓶盖则进行抛光处理，这种精致的质感与品牌的高端定位相契合，展示出产品的时尚与奢华。

2. 个性化与品牌质感塑造

化妆品品牌通过独特的质感元素塑造个性化的品牌形象。例如，某品牌的砍刀眉笔包装采用木质材质，其质朴的质感与品牌倡导的自然、

艺术的理念相呼应，同时也区别于其他品牌的塑料包装，形成独特的品牌质感。不同风格的化妆品品牌，如甜美风格、简约风格等，都可以通过材质与质感的选择，传达出独特的品牌个性，吸引目标消费者群体。

（三）电子产品包装

1. 科技感与品质感的表达

电子产品包装强调科技感与品质感的表达。它们通常采用简洁的设计和具有现代感的材质，如金属、塑料等，并通过特殊的工艺处理，如拉丝、高光等，营造出科技感十足的外观。例如，苹果产品的包装采用简洁的白色纸盒搭配精致的印刷和光滑的表面处理，给人一种简洁、高端的科技感。一些高端耳机的包装会采用金属材质外壳，搭配细腻的磨砂质感，展示产品的高品质和耐用性。

2. 便捷与创新质感体现

随着电子产品的发展，包装的便捷性与创新性也通过质感元素得以体现。例如，一些电子产品的包装盒采用易于开启的结构设计，同时在包装材料上使用柔软的内衬，不仅保护产品，还为消费者带来便捷、舒适的开启体验。一些创新型电子产品的包装，如智能穿戴设备，可能会采用具有弹性、轻便质感的材料，以体现产品的创新理念和舒适佩戴的特点。

（四）礼品包装

1. 高档与珍贵质感营造

礼品包装旨在营造高档与珍贵的质感，以体现礼品的价值。常采用丝绸、皮革、木质等高档材质，搭配精致的装饰和工艺，如烫金、刺绣等。例如，在高档白酒礼品包装中，采用木质礼盒，表面进行精细的雕刻和烫金处理，内部使用丝绸内衬，这种高档的材质与精致的工艺相结合，营造出珍贵、高档的质感，提升礼品的档次。

2. 情感与主题质感呼应

礼品包装的质感元素还需与情感和主题相呼应。例如，在情人节礼品包装中，常采用柔软并能营造浪漫氛围的材质，如粉色的绸缎、带有爱心纹理的纸张等，搭配温馨的色彩，营造出浪漫的情感氛围。在春节礼品包装中，可能会采用具有中国传统特色的红色纸张，搭配金色的图案和吉祥的文字，结合具有光泽质感的装饰，表现喜庆、团圆的节日主题。

五、案例分析：质感元素在包装设计中的成功应用

（一）苹果产品包装

1. 质感元素运用

苹果产品包装以简洁、精致的质感著称。其包装盒主体采用白色硬纸板，表面经过特殊处理，呈现出光滑、细腻的质感，不仅给人一种干净、整洁的视觉感受，触摸时也能感受到其工艺的精湛。在包装的开启部分，采用易于撕开且边缘光滑的设计，这种细节处理进一步强化了整体的精致感。此外，内部产品的放置结构设计巧妙，使用的内衬材料具有一定的柔软度和韧性，既保护了产品，又给消费者带来舒适的触觉体验。

2. 对品牌与产品的影响

苹果产品包装的质感元素与品牌的简约、高端形象高度契合。光滑、精致的质感传达出产品的高品质和创新性，让消费者在未接触产品之前，就对其质量和性能充满期待。这种包装质感不仅提升了产品的整体形象，还成为品牌的一种标识，消费者通过包装的质感就能轻易识别出苹果产品，增强了品牌的辨识度和消费者的忠诚度。

（二）小罐茶包装

1. 质感元素运用

小罐茶的包装采用金属材质的小罐，表面进行磨砂处理，营造出一种精致、高档的质感。金属材质给人坚固、耐用的感觉，同时磨砂

质感又增加了产品的细腻度和质感层次。罐身的文字和图案采用烫金工艺，与磨砂金属表面形成对比，突出了品牌的高端定位。此外，包装盒采用木质材料，木质的纹理和质感传达出自然、质朴的气息，与茶叶的天然属性相呼应。

2. 对品牌与产品的影响

小罐茶独特的包装质感使其在茶叶市场中脱颖而出。金属小罐的精致质感改变了传统茶叶包装的形象，给消费者带来全新的视觉和触觉体验，提升了产品的档次。木质包装盒的自然质感则强化了茶叶的天然、健康属性，让消费者对产品的品质更有信心。这种包装质感的创新运用，帮助小罐茶迅速树立了高端茶叶品牌的形象，吸引了众多消费者的关注和购买。

（三）三只松鼠坚果包装

1. 质感元素运用

“三只松鼠”坚果包装充满创意地运用了多种质感元素。其外包装袋采用具有一定厚度的塑料材质，表面进行了仿麻布纹理的处理，营造出一种质朴、自然的质感，与坚果的天然属性相契合。包装袋上的图案和文字采用鲜艳的色彩和清晰的印刷工艺，与粗糙的仿麻布纹理形成对比，增强了视觉吸引力。此外，内部坚果的独立小包装采用光滑的塑料材质，方便消费者食用，同时光滑质感给人一种卫生、便捷的感觉。

2. 对品牌与产品的影响

“三只松鼠”坚果包装的质感设计强化了品牌的个性形象。仿麻布纹理的质感传达出坚果天然、绿色的特点，让消费者感受到产品的品质。鲜艳的色彩和有趣的图案与质感相结合，使包装充满活力和趣味性，吸引了年轻消费者群体。这种独特的包装质感设计不仅提升了产品的辨识度，还增强了消费者对品牌的好感度，促进了产品的销售。

综上所述，质感元素在包装设计中具有不可忽视的作用。通过对不同质感元素的巧妙运用，并与包装设计的其他要素相融合，能够在不同类型的包装设计中展现出独特的魅力，提升产品的辨识度，传达产品品质，塑造品牌形象并增强消费者的情感体验。

第三节 材质与科技的融合创新

视觉传达设计作为跨领域的实践体系，聚焦于信息传递效度与认知互动的双向构建。该领域以符号系统为媒介，通过整合视觉认知规律与媒介技术特性，实现复杂信息的结构化重组。早期理论强调设计需遵循人类感知的底层逻辑，例如，格式塔心理学的整体性原则与符号学的编码解码机制，可确保视觉语言在文化差异下的普适性。随着技术迭代，当代研究更关注动态媒介的叙事潜能，主张将时间维度纳入设计框架，利用交互界面与算法工具实现信息的立体化传播。当前学界普遍认为，设计师需平衡工具理性与人文价值，在数据可视化、跨平台适配等场景中建立受众参与机制，使视觉传达从单向输出转向多向对话，最终构建兼具传播效率与社会责任的解决方案。

一、材质与科技融合创新的背景与驱动力

（一）消费需求的转变

随着生活水平的提高，消费者对产品的需求不再局限于基本功能，而是更加注重产品的体验感、个性化以及环保性等方面。例如，在电子产品领域，消费者不仅希望手机功能强大，还期望其外壳材质能带来独特的触感与视觉效果，如具有柔软亲肤质感或酷炫的变色效果。在环保意识日益增强的背景下，消费者也更倾向于选择使用可持续材料制造的产品。这种消费需求的转变促使企业和设计师寻求材质与科技的融合创新，以满足市场的新需求。

（二）科技发展的推动

现代科技的飞速发展为材质与科技的融合提供了坚实的技术基础。材料科学领域不断取得突破，新型材料如智能材料、纳米材料等不断涌现。例如，形状记忆合金作为一种智能材料，能够在温度等外界条件变化时恢复到预先设定的形状，为产品设计带来了全新的可能性。同时，先进的制造技术如 3D 打印、激光切割等，使得

设计师能够更精准地塑造和加工各种材质，实现以往难以想象的设计创意。

（三）市场竞争的加剧

在全球市场竞争日益激烈的背景下，企业需要不断创新以脱颖而出。材质与科技的融合创新成为企业提升产品竞争力的重要手段。通过采用新颖的材质和独特的科技应用，企业可以打造出差异化的产品，吸引消费者的关注。例如，在智能手机市场，各品牌纷纷在手机材质和工艺上进行创新，如采用陶瓷后盖、曲面玻璃等，以区别于竞争对手，抢占市场份额。

二、材质与科技融合创新的表现形式

（一）智能材质的应用

1. 形状记忆材料

形状记忆材料能够感知环境变化并相应地改变形状。这种材料在航空航天领域有着重要应用。例如，航天器的太阳能电池板在发射时可以折叠以节省空间，进入太空后，在温度变化的刺激下，利用形状记忆合金的特性自动展开。在日常生活产品中，形状记忆材料也开始崭露头角。如一些智能眼镜架采用形状记忆合金，当眼镜受到外力挤压变形后，只要温度恢复到一定范围，就能自动恢复原状，大大提高了产品的耐用性和用户体验。

2. 变色材料

变色材料可根据环境因素（如温度、光线、压力等）改变颜色。温变材料常用于儿童玩具和饮料包装。例如，一些儿童水杯采用温变材料制作杯身，当水温过高时，杯身颜色会发生变化，提醒家长和孩子注意水温。光变材料则在防伪标签和时尚产品中应用广泛，如某些高端品牌的服装采用光变面料，在不同光照条件下呈现出不同颜色，增强了产品的趣味性和时尚感。

3. 自修复材料

自修复材料具有自我修复损伤的能力，这一特性显著延长了产品的使用寿命。在汽车领域，一些自修复车漆能够在受到轻微刮擦后，通过自身的化学或物理机制自动修复划痕，保持车身外观的完整性。在建筑领域，自修复混凝土可对内部的细微裂缝进行自我修复，提高建筑物的结构稳定性和耐久性。

（二）新型制造技术对材质的创新塑造

1.3D 打印技术

3D 打印技术允许设计师使用各种材料（如塑料、金属、陶瓷等）创建复杂的三维结构。在珠宝设计中，设计师可以利用 3D 打印技术将金属材料打印成具有独特纹理和造型的珠宝饰品，实现个性化定制。在医疗领域，3D 打印能够根据患者的具体情况，使用生物相容性材料打印出定制的医疗器械和假肢，提高治疗效果和患者的舒适度。

2. 激光切割与雕刻技术

激光切割和雕刻技术能够精确地对各种材质进行加工，为材质赋予独特的质感和图案。在木质家具设计中，通过激光雕刻可以在木材表面雕刻出精美的花纹和图案，提升家具的艺术价值。在皮革制品中，激光切割技术可以切割出复杂的形状，并对边缘进行光滑处理，同时利用激光雕刻打造独特的纹理，使皮革制品更具时尚感和独特性。

3. 纳米技术在材质处理中的应用

纳米技术可改变材料的微观结构，从而赋予材料新的性能。纳米涂层技术广泛应用于各类产品的表面处理。例如，在玻璃表面涂覆纳米涂层，可使其具有自清洁功能，雨水或灰尘能够轻易地从玻璃表面滑落，从而保持玻璃的清洁。在纺织品中添加纳米颗粒，可以使织物具有防水、防污、抗菌等特性，同时不影响织物的柔软度和透气性。

（三）材质与数字技术的交互融合

1. 电子墨水技术与柔性材料结合

电子墨水技术与柔性材料的结合催生了电子纸这一创新产品。电子纸具有类似纸张的视觉效果和柔韧性，可弯曲、折叠，广泛应用于电子阅读器、电子标签等产品。例如，电子阅读器采用电子墨水屏，其显示效果接近纸质书籍，阅读时对眼睛的刺激小，同时柔性屏幕可适应不同的阅读姿势，提升了用户体验。在零售行业，电子标签使用电子墨水技术，可实时更新价格和产品信息，方便商家管理，同时减少了纸质标签的使用，更加环保。

2. 交互材料与感应技术

交互材料与感应技术相结合，使产品能够感知用户的行为并作出相应的反应。例如，一些智能灯具采用触摸感应材料，用户通过触摸灯具表面即可调节灯光的亮度和颜色。在可穿戴设备中，利用压力感应材料和生物识别技术，设备能够实时监测用户的心率、运动状态等生理信息，并通过无线通信技术将数据传输到用户的手机或其他终端设备上，实现人与产品之间的智能交互。

三、材质与科技融合创新在不同领域的应用

（一）产品设计领域

1. 电子产品

在电子产品中，材质与科技的融合创新尤为显著。例如，智能手机的外壳材质不断推陈出新，除了常见的玻璃、金属材质外，一些品牌开始探索使用陶瓷材质。陶瓷具有耐磨、抗指纹、质感温润等特点，使手机具有独特的外观和手感。同时，手机屏幕技术也在不断发展，如柔性屏幕的出现，使手机可以实现折叠功能，这不仅改变了手

机的形态，还为用户带来了全新的使用体验。此外，无线充电技术的应用使得手机摆脱了传统充电线的束缚，这背后涉及对手机内部材质和结构的优化设计，以确保无线充电的效率和稳定性。

2. 家居产品

在家居产品设计中，智能材质和新型制造技术得到广泛应用。智能床垫采用压力感应材料和智能算法，能够根据用户的睡眠姿势和体重分布自动调整床垫的软硬度，从而提供更舒适的睡眠体验。3D 打印技术用于制作个性化的家居饰品和家具部件，如独特造型的灯具、定制的桌椅腿等，满足消费者对个性化家居的需求。此外，一些智能家居产品采用环保可再生材料，如竹纤维、再生塑料等，结合智能控制系统，实现家居的智能化和可持续发展。

（二）时尚与纺织领域

1. 智能服装

智能服装将科技与纺织材质相结合，为时尚产业带来新的活力。例如，一些运动服装采用具有温度调节功能的智能面料，这种面料能够根据人体的体温变化自动调节服装的透气性，保持身体的舒适。还有的智能服装嵌入了传感器和通信模块，可实时监测运动者的心率、运动步数等数据，并通过蓝牙将数据传输到手机应用程序上，为运动者提供运动建议。在时尚配饰方面，智能手环、智能手表等产品不仅具备传统配饰的装饰功能，还融合了健康监测、信息提醒等科技功能。

2. 可持续时尚材质创新

随着环保意识的增强，时尚与纺织领域积极探索可持续材质与科技的融合。例如，利用生物技术制造的生物基纤维，如以玉米、甘蔗等为原料制成的纤维，具有可再生、可降解的特点。一些品牌采用这种纤维制作服装，既满足了时尚需求，又符合环保理念。此外，通过纳米技术对传统纺织材料进行改进，使其具有更好的性能，减少了对环境的影响，同时延长了服装的使用寿命，推动了可持续时尚的发展。

（三）建筑与室内设计领域

1. 智能建筑材料

智能建筑材料在建筑领域发挥着重要作用。例如，智能玻璃能够根据光照强度和温度自动调节透明度，降低室内空调和照明的能耗。这种玻璃通常采用电致变色或热致变色材料，通过改变材料的光学性能来实现对光线和热量的控制。在建筑外墙材料方面，自清洁涂料利用纳米技术，使墙面具有超疏水和光催化性能，能够自动分解污垢，保持墙面清洁美观，降低建筑维护成本。

2. 数字化建造与新型建筑材质应用

数字化建造技术，如建筑信息模型（BIM）与 3D 打印技术相结合，为建筑设计和施工带来了变革。3D 打印技术可以使用新型建筑材料，如纤维增强混凝土等，可打印出复杂的建筑结构和装饰构件，提高施工效率和建筑质量。同时，一些新型的保温、隔音材料不断涌现，如气凝胶保温材料，具有极低的导热系数，能够有效提高建筑物的能源效率，为室内营造更加舒适的环境。

四、材质与科技融合创新面临的挑战与机遇

（一）面临的挑战

1. 成本问题

许多新型材料和先进技术的研发与生产成本较高，这使得采用这些材质与科技融合的产品价格昂贵，限制了其在市场上的普及。例如，一些智能材料的生产工艺复杂，原材料稀缺，导致其成本居高不下。3D 打印技术虽然具有很大的发展潜力，但目前打印设备和材料

的成本也相对较高，影响了其在大规模生产中的应用。

2. 技术成熟度与稳定性

部分材质与科技融合的创新技术还处于发展阶段，技术成熟度和稳定性有待提高。例如，自修复材料的修复效果和修复次数存在一定的局限性，在实际应用中可能无法完全满足产品的长期使用需求。一些智能服装的传感器在长时间使用后，可能会出现数据不准确或故障等问题，影响用户体验。

3. 环保与可持续性考量

尽管许多材质与科技的融合创新旨在实现环保和可持续发展，但在实际过程中，仍可能存在一些问题。例如，某些新型材料的生产过程可能对环境造成较大压力，或者在产品废弃后难以回收和处理。此外，一些智能产品中使用的电池等部件，如果处理不当，也会对环境造成污染。

（二）带来的机遇

1. 创新设计与市场拓展

材质与科技的融合创新为设计师提供了广阔的创意空间，能够创造出前所未有的产品形态和功能。这不仅满足了消费者对新奇产品的追求，还开拓了新的市场领域。例如，智能穿戴设备市场的兴起，就是材质与科技融合创新的成果，为消费者带来了全新的生活方式和健康管理手段，同时也为企业带来了巨大的商业机会。

2. 提升用户体验与品牌竞争力

通过材质与科技的融合创新，产品能够为用户提供更加便捷、舒适、个性化的体验，从而提升用户满意度和忠诚度。企业通过推出具有创新性的产品，能够在市场竞争中脱颖而出，树立良好的品牌形象，增强品牌竞争力。例如，苹果公司在产品材质和技术应用上的不断创新，使其产品在全球市场上备受青睐，成为高端科技品牌的代表。

3. 推动产业升级与可持续发展

材质与科技的融合创新有助于推动传统产业的转型升级。例如，传统制造业通过引入先进的制造技术和新型材料，提高了生产效率和产品质量，实现了从传统制造向智能制造的转变。同时，注重环保和可持续性的材质与科技融合创新，也符合全球可持续发展的趋势，为解决环境问题和资源短缺问题提供了新的途径。

五、案例分析：材质与科技融合创新的成功实践

（一）小米 MIX 系列手机

1. 材质与科技融合要点

小米 MIX 系列手机在材质与科技融合方面进行了大胆的创新。该系列手机采用了陶瓷后盖，陶瓷具有独特的光泽和温润的质感，为手机带来了高端大气的外观。同时，小米在陶瓷工艺上不断改进，通过纳米级的陶瓷粉体烧结技术，使陶瓷后盖不仅美观，而且具有良好的强度和耐磨性。在屏幕技术方面，小米 MIX 系列率先采用了全面屏设计，通过缩小边框和前置摄像头的巧妙布局，提升了屏幕占比，为用户带来了更加沉浸式的视觉体验。此外，手机还支持快速充电和无线充电技术，通过优化手机内部的电路设计和材质选择，确保充电的高效和稳定。

2. 市场反馈与影响

小米 MIX 系列手机凭借其在材质与科技融合上的创新，获得了市场的高度认可。独特的陶瓷后盖设计和全面屏技术成为该系列手机的标志性特点，吸引了众多消费者的关注。这种创新不仅提升了小米品牌的形象，使其在高端手机市场中占据了一席之地，还推动了整个手机行业在外观设计和屏幕技术方面的发展，引发了其他品牌对全面屏和新型材质应用的探索。

（二）Lumalive 智能变色服装

1. 材质与科技融合要点

Lumalive 智能变色服装是时尚与科技融合的典型案例。这款服装采用了电致变色材料，通过内置的微控制器和电源系统，能够根据环境变化（如光线、声音等）或用户的指令改变服装的颜色。电致变色材料的应用使服装具有独特的视觉效果，为时尚界带来了全新的创意元素。此外，该服装还结合了柔性电子技术，使电子元件能够与服装的面料完美融合，保证了服装的舒适性和可穿戴性。

2. 市场反馈与影响

Lumalive 智能变色服装在时尚领域引起了轰动，成为各大时尚秀场和科技展览的焦点。其独特的变色功能吸引了众多时尚爱好者和科技追随者的关注，为时尚品牌提供了新的设计思路。这种创新不仅拓展了时尚产品的功能边界，还促进了时尚产业与科技产业的深度融合，推动了智能服装市场的发展。

（三）瑞士国际奥委会总部大楼

1. 材质与科技融合要点

瑞士国际奥委会总部大楼在建筑领域展现了材质与科技融合的创新成果。大楼采用了大量的智能玻璃，这种玻璃能够根据太阳辐射和室内外温度自动调节透明度，有效控制室内的采光和热量吸收，减少了对人工照明和空调系统的依赖。同时，建筑外墙使用了一种新型的保温隔音材料，该材料结合了纳米技术和纤维增强技术，具有优异的保温隔音性能，为室内营造了舒适的环境。此外，大楼还配备了智能能源管理系统，通过传感器实时监测建筑的能源消耗情况，并进行智能调控，提高了能源利用效率。

2. 市场反馈与影响

瑞士国际奥委会总部大楼的成功建设，为可持续建筑设计树立了标杆。其在智能材料和节能技术方面的应用，展示了建筑领域材质与科技融合创新的巨大潜力。这种创新不仅为建筑使用者提供了舒适、环保的空间，还为其他建筑项目提供了借鉴，推动了建筑行业向更加智能、绿色的方向发展。

综上所述，材质与科技的融合创新是当前各个领域发展的重要趋势。它在满足消费者日益多样化需求的同时，也为企业带来了新的发展机遇，推动了产业的升级和可持续发展。尽管面临着成本、技术稳定性和环保等方面的挑战，但通过不断地研发和创新，材质与科技的融合创新必将在未来创造出更多具有创新性和实用性的产品与解决方案，为人们的生活和社会发展带来积极的影响。

Visual

Communication

第八章
动态视觉设计中的艺术元素应用

第一节
动态设计的特性与发展趋势

第二节
艺术元素在动画与互动设计中的表现

第三节
动态视觉中的艺术感与情感传递

Jared Fletcher 在 *Motion Design in Visual Communication*（2020）中将视觉传达设计的边界扩展至时间与空间的动态交互维度，提出其本质是“通过运动、节奏与用户行为触发多维叙事”的媒介融合实践。书中强调，动态设计（如 UI 动效、微交互、数据可视化动画）通过时间轴的延展（如缓动曲线控制、帧序列的叙事张力）与空间层的叠加（如视差滚动、3D 视效），将传统静态信息转化为沉浸式认知体验 [如品牌宣传片中动态 logo（标志）的符号强化、教育课件中动画流程的认知引导]。Fletcher 批判“为动而动”的技术滥用（如过度炫技干扰信息焦点），主张动态逻辑需根植于用户行为路径（如点击反馈的预期性、手势交互的自然映射），并通过“响应式美学”（如自适应屏幕的布局重组、实时数据的流动图形）重构人机对话的信任感。其核心理念是：动态设计并非视觉装饰的升级，而是信息民主化与情感黏性的技术革命，未来将推动视觉传达从“单向传播”迈向“共时性参与”（如 AR 广告的实时环境交互），重塑数字时代的认知效率与情感共鸣。

第一节 动态设计的特性与发展趋势

一、动态设计的基本特性

（一）时间性

1. 时间作为设计维度

动态设计与传统静态设计的显著区别在于它引入了时间维度。在动态设计作品中，如动画、视频广告等，画面并非静止不变，而是随着时间的推移而不断演变。时间成为塑造作品节奏、韵律和叙事的关键要素。例如，在一部时长两分钟的动画短片里，前 30 秒通过快速切换的画面和活泼的节奏来吸引观众注意力，引出故事背景；中间 1 分钟通过相对舒缓的节奏展开情节；最后 30 秒则加快节奏，达到故事高潮并完成收尾。这种对时间的精准把控，如同指挥家掌控交响乐的节奏，使观众在特定时间内经历丰富的情感体验和信息接收过程。

2. 时间对信息传达的影响

时间的运用直接影响信息的传达效果。合理的时间安排能够确保信息有序呈现，避免观众信息过载。以产品介绍视频为例，如果在短时间内塞入过多复杂信息，观众可能无法有效吸收。相反，通过巧妙的时间规划，先展示产品外观，再逐步介绍功能，配合适当的停顿和节奏变化，能让观众更好地理解产品特点。同时，不同的时间长度也适用于不同的传播场景。社交媒体上的短视频，通常需要在几秒到十几秒内抓住观众眼球并传达核心信息，而较长的品牌宣传视频则有更多时间深入讲述品牌故事和理念。

（二）运动性

1. 元素的动态变化

运动是动态设计的核心特征，包括位置移动、形状改变、颜色过渡等多种形式。在动态图形设计中，图形元素可能从画面边缘逐渐移动到中心，在移动过程中不断变换形状，颜色也随之渐变。例如，在一个环保主题的动态海报中，代表地球的圆形图形从模糊逐渐变得清晰，同时颜色从灰暗向明亮的绿色过渡，象征着地球环境的改善。这种元素的动态变化不仅增强了视觉趣味性，还能更生动地表达主题。

2. 引导视觉注意力

运动能够引导观众的视觉注意力，使他们关注到设计中的关键信息。通过元素的运动轨迹和速度变化，设计师可以将观众的视线吸引到特定区域。比如在网页动画导航中，当鼠标悬停在某个选项上时，该选项会以动态效果突出显示，如颜色变亮、微微放大或出现动画特效，引导用户点击。在视频广告中，快速移动的元素或闪烁的特效能够迅速抓住观众的视线，从而突出产品的重要卖点或品牌标识。

（三）互动性（在部分动态设计场景中）

1. 用户参与和反馈

随着技术的发展，许多动态设计作品具备了互动性，允许用户参与并获得反馈。在互动式动画或游戏设计中，用户通过操作设备（如鼠标、触摸屏等）与动态内容进行交互。例如，在一款儿童教育互动动画中，小朋友可以通过点击屏幕上的不同元素，触发相应的动画效果和声音，如点击花朵会绽放并伴有音效，点击动物会出现动物的叫声和简单介绍。这种互动不仅增强了趣味性，还能根据用户的操作提供个性化的体验。

2. 动态设计的适应性

互动性使得动态设计能够根据用户的行为作出实时调整。在虚拟现实和增强现实应用中，动态场景会随着用户的视角移动和操作实时变化。例如，在 AR 购物应用中，用户可以通过手机摄像头查看商品在真实环境中的虚拟展示，并且能够通过手势操作旋转、放大或缩小商品模型，动态设计会根据用户的这些操作实时调整展示效果，从而提供更加沉浸式的购物体验。

二、动态设计的发展历程与演变

（一）早期探索阶段

1. 传统动画的起源

动态设计的历史可以追溯到早期的传统动画。19 世纪，随着摄影技术和光学原理的发展，出现了如西洋镜、幻盘等简单的动画装置。这些早期尝试通过快速翻动画片或旋转圆盘，利用视觉暂留原理创造出动态的视觉效果，虽然技术简陋，但为动画艺术的发展奠定了基础。1892 年，埃米尔・雷诺制作的光学影戏《可怜的比埃洛》，被认为是动画史上第一部真正意义上的动画片，它在巴黎的一家剧院公开放映，标志着动画作为一种艺术形式的诞生。

2. 电影动画的发展

20 世纪初，电影技术的兴起为动画发展提供了新的平台。迪士尼公司在动画电影领域取得了开创性成就。1928 年，迪士尼推出了世界上第一部有声动画《蒸汽船威利》，米老鼠形象从此诞生。这部作品不仅在动画技术上实现了声音与画面的同步，还在角色塑造和故事讲述方面树立了典范。随后，迪士尼陆续推出了一系列经典动画长片，如《白雪公主和七个小矮人》，其精美的手绘画面、丰富的角色性格和动人的故事，推动了动画电影成为一种主流的娱乐形式，也为动态设计在叙事和艺术表现方面积累了宝贵经验。

（二）数字技术推动阶段

1. 计算机动画的诞生

20 世纪 60 年代，计算机技术开始应用于动画制作，标志着动画设计进入数字时代。早期的计算机动画主要用于科研和军事领域，画面简单且制作成本高昂。随着计算机硬件性能的提升和软件技术的发展，计算机动画逐渐走向商业化。1974 年，第一部完全由计算机制作的动画短片《饥饿》诞生，尽管它的画面相对粗糙，但展示了计算机在动画制作方面的潜力。

2.3D 动画的崛起

20 世纪 90 年代，3D 动画技术取得重大突破。1995 年，皮克斯动画工作室推出了世界上第一部全 3D 动画长片《玩具总动员》，以其逼真的角色形象、生动的光影效果和精彩的故事，震撼了全球观众。这部影片的成功标志着 3D 动画技术走向成熟，也引发了动画行业的变革。此后，3D 动画在电影、游戏等领域广泛应用，为动态设计带来了全新的视觉风格和表现手法，如更加逼真的场景建模、细腻的角色动作和丰富的材质表现。

（三）多元融合与拓展阶段

1. 跨媒体与互动设计的发展

进入 21 世纪，随着互联网、移动设备和新媒体技术的普及，动态设计不再局限于传统的影视和动画领域，而是与各种媒体形式深度融合。网页动画、手机应用动画、互动广告等新兴动态设计形式不断涌现。例如，许多品牌通过制作精美的互动广告，利用 HTML5 等技术，让用户在网页或手机端与广告内容进行互动，如滑动屏幕查看产品细节、点击元素触发动画效果等，增强了广告的传播效果和用户参与度。

2. 与新兴技术的融合

动态设计与虚拟现实、增强现实、人工智能等新兴技术紧密结合，创造出更加沉浸式和个性化的体验。在 VR 动画中，观众可以通过佩戴 VR 设备身临其境地感受动画中的场景，仿佛置身于故事之中。AI 技术则可以用于动画角色的动作生成、场景自动生成等方面，提高制作效率并创造出独特的动态效果。例如，一些 AI 生成的动画短片，通过算法生成独特的画面和情节，展现了动态设计与新兴技术融合的无限可能。

三、动态设计的发展趋势

（一）技术创新驱动

1. 实时渲染技术的发展

实时渲染技术近年来取得了显著进步，可以在短时间内生成高质量的动态画面，无须长时间的预渲染过程。这一技术在游戏、虚拟现实、增强现实应用和实时互动视频等领域具有重要意义。例如，在一些大型多人在线游戏中，实时渲染技术能够根据玩家的实时操作和场景变化，瞬间生成逼真的画面，提供流畅的游戏体验。随着硬件性能的不断提升和算法的优化，实时渲染的画面质量将越来越接近传统预渲染的水平，为动态设计带来更多实时交互和即时创作的可能。

2. 人工智能与机器学习的应用

人工智能和机器学习在动态设计中的应用日益广泛。人工智能可以分析用户的行为数据和偏好，为动态设计提供个性化的内容推荐和体验。例如，视频平台可以根据用户的观看历史，利用人工智能算法推荐符合其兴趣的动态视频内容。唐希希（2024）认为，在动画制作方面，机器学习算法能够自动生成动画角色的动作，使动作更加自然流畅，减少人工关键帧制作的工作量。此外，人工智能还可以用于图像识别和处理，在动态设计中实现智能场景识别、元素自动跟踪等功能，提高制作效率和创意表现。

（二）沉浸式体验深化

1. 虚拟现实、增强现实和混合现实技术的融合发展

虚拟现实、增强现实和混合现实技术的不断发展，为动态设计带来了更加沉浸式的体验。在虚拟现实动态设计中，用户完全沉浸在虚拟环境中，通过头部追踪和手柄操作与虚拟场景进行自然交互。例如，虚拟现实动画可以让观众置身于奇幻的世界中，与动画角色近距离互动，获得前所未有的感官体验。增强现实技术则将虚拟元素与现实场景相结合，如在城市街道上通过手机 AR 应用查看历史建筑的虚

拟重建和相关介绍。混合现实技术进一步模糊了虚拟与现实的界限，实现了虚拟与现实元素的实时互动和融合。这些技术的融合发展将促使动态设计从传统的二维屏幕展示向更加立体、全方位的沉浸式体验转变。

2. 多感官体验的拓展

除了视觉和听觉，动态设计开始注重拓展多感官体验。触觉反馈技术逐渐应用于动态设计作品中。例如，在一些游戏手柄或穿戴设备中，通过震动、压力变化等方式为用户提供触觉反馈，增强互动的真实感。在一些沉浸式展览中，还会结合嗅觉和味觉元素，根据动态展示的内容释放相应的气味，营造更加身临其境的氛围。例如，在一个以美食为主题的动态展示中，通过释放食物的香气，让观众在观看美食制作动画的同时，能够从嗅觉上感受美食的魅力，全方位提升动态设计的体验感。

（三）跨平台与跨领域融合

1. 跨平台设计的无缝衔接

随着移动设备、电脑、智能电视等多种平台的普及，动态设计需要实现跨平台的无缝衔接。设计师需要考虑不同平台的屏幕尺寸、分辨率、交互方式等因素，确保动态作品在各个平台上都能提供一致且优质的用户体验。例如，一部优秀的品牌宣传动画，不仅要在电脑网页上展示流畅、画面精美，在手机端也要能够自适应屏幕大小，保持良好的视觉效果和交互体验。响应式设计和跨平台开发工具的发展，使得动态设计能够更加便捷地实现跨平台的一致性。

2. 与其他领域的跨界合作

动态设计与其他领域的跨界合作日益频繁。与艺术领域合作，动态设计可以借鉴不同艺术流派的风格和表现手法，如将抽象表现主义、波普艺术等风格融入动画设计中，创造出独特的视觉风格。与科学领域合作，动态设计可以将复杂的科学数据和概念以生动直观的动态形式呈现，如制作科普动画展示宇宙天体的运行、人体细胞的活动等。此外，与商业、教育、医疗等领域的跨界合作，也为动态设计带来了更广阔的应用空间和创新机会，推动动态设计在不同领域发挥更大的价值。

四、动态设计特性对艺术创作的影响

（一）拓展艺术表现形式

1. 突破静态限制

动态设计的时间性和运动性突破了传统静态艺术的限制，为艺术家提供了更广阔的创作空间。传统绘画和雕塑作品是静态的，观众只能在某个瞬间欣赏其凝固的美。而动态设计可以通过连续的画面和动态变化，展现事物的发展过程、情感的起伏变化等。例如，一位艺术家可以通过动态图形设计，将一幅静态的山水画转化为动态的场景，山峦云雾缭绕、水流潺潺，使原本静止的画面充满生机与活力，为观众带来全新的视觉体验。

2. 融合多种艺术元素

动态设计能够融合多种艺术元素，如绘画、音乐、舞蹈等，创造出综合性的艺术表现形式。在动画创作中，画面的绘制风格可以借鉴绘画艺术的技巧，色彩运用可以参考色彩学原理，而角色的动作设计可以从舞蹈中汲取灵感。同时，配合适合的音乐和音效，能够营造出更加丰富的情感氛围。例如，一部以中国传统文化为主题的动画短片，将中国传统水墨画的风格与民族音乐相结合，通过动态的画面和音乐的节奏变化，展现中国文化的独特魅力。这种融合多种艺术元素的动态设计作品，具有更强的艺术感染力。

（二）丰富叙事与情感表达

1. 动态叙事的灵活性

动态设计的时间维度使得叙事更加灵活多样。艺术家可以通过控制时间节奏、画面切换等方式，讲述复杂的故事，设置悬念和高潮。

与传统文学或电影叙事相比，动态设计可以更加自由地打破时间和空间的限制。例如，在一部实验性的动态影像作品中，艺术家可以通过跳跃的时间线和场景切换，展现一个人在不同人生阶段的回忆与感悟，这种非线性的叙事方式为观众带来独特的思考和情感体验。

2. 情感的动态传递

运动性和互动性增强了情感的传递效果。动态元素的变化能够直接引发观众的情感共鸣，如快速的节奏和强烈的色彩变化可以表现紧张、激动的情绪，而缓慢的节奏和柔和的色彩过渡则可以营造宁静、温馨的氛围。在互动式动态设计作品中，用户的参与使情感传递更加个性化。例如，在一个互动艺术装置中，用户通过触摸屏幕改变画面的颜色和形态，随着用户的操作，画面呈现出不同的情感氛围，这种互动过程增强了用户与作品之间的情感联结，使情感传递更加深入和独特。

综上所述，动态设计以其独特的时间性、运动性和互动性等特性，在不断演变和发展的过程中，对艺术创作产生了深远的影响。随着技术的持续创新、沉浸式体验的深化以及跨平台与跨领域融合的推进，动态设计将在未来展现出更加丰富多样的形式和更强大的艺术表现力，为观众带来前所未有的视觉盛宴和情感体验。

第二节 艺术元素在动画与互动设计中的表现

一、动画设计中的艺术元素表现

（一）色彩的动态运用

色彩引导情绪与叙事。在动画中，色彩是引导观众情绪和推动叙事的强大工具。不同的色彩组合和变化能够营造出各种氛围，表达丰富的情感。例如，在迪士尼经典动画《白雪公主》中，皇后出现时，常常伴随着暗沉、冷色调的色彩，如黑色、深紫色等，这些颜色暗示了她内心的邪恶与冷酷，同时也营造出紧张、压抑的氛围。而当白雪公主与七个小矮人相处时，画面多采用明亮、温暖的色彩，如金黄的阳光、翠绿的草地、粉嫩的花朵等，传递出温馨、快乐的情绪，展现了美好的友谊与生活。通过色彩的巧妙运用，观众能更深刻地理解角色的性格和故事的发展脉络。

色彩的动态变化与节奏。动画中的色彩并非一成不变，而是随着情节发展产生动态变化，形成独特的节奏。在皮克斯动画《寻梦环游记》中，主角米格进入亡灵世界时，画面色彩瞬间变得绚丽多彩，充满奇幻感。而当米格面临困境或情绪低落时，色彩会适当暗沉，纯度降低。这种色彩的动态变化与情节节奏紧密相连，增强了故事的感染力。在一些艺术动画短片中，色彩的节奏变化更加微妙，通过色彩的渐变、闪烁或突然转变，营造出独特的视觉韵律，引导观众的情绪随之起伏。

色彩风格与主题表达。不同的动画作品往往具有独特的色彩风格，以突出主题。宫崎骏的动画《千与千寻》以自然、质朴的色彩风格为主，大量运用大地色系、绿色系等，展现出神秘而富有生命力的奇幻世界，同时也表达了对自然、人性的思考。而在《疯狂动物城》中，为了呈现一个多元、包容的动物都市，影片采用了丰富且鲜明的色彩，城市的不同区域具有独特的色彩标识，如繁华的市中心色彩鲜艳、活力四射，而静谧的郊区则色调相对柔和，通过色彩风格强化了梦想、平等与包容主题的表达。

（二）图形与形状的动态塑造

角色造型的图形化表达。动画角色的造型设计是图形与形状运用的重要体现。角色的外形轮廓、身体比例、细节装饰等都基于图形元素进行设计。例如，《超级马里奥》系列动画中的马里奥，其形象以简单的几何图形为基础，圆形的头部、方形的身体，搭配鲜明的红色帽子和蓝色背带裤，简洁而富有辨识度。这种图形化的角色造型易于观众记忆，同时也方便通过动态的动作设计展现角色性格。又如《海绵宝宝》，主角海绵宝宝的方形身体与夸张的表情、动作相结合，形成独特的视觉风格，生动地展现出其乐观、天真的性格特点。

场景构建的图形语言。动画场景同样通过图形与形状来构建独特的视觉空间。在《冰雪奇缘》中，艾莎创造的冰雪城堡运用了大量的几何形状，如尖锐的冰柱（类似三角形）、光滑的冰面（大面积的平面），这些形状组合营造出寒冷、奇幻且壮观的场景。而在《大闹天宫》中，花果山的场景设计融合了中国传统的图形元素，如圆形的拱门、蜿蜒的亭台楼阁轮廓，以及具有象征意义的如意金箍棒等图形，构建出充满东方韵味的神话场景，传递出浓郁的文化气息。

图形的动态变化与互动。动画中的图形并非静止，而是通过动态变化来增强表现力。角色的变形、场景的转换等都涉及图形的动态改变。在《变形金刚》动画中，汽车人与霸天虎的变形过程就是图形动态变化的经典展示，车辆形态与机器人形态之间的转换，通过巧妙的图形拆分、重组和变形，展现出震撼的视觉效果。此外，图形之间的互动也为动画增添趣味，如在一些动画中，角色与周围环境中的图形元素相互作用，角色跳跃时地面产生的震动以波纹状图形呈现，丰富了画面的动态层次。

（三）线条的动态表现力

线条塑造角色性格与动作。线条在动画中对塑造角色性格和表现动作起着关键作用。流畅、圆润的线条常用于表现温柔、灵动的角色，如《白蛇：缘起》中的小白，其线条设计细腻、柔和，展现出她的柔美与善良。而硬朗、刚直的线条则常用来描绘坚毅、勇敢的角色，如《哪吒之魔童降世》中的哪吒，其身形线条简洁有力，在表现奔跑、战斗等动作时，线条的动态变化展现出强大的力量感、果敢的性格。

线条营造场景氛围与空间感。线条能够营造出不同的场景氛围和空间感。在表现神秘、幽静的场景时，常使用蜿蜒曲折、若隐若现的线条，如《幽灵公主》中的森林场景，通过细腻的线条描绘出树木的枝叶、雾气的飘动，营造出神秘而深邃的氛围。在构建空间感方面，线条的透视运用至关重要。如在表现宏大的宫殿场景时，通过近大远小的透视关系，展现出宫殿的雄伟和空间的纵深，使观众仿佛身临其境。

线条的动态节奏与韵律。线条的动态变化可以形成独特的节奏与韵律。在一些实验性动画中，线条会根据音乐的节奏或情节的起伏进行有规律的变化。例如，在动画短片《线的记忆》中，线条随着音乐的节奏长短、疏密变化，时而快速跳动，时而缓慢延展，如同音符在画面上舞动，为观众带来独特的视觉体验，使观众在欣赏动画的同时，感受到线条与音乐相互呼应的节奏与韵律之美。

（四）材质与质感的虚拟呈现

模拟真实材质质感。现代动画技术能够高度逼真地模拟各种真实材质的质感。在动画电影《奇幻森林》中，对动物皮毛的表现极为细腻，细腻的纹理、光影效果以及毛发的动态模拟，让观众仿佛能触摸到老虎的光滑皮毛、熊的厚实毛发。对于场景中的材质，如森林中的树木、岩石等，通过材质纹理的绘制和光影反射的模拟，呈现出真实的质感。这种对真实材质质感的模拟，使观众更容易产生代入感，仿佛置身于奇幻世界之中。

材质质感与角色性格和场景氛围相契合。材质质感不仅要追求逼真，还要与角色性格和场景氛围相契合。在《玩具总动员》中，玩具们的材质质感设计与它们的角色设定紧密相关。牛仔胡迪的布料质感，展现出他质朴、经典的形象；而巴斯光年的塑料质感以及金属光泽，突出了他的科技感和未来感。在场景方面，如《飞屋环游记》中卡尔的老木屋，通过表现出木屋陈旧、斑驳的木质质感，营造出温馨而又略带沧桑的氛围，与主角卡尔的经历和情感相呼应。

材质质感的动态变化。动画中的材质质感并非固定不变，而是会随着情节发展产生动态变化。例如，在一些灾难主题的动画中，建筑物在遭受破坏时，原本坚固的砖石材质会出现破碎、龟裂的效果，材质质感从完整、坚硬逐渐变为破碎、松散，这种动态变化增强了情节的紧张感和真实感。在一些具有魔法元素的动画中，角色施展魔法时，周围的材质会产生奇幻的变化，如普通的石头变为闪耀的宝石，通过材质质感的动态转变，展现出魔法的神奇效果。

二、互动设计中的艺术元素表现

（一）色彩在互动设计中的引导与反馈

色彩引导用户操作。在互动设计中，色彩可以引导用户进行操作。例如，在手机应用的界面设计中，重要的操作按钮通常会使用鲜明、醒目的色彩，如红色、橙色等，以吸引用户的注意力。在一些电商应用中，“立即购买”按钮常采用红色，利用红色的视觉冲击力，引导用户完成购买操作。同时，色彩还可以用于区分不同的功能区域，如在社交应用中，聊天界面的背景色与个人资料页面的背景色不同，使用户能够快速识别和切换不同功能，提高操作效率。

色彩反馈用户行为。色彩能够对用户的行为作出反馈，增强用户与界面的互动体验。当用户点击按钮时，按钮的颜色可能会发生变化，如从浅灰色变为深灰色，或者从纯色变为带有渐变效果的颜色，这种色彩变化告知用户操作已被执行。在游戏互动设计中，当玩家完成特定任务或达到目标时，界面会出现色彩鲜艳的提示框，如绿色的“任务完成”提示，给予用户积极的反馈，增加用户的成就感。而当用户操作失误时，可能会出现红色的警示色彩，提醒用户注意错误。

色彩营造互动氛围。色彩可以营造出与互动内容相匹配的氛围。在儿童互动教育应用中，通常会使用明亮、活泼的色彩，如粉色、黄色等，可营造欢快、有趣的学习氛围，吸引儿童的注意力并激发他们的学习兴趣。而在一些冥想、放松类的互动应用中，会采用柔和、宁静的色彩，如淡蓝色、淡绿色等，帮助用户放松身心，营造出宁静的互动氛围，使用户更好地沉浸在应用的内容中。

（二）图形与形状构建互动体验

图形化界面元素引导互动。互动设计中的界面元素多采用图形化设计，以直观引导用户互动。例如，在网页导航栏中，常用简洁的图形图标代表不同的页面或功能，如房子图标代表首页，放大镜图标代表搜索功能。这些图形图标易于识别，即使在不同语言环境下，用户也能快速理解其含义并进行操作。在移动应用的底部导航栏中，同样通过图形图标引导用户在不同功能模块间切换，如微信底部的“通讯录”“发现”“我”等功能分别对应不同的图形图标，方便用户操作。

动态图形增强互动趣味性。动态图形在互动设计中能够增强趣味性。在一些互动广告中，当用户将鼠标悬停在广告元素上时，该元素会产生动态变化，如图片放大、旋转或者出现动画效果。这种动态图形的互动设计可以吸引用户的注意力，增加用户与广告的互动时间。在游戏互动界面中，动态图形的运用更为广泛，如角色的技能释放动画、场景的切换动画等，通过生动的动态图形展示，提升游戏的趣味性和沉浸感。

图形互动与用户参与感。通过设计图形之间的互动，能够增强用户的参与感。在一些互动艺术作品中，用户可以通过触摸屏幕或操作手柄，改变图形的形状、位置、颜色等属性。例如，在一个互动装置艺术作品中，用户可以通过手势操作控制屏幕上的几何图形，使其组合成不同的图案，每个用户都能创造出独特的作品。这种图形互动设计让用户成为作品创作的一部分，极大地增强了用户的参与感和创作乐趣。

（三）线条在互动设计中的指示与引导

线条指示操作方向。线条在互动设计中常被用于指示操作方向。在地图类应用中，线条被广泛用于指示路线，引导用户从当前位置到达目的地。这些线条不仅标明了路径，还通过颜色、粗细等变化提供更多信息，如主要道路线条较粗，次要道路线条较细。在一些引导式教程中，线条会以动画形式出现，指向需要操作的界面元素，引导用户逐步完成操作，帮助用户快速熟悉应用或系统的使用方法。

动态线条增强互动流畅感。动态线条能够增强互动的流畅感。在一些具有动画过渡效果的互动界面中，线条的动态变化能够引导用户的视线，使界面的切换更加自然流畅。例如，当用户在手机应用中从一个页面切换到另一个页面时，可能会有一条线条从当前页面的某个元素延伸到新页面的对应元素，这种动态线条的引导让用户的视线有迹可循，减少了页面切换带来的突兀感，提升了用户的互动体验。

线条互动激发创意表达。在一些创意互动设计中，线条成为用户表达创意的工具。例如，在儿童绘画互动应用中，儿童可以通过手指在屏幕上绘制线条，创造出各种形状和图案。一些成人创意设计工具也提供类似功能，设计师可以通过线条的绘制、编辑，快速勾勒出设计草图，线条的动态变化过程记录了用户的创意过程，激发了用户的创意表达欲望。

（四）材质与质感提升互动真实感

模拟真实材质，提升互动代入感。互动设计中模拟真实材质质感能够提升用户的代入感。在一些虚拟购物应用中，对商品材质的模拟极为重要。例如，在购买家具时，应用通过 3D 建模和材质纹理模拟，展示家具的木质、皮质等材质质感，用户可以通过手势操作旋转、放大商品，查看不同角度的材质细节，这种模拟真实材质的设计让用户在虚拟环境中也能感受到商品的真实质感，增强了其购买的决心。

材质质感与互动功能相匹配。材质质感的设计应与互动功能相匹配。在游戏互动设计中，不同道具的材质质感与它们的功能相关。例如，游戏中的武器道具，如果是金属材质的剑，其质感设计会突出金属的坚硬、锋利，在使用武器的互动过程中，通过音效和视觉效果，如剑砍在物体上的火花、金属碰撞声等，与金属材质质感相呼应，增强游戏的真实感和互动体验。而如果是魔法道具，可能会设计出奇幻、闪烁的材质质感，以匹配其魔法功能。

材质质感的互动变化。互动设计中的材质质感可以随着用户的操作而产生变化。在一些建筑设计互动应用中，用户可以选择不同的建筑材料，并实时查看建筑外观材质质感的变化。例如，当用户从木质外墙材料切换到石材外墙材料时，建筑模型的外观质感会相应改变，包括纹理、颜色、光泽等。这种材质质感的互动变化让用户能够直观地感受不同选择带来的效果，从而提高用户参与设计过程的积极性和体验感。

三、动画与互动设计中艺术元素表现的融合与创新

（一）艺术元素的协同作用

色彩与图形的协同。在动画和互动设计中，色彩与图形相互配合，共同提升作品的表现力。在动画场景设计中，特定的图形通过色

彩的渲染，能够更好地营造氛围、表达情感。例如，在一个表现未来城市的动画场景中，高楼大厦的几何形状搭配科技感十足的蓝色、银色等冷色调，强化了未来城市的现代、冰冷氛围。在互动界面设计中，色彩可以突出图形元素的功能和层次。例如，在一个音乐播放应用的界面中，圆形的播放按钮通过鲜艳的红色突出显示，使其在众多图形元素中更加醒目，方便用户操作。同时，色彩的渐变可以为图形元素增加立体感，使图形更加生动。

线条与材质的协同。线条与材质的协同能够创造出独特的视觉效果。在动画角色设计中，线条勾勒出角色的外形轮廓，而材质质感的表现则赋予角色真实感和个性。例如，在设计一个古代武侠角色时，通过硬朗、流畅的线条描绘出角色的身形和动作，再搭配上具有质感的布料表现其衣物，如丝绸的光滑质感、麻布的粗糙质感等，使角色形象更加丰满。在互动设计中，线条可以引导用户关注材质的细节。例如，在一个展示珠宝的互动应用中，线条可以指向珠宝的切割面，同时配合对珠宝材质光泽、透明度等质感的细腻表现，让用户更好地欣赏珠宝的精美。

多元素综合营造体验。动画和互动设计往往通过多种艺术元素的综合运用，营造出丰富的体验。在一部优秀的动画电影中，色彩、图形、线条、材质等元素相互融合，共同构建出奇幻的世界、生动的角色和扣人心弦的情节。例如，在《阿凡达》中，潘多拉星球独特的生物造型（图形）、绚丽多彩的环境色彩、细腻的线条描绘以及逼真的材质质感（如动物的皮肤、植物的纹理等），共同营造出一个令人惊叹的外星世界，给观众带来沉浸式的视觉体验。在互动游戏设计中，同样通过多元素的协同，为玩家创造出充满乐趣和挑战的游戏体验。游戏中的场景、角色、道具等通过色彩、图形、线条和材质的精心设计，搭配音效和互动机制，让玩家在游戏中获得全方位的感官体验。

（二）基于新技术的创新表现

利用虚拟现实和增强现实技术创新艺术元素的呈现形式。虚拟现实和增强现实技术为艺术元素在动画和互动设计中的表现带来了新的机遇。在虚拟现实动画中，观众可以身临其境地感受动画场景，色彩、图形、线条和材质等艺术元素以更加立体、沉浸式的方式呈现。例如，在一项虚拟现实动画体验中，观众仿佛置身于古老的城堡之中，周围的墙壁、石柱等建筑元素通过细腻的材质质感表现，搭配上光影效果下的色彩变化，以及线条勾勒出的建筑轮廓，营造出逼真的城堡氛围。在增强现实互动设计中，虚拟的艺术元素与现实场景相结合，创造出独特的互动体验。例如，利用增强现实技术，用户可以在现实的桌面上设置虚拟的动画角色，角色的色彩、图形等元素与现实环境相互融合，用户可以通过手势与角色互动，改变其动作、表情等，这种创新的呈现方式为艺术元素的表现带来了新的维度。

结合人工智能实现艺术元素的智能互动。人工智能技术在动画和互动设计中的应用，使艺术元素能够实现智能互动。在动画制作中，人工智能技术可以根据预设的风格和规则，自动生成动画角色的动作、表情等，同时对色彩、图形等元素进行智能调整。例如，人工智能技术可以根据角色的情绪状态，自动改变其面部色彩的纯度和亮度，以及图形化的表情形状，使角色的情感表达更加生动自然。在互动设计中，人工智能技术可以根据用户的行为习惯和偏好，智能推荐个性化的艺术元素组合。比如在一个个性化的壁纸应用中，人工智能技术根据用户过往选择的色彩、图形风格等数据，为用户推荐符合其偏好的动态壁纸，壁纸中的色彩、图形元素等都经过智能筛选和组合，提升用户的互动体验。

借助 3D 打印与全息投影拓展艺术元素的表现方式。3D 打印技术为动画和互动设计的艺术元素表现提供了实体化的可能。动画角色或互动装置中的图形元素可以通过 3D 打印制作成实体模型，并且能够保留其细腻的材质质感和色彩表现。例如，动画电影中的热门角色可以通过 3D 打印制成手办，手办上的色彩、材质质感与动画中的形象高度一致，甚至可以通过特殊的 3D 打印材料和工艺，实现角色服装具有柔软质感或金属部件有光泽的效果。全息投影技术则为艺术元素带来了全新的展示方式。在互动展览中，通过全息投影展示的动画角色或场景，使观众能够从不同角度观赏，色彩、图形和线条在三维空间中呈现出动态效果，仿佛真实存在一般。这种技术打破了传统二维展示的局限，为艺术元素的表现创造了更加奇幻和震撼的视觉效果。

（三）跨领域融合下的艺术元素创新

与音乐、舞蹈领域融合创新。动画和互动设计与音乐、舞蹈领域的融合，为艺术元素带来新的创新方向。在动画音乐剧中，动画的色彩、图形、线条等元素与音乐的节奏、旋律紧密结合。例如，欢快的音乐节奏可能伴随着明亮色彩的快速闪烁和活泼图形的跳跃运动，而舒缓的音乐则搭配柔和色彩的渐变和线条的缓慢流动，使观众在欣赏动画的同时，通过视觉与听觉的双重体验，更深刻地感受作品的情感表达。在互动舞蹈表演中，舞者的动作与互动设计的图形、色彩元素相互呼应。例如，舞者的动作可以实时触发舞台上的动态图形变化，如舞者旋转时，周围会出现围绕其旋转的彩色线条和图形，同时色彩也会根据舞蹈的情感氛围发生变化，从平静的蓝色过渡到热烈的红色，这种跨领域融合为艺术元素的创新表现提供了丰富的可能性。

与文学、戏剧领域结合，丰富艺术元素的内涵。动画和互动设计与文学、戏剧领域的结合，丰富了动画和互动设计中艺术元素的内涵。动画可以将文学作品中的情节、角色通过色彩、图形、线条等艺术元素进行可视化呈现。例如，在将《哈利·波特》系列小说改编为动画时，通过独特的色彩设计来展现魔法世界的不同场景，如霍格沃茨魔法学校的神秘色调、魁地奇球场的活力色彩等。同时，利用图形和线条塑造出个性鲜明的角色形象，使观众能够通过动画更直观地感受文学作品中的奇幻世界。在互动戏剧体验中，观众可以通过互动设计参与到戏剧情节中，而艺术元素则根据情节发展和观众的选择进行动态变化。例如，观众的不同选择会导致场景色彩的改变，如选择紧张的情节分支，场景会变得阴暗，色彩纯度降低；而选择轻松的情节，场景色彩则变得明亮、活泼。这种结合使艺术元素不仅仅是视觉装饰，更成为推动情节发展和表达情感的重要手段。

在教育、医疗等领域应用，推动艺术元素的发展。在教育、医疗等领域的应用，推动了动画和互动设计中艺术元素的发展。在教育领域，动画通过色彩、图形等艺术元素将抽象的知识转化为生动易懂的内容。例如，在科普动画中，用鲜艳的色彩区分不同的生物细胞结构，通过图形的动态变化展示细胞的分裂过程，使学生更容易理解生物学知识。在医疗领域，互动设计结合艺术元素为患者提供更好的体验。例如，在康复治疗的互动应用中，通过色彩丰富、图形可爱的界面设计，搭配轻松的音乐和动态线条引导，帮助患者在愉悦的氛围中完成康复训练。这些跨领域的应用促使艺术元素在满足功能性需求的同时不断创新和优化，以更好地服务于不同领域的用户。

综上所述，艺术元素在动画与互动设计中有着丰富多样的表现形式，它们相互融合、协同作用，借助新技术不断创新，并在跨领域融合中持续发展。无论是为了营造沉浸式的体验、推动情节发展，还是满足不同领域的需求，艺术元素都在动画与互动设计中发挥着至关重要的作用，为创作者提供了广阔的创作空间，也为观众和用户带来了丰富多彩的视觉与互动享受。随着技术的不断进步和跨领域合作的深入，艺术元素在动画与互动设计中的表现将展现出更加绚烂的未来。

第三节 动态视觉中的艺术感与情感传递

一、动态视觉艺术感的构成要素

（一）形式美感

节奏与韵律。在动态视觉设计中，节奏与韵律是营造形式美感的关键。节奏源于元素有规律的变化，如画面中图形的大小、色彩的明暗、运动的快慢等交替出现。例如，在一段动画广告中，产品的展示画面以快速切换的节奏呈现，配合明快的音乐，强调产品的多样功能；而在介绍品牌理念时，节奏放缓，画面过渡更加柔和，使观众能够深入理解品牌内涵。韵律则是在节奏的基础上，融入了情感和变化的微妙性，让节奏更具情感色彩。比如在一个艺术动画短片里，线条的流动与色彩的渐变相互呼应，形成如音乐般的韵律，引导观众进入一种梦幻的情感氛围。

对称与均衡。对称与均衡为动态视觉带来稳定与和谐的美感。对称结构给人一种庄重、严谨的感觉，在动态设计中，一些品牌的宣传动画可能会采用对称式的构图，如画面以中轴线为基准，两侧元素的运动和变化保持一致，传达出品牌的专业与可靠。而均衡则更注重视觉重量的平衡，不一定要求元素完全对称。例如，在一个互动游戏的开场动画中，一侧是较大但色彩较淡的图形缓慢移动，另一侧是较小但色彩鲜艳的图形快速闪烁，通过巧妙安排，使画面整体在视觉上达到均衡，给人以动态且稳定的感受。

对比与调和。对比能够突出元素之间的差异，增强视觉冲击力。在动态视觉中，对比可以体现在多个方面，如色彩对比（黑色与白色、冷色与暖色）、大小对比（大物体与小物体）、动静对比（快速移动的元素与静止的背景）等。例如，在一个环保主题的动态海报中，通过将被污染的灰暗城市与充满生机的绿色森林进行色彩和场景的强烈对比，突出环保的重要性。调和则是让不同元素相互协调，形成统一的视觉效果。比如在动画角色设计中，将不同形状和色彩的元素进行巧妙融合，使角色既具有独特个性，又整体和谐统一。

（二）创意表达

独特的概念与视角。富有创意的动态视觉设计往往基于独特的概念和新颖的视角。设计师通过突破常规思维，以独特的方式诠释主题。例如，在一个关于时间的动态艺术作品中，设计师没有采用传统的时钟、日历等元素来表现时间，而是通过城市建筑的兴衰变迁、植物的生长枯萎等动态画面，从宏观和微观的独特视角展现时间的流逝，让观众对时间有了全新的理解和感受。

创新的表现手法。创新的表现手法是实现创意表达的重要途径。随着技术的发展，动态视觉设计有了更多的表现可能性。例如，一些设计师利用 3D 建模和动画技术，创造出超现实的场景和角色，打破现实的束缚，展现奇幻的世界。在互动动态设计中，创新的交互方式也成为表现手法的一部分，如通过手势识别、面部表情识别等技术，让用户与动态画面进行自然交互，为用户带来全新的体验。

个性化的风格。个性化的风格是设计师创意表达的独特标识。不同的设计师或设计团队往往具有独特的风格特点，如有的擅长运用简洁的线条和明亮的色彩，营造清新、现代的风格；有的偏爱复杂的纹理和浓郁的色彩，展现复古、华丽的风格。例如，日本动画导演宫崎骏，以其细腻的手绘风格、丰富的想象力和对自然与人性的深刻思考，创作出了艺术风格独特的作品，深受全球观众喜爱。

（三）技术与艺术的融合

先进技术实现艺术构想。现代科技为动态视觉设计提供了强大的支持，使设计师能够将复杂的艺术构想变为现实。例如，实时渲染技术的发展，让动画和游戏能够呈现出更加逼真的画面效果，无论是细腻的光影变化，还是复杂的材质表现，都能通过技术实现。在虚拟现实和增强现实领域，通过空间定位、图形渲染等技术，将虚拟的动态元素与现实环境相结合，为观众带来沉浸式的艺术体验。

艺术审美引导技术应用。在动态视觉设计中，艺术审美起着引导技术应用的作用。设计师应根据艺术表达的需求选择合适的技术手段，避免技术滥用。例如，虽然 3D 技术能够实现高度逼真的效果，但在一些追求简约风格的动态设计中，设计师可能会选择二维矢量图形和简单的动画效果，以符合整体的艺术审美。艺术审美还能为技术创新提供方向，促使技术不断发展以满足更高的艺术追求。

技术创新推动艺术发展。技术的不断创新为动态视觉艺术带来了新的发展机遇。例如，人工智能技术在动态设计中的应用，不仅提高了设计效率，还创造了新的艺术表现形式。人工智能技术可以通过分析大量的数据生成独特的动画、图形等，为动态视觉艺术带来更多的可能性。同时，新的显示技术、交互技术等的出现，也促使设计师探索新的艺术风格和表现手法，推动动态视觉艺术不断向前发展。

二、动态视觉中情感传递的方式

（一）通过色彩引发情感共鸣

色彩的情感象征。色彩具有丰富的情感象征意义，不同的颜色能够引发不同的情感反应。红色通常与热情、活力、危险等情感相关联。在动态视觉设计中，如在一个运动品牌的广告动画中，大量运用红色元素，配合快速的节奏和动感的画面，激发观众的热情和活力，使其对品牌产生积极的情感认同。蓝色常被视为冷静、理智、信任的象征，在金融机构的动态宣传中，蓝色的运用可以传达出专业、可靠的形象，让观众产生信任感。

色彩的动态变化与情感引导。色彩的动态变化能够细腻地引导情感。在动画电影中，当主角面临困境时，画面的色彩可能会逐渐变得灰暗，纯度降低，营造出压抑、紧张的氛围，让观众感同身受。而当主角克服困难，迎来胜利时，色彩会变得明亮、鲜艳，观众的情绪也随之高涨。在互动设计中，色彩的动态变化也能根据用户的操作或情境变化，引导用户的情感。例如，在一个健康管理应用中，当用户完成锻炼目标时，界面的色彩会从日常的中性色变为充满活力的绿色，给予用户积极的情感反馈。

色彩组合营造情感氛围。色彩的组合方式也能营造出特定的情感氛围。暖色调（如红色、橙色、黄色）的组合通常能营造出温馨、欢快的氛围，适合用于节日主题的动态设计。而冷色调（如蓝色、绿色、紫色）的组合则可能营造出宁静、神秘的氛围。例如，在一个关于宇宙探索的动态科普视频中，使用蓝色和紫色的组合，搭配星空、星系的画面，营造出神秘而浩瀚的宇宙氛围，引发观众对宇宙的好奇和敬畏之情。

（二）借助图形与形状传达情感

图形的情感寓意。不同的图形具有不同的情感寓意。圆形通常给人一种圆润、和谐、完整的感觉，在动态设计中，圆形元素的运用可以传达出团结、圆满的情感。例如，在一部社区活动的宣传动画中，人们手拉手围成圆形，配合欢快的音乐和明亮的色彩，展现了社区和谐而团结的氛围。三角形具有稳定性和方向性，有时会给人一种锐利、坚定的感觉。在一些品牌的标志动态设计中，三角形元素的运用可以展现品牌的坚定和进取精神。

图形的动态演变与情感表达。图形的动态演变能够生动地表达情感。在一个讲述人生成长的动画短片中，主角的形象从一个简单的圆形逐渐演变成复杂而富有细节的人形，这个过程象征着主角的成长与变化，让观众感受到成长的喜悦与艰辛。在互动设计中，图形的动态演变可以根据用户的行为进行。例如，在一个拼图游戏中，当用户完成拼图时，原本分散的图形会组合成一个完整的图案，并伴有欢快的动画效果，使用户获得成就感。

形状对比与情感张力。形状的对比可以产生情感张力。在动态视觉设计中，将大与小、规则与不规则的形状进行对比，可以增强画面的表现力和情感冲击力。例如，在一个环保主题的动画中，巨大的工业建筑与渺小的生物形成鲜明对比，突出人类活动对自然的压迫，引发观众对环保问题的关注和忧虑。

（三）依靠运动与节奏传递情感

运动方向与情感暗示。运动方向在动态视觉中具有情感暗示作用。向上的运动通常传达积极、上升、希望等情感，如在一个企业的宣传动画中，代表企业的图标向上攀升，寓意企业的发展蒸蒸日上，给观众带来积极的情感预期。向下的运动可能暗示衰落、悲伤等情感，如在表现自然灾害后果的动态画面中，物体向下坠落，营造出沉重、悲伤的氛围。水平方向的运动则可能给人一种平稳、安定的感觉。

运动速度与情感强度。运动速度能够体现情感强度。快速的运动往往与激动、紧张、兴奋等强烈情感相关。在动作电影的预告片中，快速切换的画面和高速运动的角色营造出紧张刺激的氛围，激发观众的观影欲望。而缓慢的运动则通常表达深沉、悲伤等较为平和的情感。例如，在一个纪念逝者的动画短片中，画面以缓慢的节奏移动，配合低沉的音乐，表达出对逝者的缅怀之情。

节奏变化与情感起伏。节奏的变化能够模拟情感的起伏。在动态视觉设计中，节奏的快慢、疏密变化可以引导观众的情感波动。例如，在一个悬疑故事的动画中，节奏会在关键情节处突然加快，营造出紧张的氛围，而在故事的铺垫部分，节奏则相对缓慢，让观众逐渐进入情境。通过节奏的巧妙安排，观众在情感上与作品产生共鸣，增强情感体验。

三、艺术感与情感传递在不同动态视觉形式中的体现

（一）动画中的艺术感与情感传递

传统手绘动画。传统手绘动画以其独特的艺术笔触和细腻的情感表达而闻名。在迪士尼早期的经典手绘动画中，画师通过精心绘制每一帧画面，赋予角色生动的表情和动作，展现出丰富的情感。例如，《小鹿斑比》通过细腻的线条和柔和的色彩，描绘出斑比在森林中的成长历程，从无忧无虑的童年到经历挫折后的坚强，每一个画面都饱含情感。同时，手绘动画的艺术感体现在独特的绘画风格上，如中国传统手绘动画借鉴了水墨画、剪纸等艺术形式，形成了具有浓郁民族特色的艺术风格，如《小蝌蚪找妈妈》以水墨画的形式展现了独特的东方韵味，传递出对自然和生命的赞美之情。

3D 动画。3D 动画在展现艺术感和传递情感方面具有独特的优势。其逼真的画面效果和强大的视觉表现力，能够营造出宏大的场景和细腻的角色形象。如《冰雪奇缘》，通过 3D 技术打造出的冰雪世界，晶莹剔透的冰雪质感、绚丽的光影效果，展现出极高的艺术美感。同时，角色的表情和动作通过 3D 动画技术得以精准呈现，艾莎在释放魔法时的自信与纠结、安娜对姐姐的坚定情感，都通过细腻的 3D 动画传递给观众，引发观众的情感共鸣。

定格动画。定格动画以其独特的材质质感和手工制作的温度传递情感。在《小羊肖恩》中，通过对黏土角色的逐帧拍摄，展现出黏土

材质独特的质感和手工塑造的痕迹，给观众带来一种亲切、质朴的感觉。角色的简单动作和丰富的表情，配合幽默的情节，传递出轻松、欢乐的情感。定格动画的艺术感还体现在场景和道具的手工制作上，每一个细节都充满了创作者的匠心，使观众感受到独特的艺术魅力。

（二）互动设计中的艺术感与情感传递

网页与应用界面设计。通过简洁而富有创意的设计，营造艺术感并传递情感。例如，一些阅读类应用的界面设计采用简洁的布局和柔和的色彩，营造出宁静、舒适的阅读氛围，让用户在使用过程中感受到放松和愉悦。同时，界面元素的动态变化，如翻页动画、按钮的点击反馈等，不仅具有实用性，还能为用户带来趣味性和情感满足。在电商应用中，界面的色彩搭配和图形设计会根据不同的促销活动进行调整，如在节日促销时，采用鲜艳、热闹的色彩和充满节日氛围的图形，传递欢乐的情感，激发用户的购买欲望。

游戏互动设计。游戏互动设计在艺术感和情感传递方面表现得淋漓尽致。在《塞尔达传说：旷野之息》中，开放世界的精美画面，从壮丽的山川到神秘的遗迹，展现出独特的艺术风格。游戏中的角色成长、剧情发展以及与环境的互动，都能让玩家产生强烈的情感共鸣。玩家在探索过程中，面对未知的挑战和惊喜，会体验到好奇、兴奋、成就感等多种情感。游戏的操作反馈，如角色的动作响应、技能特效等，也增强了玩家的情感体验，使玩家更加投入游戏世界中。

互动装置艺术。互动装置艺术通过观众的参与，实现艺术感与情感的深度互动。在一些互动光影装置中，观众的动作可以触发光影的变化，如身体的移动使光线产生不同的形状和色彩变化。这种互动过程让观众成为作品的一部分，感受到自己与作品之间的紧密联系。同时，装置所营造的艺术氛围，如梦幻的光影效果、空灵的音乐等，能够引发观众的情感反应，可能是惊叹、愉悦，也可能是沉思，使观众在互动中获得独特的情感体验和艺术感悟。

（三）动态广告与宣传视频中的艺术感与情感传递

商业广告。商业广告通过创意的艺术表达和情感共鸣来吸引消费者。例如，可口可乐的广告常常以欢乐、分享为主题，通过色彩鲜艳的画面、充满活力的人物和动感的音乐，营造出积极向上的氛围。广告中的动态元素，如可乐瓶的旋转、气泡的跳跃等，展现出产品的活力和吸引力。同时，广告传递出的情感，如朋友间的欢乐聚会、家庭中的温馨时刻，与品牌理念相契合，使消费者在情感上对品牌产生认同，从而促进产品销售。

公益广告。公益广告以深刻的主题和情感触动为核心。在一些环保公益广告中，通过震撼的画面和动态效果，如冰川融化、森林砍伐等场景的呈现，运用强烈的色彩对比和紧张的节奏，引发观众对环境问题的关注和忧虑。同时，广告中也会传递出希望和呼吁，如展示人们采取环保行动后的美好未来，鼓励观众积极参与环保事业。公益广告通过艺术感的营造和情感传递，唤起观众的社会责任感。

品牌宣传视频。品牌宣传视频注重展现品牌的个性和价值观，传递品牌情感。苹果公司的品牌宣传视频常常以简洁、高端的风格呈现，通过精美的画面、流畅的动态效果和富有科技感的音乐，展示产品的创新设计和卓越性能。视频中传递出的简约、创新、追求卓越的情感，与苹果品牌的形象高度契合，使消费者对品牌产生向往和信任，进而巩固品牌在消费者心中的地位。

四、提升动态视觉中艺术感与情感传递效果的策略

（一）深入了解受众需求

分析受众心理与情感诉求。要提升动态视觉中艺术感与情感传递效果，首先需要深入分析受众的心理和情感诉求。不同年龄、性别、文化背景的受众，其情感需求和审美偏好存在差异。例如，年轻人可能更追求时尚、创新的艺术风格，对充满活力和科技感的动态设计感兴趣；而部分老年人可能更喜欢传统、稳重的风格。在设计针对儿童的动态视觉作品时，要考虑到儿童对色彩鲜艳、形象可爱的图形以及简单有趣的情节的喜爱，用充满童趣的艺术表达满足他们的情感需求，如在儿童动画中，运用明亮的色彩、夸张的角色造型和欢快的节奏，吸引儿童的注意力并传递快乐。

结合受众的文化背景。受众的文化背景对艺术感和情感传递有

着重要影响。不同文化有着独特的符号、色彩象征和审美观念。在跨文化的动态视觉设计中，需要充分考虑这些因素。例如，在中国文化中，红色代表吉祥、繁荣，而在西方文化中，红色可能更多与危险、爱情相关。因此，在设计面向不同文化背景的受众的动态作品时，要合理运用文化元素，避免文化误解，增强情感共鸣。比如在设计国际品牌的宣传视频时，要巧妙融合不同文化的元素，以适应全球受众的审美和情感需求。

（二）强化创意与艺术表达

挖掘独特的创意灵感。独特的创意是提升艺术和情感传递效果的关键。设计师可以从生活、艺术、科技等多个领域挖掘创意灵感。例如，从自然现象中汲取灵感，将四季的变化、生物的生长过程等以动态视觉的形式展现，赋予作品独特的生命力和情感内涵。也可以从艺术流派中获取灵感，如将抽象表现主义的风格融入动态图形设计中，通过色彩和形状的自由组合与动态变化，表达深层的情感和思想。

提升艺术表现技巧。不断提升艺术表现技巧，能够更好地传达创意和情感。这包括对色彩、图形、线条、材质等元素的熟练运用，以及对节奏、韵律、构图等形式美的把握。例如，学习色彩理论，掌握色彩搭配的技巧，使色彩在动态视觉中更准确地传达情感。同时，提高动画制作、交互设计等技术水平，确保创意能够以高质量的艺术形式呈现。例如，精湛的动画技术可使角色的动作更加自然流畅，增强情感表达的感染力。

保持创新与突破。动态视觉领域发展迅速，设计师需要保持创新与突破的精神，不断尝试新的表现手法和技术应用。例如，探索新兴的交互技术，如脑机接口在互动设计中的潜在应用，为用户带来前所未有的交互体验，同时也为艺术感的展现和情感传递开辟新的途径。在动画制作方面，尝试将不同的艺术风格进行融合，如将传统油画风格与现代 3D 动画技术相结合，创造出独特的视觉效果，吸引观众的注意力并引发情感共鸣。

（三）优化技术与艺术融合

紧跟技术发展趋势。技术是实现动态视觉艺术感和情感传递的重要支撑，设计师要紧跟技术发展趋势，及时掌握新的软件、工具和技术手段。例如，随着实时渲染技术的不断进步，能够实现更逼真、流畅的动态画面效果，设计师应积极学习并应用这一技术，提升作品的视觉质量。同时，关注人工智能、虚拟现实、增强现实等前沿技术的发展，思考如何将其融入动态视觉设计中，创造出更具沉浸感和互动性的作品，从而更好地传递情感和营造艺术氛围。

实现技术与艺术的平衡。在追求技术应用的同时，要确保技术与艺术的平衡。技术应服务于艺术表达和情感传递，而不是主导设计。例如，虽然一些复杂的特效技术能够带来视觉冲击，但如果与作品的主题和情感不符，反而会削弱整体效果。设计师需要根据作品的艺术需求，谨慎选择和运用技术，使技术与艺术元素紧密结合，相得益彰。比如在设计一个简约风格的互动应用时，即使有更炫目的技术可用，也应选择简洁、适用的技术手段，以保持整体的艺术风格和情感基调。

培养跨学科能力。优化技术与艺术的融合需要设计师具备跨学科能力。动态视觉设计涉及艺术、计算机科学、心理学等多个学科领域。设计师不仅要掌握艺术创作的技巧，还要了解相关技术的原理和应用，以及受众的心理特点。例如，了解心理学中关于情感认知和视觉感知的知识，有助于设计师更好地运用色彩、图形等元素来引导情感。通过跨学科学习，设计师能够从不同角度思考设计问题，实现技术与艺术的深度融合，提升动态视觉作品的艺术感与情感传递的效果。

综上所述，动态视觉中的艺术感与情感传递是一个复杂而又富有魅力的领域。通过深入理解艺术感的构成要素、掌握情感传递的方式，以及在不同动态视觉形式中的体现，我们能够更好地欣赏和创作动态视觉作品。同时，通过采取提升艺术感与情感传递效果的策略，如深入了解受众需求、强化创意与艺术表达、优化技术与艺术融合等，设计师可以创作出更具感染力和影响力的动态视觉作品，使观众在欣赏作品的过程中，不仅获得视觉上的享受，更能在情感上产生共鸣，从而实现动态视觉设计的价值和意义。随着技术的不断进步和人们对艺术与情感需求的不断提升，动态视觉中的艺术感与情感传递将展现出更加广阔的发展前景。

参考文献

[1] 拉兹洛・莫霍利 - 纳吉. 新视觉 : 包豪斯设计、绘画、雕塑与建筑基础 [M]. 刘小路，译. 重庆：重庆大学出版社，2014.

[2] Steven Heller，Vienne. The Future of Design: Digital Revolution in Visual Communication [M]. New York: Allworth Press，2021.

[3] Ellen L. Design is Storytelling: Iterative Visual Thinking [M]. New York: Cooper Hewitt，Smithsonian Design Museum，2022.

[4] Jared F. Motion Design in Visual Communication[M]. New York: Routledge，2020.

[5] Jeff B，Matt W. Data Visualization and Information Design [M]. New York: Princeton Architectural Press，2019.

[6] Donald A N. Emotional Design: UX in Visual Communication[M]. New York: Basic Books，2021.

[7] Rudolf A. Art and Visual Perception[M]. Berkeley: University of California Press，1954.

[8] Philip B M. A History of Graphic Design [M]. New York: Van Nostrand Reinhold，1983.

[9] Müller-Brockmann J. Grid Systems in Graphic Design[M]. Zurich: Niggli Verlag，1981.

[10] Paul R. Design，Form，and Chaos[M]. New Haven: Yale University Press，1993.

[11] John B. Ways of Seeing [M]. London: BBC and Penguin Books，1972.

[12] Paul Martin L. Visual Communication: Images with Messages [M]. Belmont: Wadsworth Publishing，1995.

[13] Jorge F. User-Centered Design: Visual Communication as Information Planning [M]. New York: Allworth Press，1997.

[14] Lupton E ，Miller J. Abbott. Design Writing Research[M]. New York: Princeton Architectural Press，1996.

[15] Donis A D. A Primer of Visual Literacy [M]. Cambridge: MIT Press，1973.

[16] 刘华坤．数字媒体时代的视觉传达设计创新研究 [J]. 装饰，2019，312（8）: 76-80.

[17] 欧阳雪．传统文化符号在现代视觉传达中的转译路径 [J]. 美术研究，2021，192（4）: 120-125.

[18] 刘静．基于视觉传达理论的动漫形象设计研究 [J]. 玩具世界，2024（5）:193-195.

[19] 黄文涛，高山．视觉有度，思维无限——艺术设计中“度”的视觉表达 [J]. 湖南包装，2022，37（6）: 12-15.

[20] 司雨鑫．中国传统色彩元素在文创产品设计中的应用研究 [J]. 色彩，2024（3）: 45-50.

[21] 陈志华．色彩对小学体育活动中学生情绪调节的作用 [J]. 色彩，2024（3）: 88-92.

[22] 吴晨玮，苏琳玉．梁启超趣味美学思想对商业海报设计的启示 [J]. 鞋类工艺与设计，2024（7）: 110-113.

[23] 朱铭亮，林丽华．网站信息的色彩设置对传播的影响 [J]. 宜宾学院学报，2017，17(5): 102-107.

[24] 黄佳梦．纸质图书的存在价值与发展对策新论 [J]. 出版广角，2020（10）: 55-59.

[25] 李叶红．数字化环境下“锦织物”在当代服饰品牌创新设计中的研究 [J]. 艺术品鉴，2024（2）: 33-37.

[26] 潘萌，李美玉．环境心理学影响下老旧社区微更新设计 [J]. 环球人文地理，2024（4）: 90-95.

[27] 汤玉丹．生态翻译学视域下的丝绸文化外宣翻译——以中国丝绸博物馆为例 [J]. 英语广场，2023（12）: 45-48.

[28] 刘晓晴．基于设计与生活艺术化的设计师职业探究 [J]. 鞋类工艺与设计，2024（7）: 114-117.

[29] 左梦程，鲍夫才．生态哲学思想对中国现代环境艺术设计的启示 [J]. 文学艺术周刊，2023（9）: 77-81.

[30] 赵星宇，刁小卫．汉维语颜色词对比 [J]. 文化创新比较研究，2024（1）: 60-65.

[31] 唐希希．AIGC 发展背景下高校动画创作课程教学改革研究 [J]. 大学，2024（3）: 120-125.

[32] Kim J，Lee S. Social Media Aesthetics: Visual Communication in the Age of Instagram[J]. Design Studies，2022，44（3）: 45-62.

[33] Wang Y，Chen L. Cultural Semiotics in Cross-Brand Visual Communication[J]. Journal of Design Research，2021，19（2）: 112-130.

[34] Gómez-Cruz E，Sosa-Velasco A. Post-Digital Aesthetics: Redefining Visual Language in AR/VR Environments[J]. Digital Creativity，2020，31（4）: 215-234.

[35] Noah R. Algorithmic Bias in Visual Communication Tools[J]. AI&Society，2023，38（1）: 89-105.

[36] Zhao X，Zhou M. Sustainable Visual Communication: Eco-Design Strategies in Packaging[J]. Sustainable Design Review，2021，12（4）: 33-48.

[37] Davis M. Decolonizing Visual Communication: A Global South Perspective[J]. Design Issues，2022，38（3）: 67-82.

[38] Huang T，Lin C. Visual Storytelling in Public Health Campaigns: A Case Study of COVID-19 Posters[J]. Health Communication，2020，35（12）: 1501-1515.

[39] Gao L Q. A Multi-Person Collaborative Design Method Driven by Augmented Reality[J]. International Journal of Advanced Computer Science and Applications，2024，15（11）: 976-984.

[40] Garcia M. Neuroaesthetics and Visual Perception: Enhancing Design Impact[J]. Visual Communication Quarterly，2019，26（2）: 78-93.

[41] 赵红艳. 白蜡木微观形貌构图在家居设计中的应用 [D]. 长沙：中南林业科技大学硕士论文，2022: 45-80.

[42] 葛禹. 设计伦理学视域下的康养空间景观设计研究 [D]. 岳阳：湖南理工学院硕士论文，2024: 30-65.

[43] 米楠，余斐斐. 平面设计与人工智能融合发展探究 [C]. 第四届钢铁行业数字化教育培训研讨会论文集，2024: 112-120.